前言

再保险简单地讲就是保险人的保险，即指保险人将其承担的保险业务，以分保形式部分转移给其他保险人，实现风险进一步分散转移。再保险在保障保险市场安全，分散直接保险公司赔付风险、提高保险公司承保能力和提供巨灾保障，辅助保险市场调控，以及强化行业风险管理方面都发挥着重要的作用。2021 年，中国银保监会修订发布的《保险公司偿付能力管理规定》（以下简称《管理规定》），其中关于核心偿付能力充足率、综合偿付能力充足率及风险综合评级等相关指标的制定，加强了对保险公司财务资源的综合考量，增大了原保险人对再保险市场的有效需求。

本书主要包括三部分内容：再保险学基础理论、再保险实务和再保险市场。全书共分为十章：第一章和第二章主要介绍再保险基础理论和再保险合同基本原则，第三章至第六章主要介绍再保险专分保技术和再保险创新业务，第七章至第十章主要介绍再保险业务的经营管理、全球再保险市场的发展和再保险市场的监管。

本书的特色如下：一是关于再保险业务创新，重点介绍了再保险市场产品创新；二是根据《中华人民共和国民法典》和《中华人民共和国保险法》的指引，本书对再保险合同条款的相关内容进行了梳理，进一步明确了再保险活动涉及的法律原则和术语；三是较详尽地介绍了全球主要再保险市场发展动态及特点，汇集了近期国际主要再保险市场发展的相关资料和数据。

本书主要供高等院校金融保险专业学生学习再保险理论和实务知识之用，同时也提供给保险业界人士作为参考。

本书由王萍、李飞飞担任主编，负责全书的总纂，陈一勤、周小燕担任副主编。具体编写分工为：广东金融学院王萍负责第一章、第三章和第四章的编写；广东金融学院李飞飞负责第五章、第七章、第八章和第九章的编写；暨南大学陈一勤负责第二章的编写；广东金融学院周小燕负责第六章、第十章的编写。

本书是作者对从事近20年“再保险”教学工作的体会和总结，也是本着对保险学院的情怀参与广东金融学院保险学院保险系列丛书的编写工作。本书主要参考了由杜鹏、陈玲主编的《再保险》、胡炳志主编的《保险学》教材及大量保险专家的研究成果，在此表示感谢和敬意。同时，由于编写者的学识水平有限，不足之处在所难免，敬请专家、读者批评指正。

编　者

2022年8月

目 录

第一章　再保险概述

再保险以风险管理技术的专业性、分散风险市场的国际性、风险发现的前瞻性、风险资金融通的高效性以及产品创新的技术领先性，为保险公司和保险市场发展保驾护航，尤其是在保险业面临巨灾风险和巨额损失的严峻挑战下，更需要传统保险风险管理手段及补偿机制进一步创新和发展。

第一节　再保险的相关概念和分类

一、再保险的基本概念

保险公司作为重要的风险管理专业机构，通过对风险的经营管理，为风险主体提供经济保障，并从中获取利润。而现代保险企业更是将追求企业价值或股东权益最大化作为企业价值管理的终极目标。保险公司通过再保险合约安排，可以提高其承保能力，稳定承保结果，满足监管机构对偿付能力的监管要求，最终实现保险企业的稳定经营和保险市场健康、可持续发展。

所谓再保险（reinsurance），根据《中华人民共和国保险法》① 第二十八条的规定："保险人将其承担的保险业务，以分保形式部分转移给其他保险人的，为再保险。"简单地讲，再保险（也称"分保"）是保险人的保险。保险人在原保险合同的基础上，通过签订再保险合同或分保合同，将其所承担的部分风险责任向其他保险人进行保险的行为。

理解再保险概念，需要注意以下四点：一是再保险活动关系人，主要包括原保险人（original insurer）、再保险人（reinsurer）。原保险人是分出业务一方、分出公司、再保险分出人，再保险人是分入业务一方、分入公司、接受公司。二是转分保。再保险人将分入的保险业务再转分给其他保险人的称为转分保。三是风险责任部分转移。再保险风险责任转移一般是部分转移，风险责任全部转移的情况比较少见，一般只有保险公司承保了某一不属于该公司的通常经营范围的保险业务时，该保险公司可能让再保险人承担全部责任。四是再保险活动的国际性。鉴于再保险活动从其诞生之日起，主要是应对巨灾风险、巨额保险标的损失的风险管理及经济赔偿，因此，再保险活动往往是跨区域、跨国界进行的，即再保险活动具有国际性。再保险活动的国际性与国

① 指 2021 年最新中华人民共和国保险法全文【修正版】，本书在后面全部以《保险法》简称。

际保险是不同的概念。所谓国际保险是从世界范围角度研究保险、以各个国家的国内保险发展水平为研究基础、各国保险协作融合而组成的整体为背景且融合国际保险理论和实务，有效组合、转嫁和分散世界经济中的各类风险，实现世界范围内保险界的合作互助、共担损失，是跨越国界的保障网络。

二、危险单位、自留额和分保额

在再保险业务中，分保双方风险及责任的分配或分担是通过确定自留额和分保额[①]来体现的，而自留额和分保额都是按危险单位来确定的。危险单位、自留额和分保额是再保险业务的三个核心内容。

（一）危险单位

危险单位是指保险标的发生一次灾害事故可能造成的最大损失范围[②]，一般由分出公司决定。危险单位的划分是再保险实务中很重要的一个问题。划分危险单位需注意以下四点：

（1）划分标准较复杂且划分的内容并非一成不变，需要根据不同的险种和保险标的来决定。例如，船舶险以一艘船为一个危险单位，车辆险以一辆汽车为一个危险单位，人寿保险以一个人为一个危险单位等。关于火险，通常以一栋独立的建筑物为一个危险单位。但如果数栋建筑物毗连在一起，则应根据其使用性质、间距和周围环境等因素决定划分为一个或数个危险单位。

（2）划分危险单位的关键是估计一次保险事故可能造成的最大损失范围，而不是根据具体的保单份数来划分危险单位。危险单位划分的关键是要和每次事故最大可能损失范围的估计联系起来考虑，而并不一定和保单份数等同。例如，一个大型石油化工厂，面积很大，如果主要车间与辅助车间之间有设备的连接，则应划分为一个危险单位；如果该工厂生产区与生活区建筑物之间保持有一定距离，则应划分为不同的危险单位。再如，不同货主的货物装载在同一艘船上，虽由数份保单组成，但属同一危险单位。

（3）危险单位的划分并不是一成不变的。例如，A、B、C、D 四栋教学楼之间本没有通道，后来修建了廊桥，使之连接起来，这就使互相分割的四个危险单位变成了一个危险单位。

（4）危险单位的划分需要相关保险专业知识进行界定。例如，一家年产 30 万吨乙烯的工厂，其布局和结构、规格都有一定的规范，决定危险单位时要结合具体的建筑物和设施，经过实地查勘或图纸分析，才能确定危险单位的划分。至于水电站建设的工程保险、高速公路建设的工程保险等，在危险单位的划分方面就比较复杂。

（二）自留额和分保额

自留额是指分出公司（原保险人）根据其自身的偿付能力所确定承担的每一危险

---

① 自留额和分保额是再保险实务中的习惯说法，其准确概念应分别为自留责任和分保责任。

② 从危险单位的定义中可以发现，危险单位与直接保险的保险标的、保险单位是有差别的，由此决定了再保险不同于直接保险的复杂性。

单位或一系列危险单位的责任或损失限额，也称为“自负责任”。与之对应，分保额是指接受公司（再保险人）根据自身财务能力所能接受或承担的风险单位的责任或损失限额。

自留额与分保额既可以以保险金额为基础计算，也可以以赔款为基础计算。计算基础不同，决定了再保险的方式不同。以保险金额为计算基础的分保方式属于比例再保险，以赔款金额为计算基础的分保方式属于非比例再保险。

为了确保保险企业的财务稳定性及其偿付能力，许多国家通过立法将再保险安排，特别是巨灾风险的处理、危险单位的划分、自留额的大小等列为国家管理保险业的重要内容。《保险法》第一百零二条规定：“经营财产保险业务的保险公司当年自留保险费，不得超过其实有资本金加公积金总和的四倍。”关于危险单位，《保险法》第一百零三条规定：“保险公司对每一危险单位，即对一次保险事故可能造成的最大损失范围所承担的责任，不得超过其实有资本金加公积金总和的百分之十；超过的部分应当办理再保险。保险公司对危险单位的划分应当符合国务院保险监督管理机构的规定。”《保险法》第一百零四条规定：“保险公司对危险单位的划分方法和巨灾风险安排方案，应当报国务院保险监督管理机构备案。”至于分入公司，《保险法》第一百零五条规定：“保险公司应当按照国务院保险监督管理机构的规定办理再保险，并审慎选择再保险接受人。”

三、再保险的分类

根据划分标准的不同，再保险有以下基本分类：

（一）按责任确定基础不同分类

按责任确定基础不同分类，可以将再保险划分为比例再保险和非比例再保险。凡是以保险金额为计算基础的再保险称为比例再保险，而以赔款金额为计算基础的则称为非比例再保险。

1. 比例再保险

比例再保险（proportional reinsurance）是指原保险人与再保险人以保险金额为计算基础签订的再保险合同，并按比例计算双方承担保险责任的再保险方式。比例再保险的最大特点就是原保险人和再保险人按照比例分享保费、分担责任，并按照同一比例分担赔款。比例再保险又可以分为成数再保险、溢额再保险及成数和溢额混合再保险。

2. 非比例再保险

非比例再保险（non-proportional reinsurance）是以赔款金额作为计算自留额和分保额的基础，分出人先规定一个自己负担的赔款额度，对超过这一额度的赔款由分保接受人承担赔偿责任，自留额和分保额无比例关系。因此，超额赔款分保方式几乎成了非比例再保险的代名词。超额赔款再保险的方式很多，现在运用比较多的有以下三种：

（1）险位超额赔款再保险（excess of loss per risk basis reinsurance）。以每一危险单位所发生的赔款为基础，确定分出公司自负责任限额和分入公司分保限额的再保险方式。

（2）事故超额赔款再保险（excess of loss per event basis reinsurance）。以一次巨灾事故中多数风险单位所发生赔款的总和为基础，来确定自负责任额和分保责任额的再保险方式。它是险位超额赔款再保险在空间上的扩展，用来保障保险分出人的累积责任，分入公司负责任何一次事故累积的损失超过规定自负责任额的赔款。为方便接受人的选择和降低分出人的成本，事故超赔再保险分出人一般会将自己所需的保障金额分为若干层，由分入公司自行选择，承担相应责任。

（3）赔付率超赔再保险（excess of loss ratio reinsurance）。以年度赔付率来确定自负责任和分保责任的再保险方式。即在约定的一定时期（通常为一年）内，当分出公司的赔付率超过一定标准时，超过部分由分入公司负责至某一约定的赔付率或金额。

（二）按照分保安排方式分类

按照分保安排方式分类，可以将再保险划分为临时再保险、合同再保险和预约再保险。

1. 临时再保险

临时再保险（facultative reinsurance）又称临时分保，是再保险的最初形态。对于分出公司来说，是否办理临时分保，可视危险情况来决定。临时再保险的本质在于，对于某一危险，保险人是否要进行再保险、再保险多少，完全由分出公司根据自身所承受的风险责任情况以及自留责任的多少来决定，并逐笔与再保险人接洽；至于再保险人是否接受、如何接受、接受多少，可以根据危险的性质、本身的承保能力、与原保险人的业务关系等，酌情自行决定。

临时再保险的优点在于，再保险接受人可以清楚地了解业务情况，收取保费快捷，便于资金运用；临时再保险的缺点在于，当临时分保手续较为烦琐费时，分出人必须逐笔将分保条件及时通知再保险人，而对方是否接受事先难以判断，因此选择临时再保险方式可能会影响保险人业务的承保。此外，临时分保合同期限一般与保险业务年度同步。

2. 合同再保险

合同再保险（treaty reinsurance）又称合约分保，是再保险人提供给原保险人的、对其承保的某一险种的业务的一种保障。分出公司与接受公司双方事先通过契约明确双方的权利和义务，即将业务范围、地区范围、除外责任、分保佣金、自留额、合同限额、账单的编制与发送等分保条件用文字予以固定。合同一经签订，双方均应遵守。合同再保险对当事人双方都具有强制性。

鉴于合同分保的协议过程要比临时分保复杂得多，因此，一般来讲，只要再保险人不提出异议，再保险合同长期有效。除非缔约双方的任何一方根据合同注销条款的规定，在事前通知对方注销合同。

与临时分保逐笔安排不同，合同分保是按照会计年度安排分保的。

3. 预约再保险

预约再保险（facultative obligatory reinsurance）又称预约分保，是介于合同分保和临时分保之间的一种分保方式，是在临时再保险的基础上发展起来的一种再保险方式。

预约分保往往用于对合同分保的一种补充。它既具有临时再保险的性质，又具有合同再保险的形式。预约再保险的订约双方对于再保险业务范围虽然有预约规定，但原保险人有选择的自由，不一定要将全部业务放入预约合同。但分出人决定放入预约合同的业务，再保险接受人就必须接受，在这一点上具有合同的强制性。

（三）按照再保险业务的渠道分类

按照再保险业务的渠道分类，可以将再保险划分为分入、分出再保险，交换再保险，转分保再保险和集团再保险。

1. 分入、分出再保险

分入再保险业务和分出再保险业务（分别简称“分入业务”和“分出业务”）是一组相对的概念。保险公司将直接承保的业务根据需要在市场上安排再保险保障。相对于保险公司来说，这部分业务就是分出业务，而接受这些业务的保险公司或再保险公司将这部分业务称为分入业务。

2. 交换再保险

交换再保险又称互惠交换分保或回头业务。根据平等互利的原则，两个分保公司将各自承保的分保业务，按保险责任和保费数量进行对等的互换。其目的是在分散风险的同时保持双方保费的收入和盈余不至于减少。

互惠交换一般是以自己较好的分保业务交换对方较好的分保业务，即保险金额较大、保险责任较低、稳定性强的业务对等交换，且需注意交换的风险要分散在不同地域。互惠交换分保适用于比例分保合同，一般应以交换双方保费的对等和盈余的对等为基础。

3. 转分保再保险

转分保再保险是指分保接受人分入再保险业务后，为了减少自身承担的责任，通过合同分保方式，将一部分或全部责任再转分给其他再保险人。转分保实际上是对再保险业务的又一次分出。分出公司叫作转分人，接受公司叫作转分接受人，专业再保险公司的分出业务大多属于转分保性质。

需要注意的是，对于转分保业务，转分保接受人接受一般都比较慎重，一是因为转分保业务更加间接，二是转分保业务极易招致责任累计。转分保业务形式一般采取成数再保险，且分出人自留成分较多才容易分出。转分保接受公司一般对业务质量非常好或者与转分保分出人有特殊业务关系，才能接受转分保业务。

转分保业务的特殊性，使得其成为体现再保险市场承保能力的“晴雨表”。当市场上有过剩的再保险承保能力时，转分保业务在市场上比较好安排；反之，转分保业务几乎没有分保渠道。

4. 集团再保险

集团再保险是指为达到一个共同的目的，一国或一个地区之内的多个保险公司经共同协议联合组成的再保险组织。其组织的保险公司既是分出公司又是接受公司，它将自己的业务分给其他会员公司接受，同时又通过集团接受来自其他会员公司的业务。例如，亚非保险再保险联合会组织的非寿险分保集团。

集团再保险通过集体力量，实现业务集中，防止保费外流。它既有利于危险分散，又有利于加强合作，是一种很好的再保险组织形式。集团分保一般采用成数再保险形式。

总之，集团再保险是提高对外竞争能力的手段，也是缓和内部恶性竞争的有效工具，且有利于险种创新工作。集团再保险涉及面广，必须要有强有力的经营管理组织才能发挥作用。

（四）按照实施方式分类

按照实施方式分类，可以将再保险划分为法定再保险和自愿再保险。

法定再保险又称强制再保险，是指按照国家的法律法规，原保险人必须将其承保业务的一部分向国家再保险公司或由政府指定的再保险公司进行分保，即由国家法律规定强制实施的一种再保险方式。

自愿再保险是指由分出公司与接受公司双方协议自愿签订再保险合同的一种再保险方式。自愿再保险是商业再保险的常态形式。

第二节　再保险与直接保险的关系

再保险是保险人之间的保险关系。相对于投保人与保险人直接的保险关系，投保人与再保险人的关系是间接的。

所谓直接保险，是指保险人与投保人直接订立保险合同的保险业务，包括原保险与共同保险。因此，再保险与直接保险的关系可以分为再保险与原保险、再保险与共同保险的关系。

一、再保险与原保险

再保险与原保险两者既相互联系，又相互区别。

（一）再保险与原保险的联系

1. 原保险是再保险的前提和基础，再保险是原保险关系的进一步延续

从保险合同关系来看，原保险人将承保的被保险人的风险转移给再保险人，再保险合同是以原保险合同为基础的独立合同，原保险合同不存在，再保险合同无从成立；从保险赔款的内容来看，再保险人对原保险人承担的赔款按照一定的方式进行分摊，再保险分摊赔款既是原保险赔款活动的进一步延续，也是保险赔款业务的组成部分。原保险通过再保险，将其风险更进一步分散。

2. 再保险对原保险起着支持和促进作用

在现代保险经营中，再保险的地位与作用越来越重要，原保险承保能力提高、原保险业务流程及产品的创新，都有赖于再保险机制和再保险制度的安排与设计，再保险已成为原保险的强力后盾，离开再保险的支撑，原保险的创新和发展将受到极大制约。

3. 再保险合同是独立合同

再保险是分出人与接受人之间订立再保险合同，分保接受人对分出人由于所承担的责任或承保的风险发生赔款而受到经济损失给予补偿。从风险管理及经济补偿的角度看，再保险是保险的一种，它和原保险一样，都是风险的承担、分散和转让。需要指出的是，再保险合同是一种独立合同，虽然再保险合同是建立在原保险合同基础上的，但是原保险人是否安排再保险，完全取决于其承担风险的能力和经营状况与原保险风险管理的其他手段，如共同保险方式、风险证券化等手段。因此，再保险活动具有相对的独立性。

总之，原保险与再保险两者相辅相成，相互促进，共同发展。

（二）再保险与原保险的区别

1. 合同的当事人不同

原保险合同的当事人是投保人和保险人，再保险合同的当事人均为保险人，一方是再保险分出人，另一方是再保险接受人，与原投保人无关。

2. 合同的标的不同

在原保险中，保险标的是被保险人的财产或人身，保险标的既可以是财产、利益、责任、信用，也可以是人的寿命或身体；但在再保险中，保险标的只是原保险人对被保险人承担的风险责任，是非物质性的，可以用货币的概念进行衡量和计算的保险合同赔偿责任。

3. 合同的性质不同

原保险合同具有补偿性和给付性之分，即财产保险合同属于补偿性合同，人身保险合同属于给付性合同；而再保险合同无论是财产再保险还是人身再保险，都属于补偿性合同，因此无一例外地都适用损害补偿原则。这是因为，再保险合同是一种责任性合同，再保险人的责任是对原保险人所支付的赔款或给付的保险金给予一定的补偿，即要对原保险人的承保责任进行分摊。

4. 费用支付方式不同

在原保险中，投保人向保险人单方支付保险费；在再保险中，原保险人向再保险人支付分保保险费，而再保险人要向原保险人支付分保手续费（主要存在于比例分保合同中），这充分体现了保险同业合作的精神。

二、再保险与共同保险

共同保险是由两个或两个以上的保险人联合直接承保同一保险标的、同一保险利益、同一保险责任而总保险金额不超过保险标的保险价值的保险。多个保险人可能以某一保险人的名义签发保险单，每个保险人在各自承保金额限度内按照约定的比例承担保险赔偿责任。

（一）再保险与共同保险的联系

共同保险与再保险都具有扩大风险分散范围、平均风险责任、稳定保险经营的功能。

（二）再保险与共同保险的区别

1. 与投保人或被保险人的法律关系不同

就投保人与保险人之间的关系而言，在共同保险中，投保人与保险人之间建立的保险关系是横向的，投保人与每个保险人之间存在直接的法律关系。虽然在保险实务上，投保人可能只需与一个保险人接洽，而不是与所有的保险人接洽，但在法律上，投保人仍然与所有的保险人直接发生关系。而在再保险活动中，再保险是原保险人同再保险人建立的保险关系是纵向的，投保人与保险人之间没有直接的法律关系，再保险人仅与原保险人之间有直接的法律关系，因此，投保人无权向再保险人提出索赔请求，而再保险人同样也无权请求投保人缴付保险费。

2. 风险分散的方式不同

就风险分散方式而言，共同保险属于直接保险，是第一次风险分散；而再保险则为第二次风险分散，并且还可以通过转分保再分散风险。

（三）共同保险与再保险的融合发展趋势

从近年发展的情形看，共同保险与再保险存在融合发展趋势，即共同保险与再保险方式结合运用，达到风险迅速彻底分散，以应对现代经济社会各种保险标的风险累计增大、保险金额大量增加所带来的经济损害赔偿责任的承担。

共同保险在具体的做法上逐渐趋向于再保险，主要表现在以下两个方面：

1. 对并列式的共同保险实行首席共保人制度

首席共保人制度就是在若干个共同保险人中推举一个保险人作为首席共保人，由首席共保人全权处理每个共同保险实务（商谈承保责任、费率等保险合同重要内容）。首席共保人制度的设立，实际上采纳了再保险合同的首席再保险人制度，是共同保险的再保险化的具体表现。伦敦首席保险和再保险交易中心就是首席共保人制度最典型的代表。

2. 采用连带式的共同保险方式

连带式的共同保险方式是承保同一危险的各个共保人承担连带责任。所有的共同保险人对被保险人的保险赔偿承担连带的责任，每个共同保险人均有义务赔偿被保险人的全部损失，但共同保险人在向被保险人履行全部赔偿义务之后，应向负有连带责任的其他保险人要求承担其分摊的份额。这种形式的共同保险，在具体做法上完全再保险化。

至于再保险的共同保险化，如在建立再保险关系时，要求再保险人参与直接保险业务，明确规定再保险人要与原保险人为共同保险人，原保险人与再保险人对同一危险承担共同责任的做法，是再保险的共同保险化的具体表现。

第三节 再保险市场的产生和发展

一、再保险的产生及早期发展

现代意义上的再保险准确起于何时，无从考证。但是，有关再保险的开始有两点基本可以确认：再保险因市场需要而产生，再保险源于海上保险。

据史料记载，1370 年 Gustav Crueigor 保险人承保了意大利热那亚到荷兰斯卢斯之间的航程保险，将其中风险较大的一段航程转让给了其他保险公司来保障。尽管严格地说，这张保险单算不上现代意义的再保险，但其毕竟具有类似再保险的形式，从分散风险的原理来看，应属于再保险的开端，可以说这是世界上第一张再保险保单。

从 14 世纪开始，海上保险在西欧各国的海上贸易交往中已流行开来。随着海上航运业的发展，贸易往来的频繁，保险人承担的风险责任越来越大，尤其是对于一些保险金额较大的业务，保险人因受个人承保能力的限制而无法独立承担下来，当时主要通过共同保险的方式，由几个保险人联合承保，但共同保险方式费时费事，而且引起了保险人之间的不当竞争，于是产生了对再保险的客观需求。再保险方式的出现，为保险人分散风险提供了更为有效的途径，很快被广大保险人采用。保险人先将业务全部承保下来，然后将超过自身承保能力的责任分给其他保险人。

值得一提的是大航海时代的到来。大航海时代极大地推动了海上保险和海上再保险业务的发展，而再保险业务也借助于大航海时代的海上冒险活动，从海上保险、海上再保险的做法延伸到其他险种业务。

随着现代资本市场的形成，在 17 世纪中叶到 18 世纪中叶，英国成了世界国际贸易的中心，英国的贸易、航运、金融和保险业都得到了迅速发展。当时，英国皇家保险交易所和劳埃德咖啡馆都经营再保险业务。虽然英国最早盛行海上再保险，但由于对再保险的词义认识不明确，将重复保险与再保险混同起来，并有利用再保险费的涨落进行投机的现象。所以，再保险遭到当时公众舆论的非议。英国议会于 1746 年颁布法令，法令规定："对大不列颠的船舶和货物的保险，应进行管理，这些业务办理的再保险是非法的，除非直接承保人要倒闭、破产或死亡。"英国禁止海上保险业务再保险交易的法令直到 1864 年才被解除，从此恢复了再保险的合法地位。1906 年，英国海上保险法第九条规定："海上保险合同的保险人，对自己的风险具有保险利益，对此可以进行再保险。"需要指出的是，在禁止海上保险业务再保险交易期间，劳合社市场的海上再保险业务其实在照常进行。

在英国再保险业务发展受阻的同时，在欧洲大陆却颁布了一系列再保险合法经营的法令。如 1681 年法国路易十四法令、1731 年汉堡法令、1737 年西班牙贝尔堡法令和 1750 年瑞典法令等系列法律明确了再保险业务经营的合法性。1720 年，荷兰鹿特丹保险公司将承保的西印度海上保险业务向伦敦保险市场进行再保险。1726 年，丹麦的皇家特许海上保险公司从事再保险业务。18 世纪中叶以后，工业革命兴起带来的工商业繁荣，也带来了保险业的快速发展。为适应保险业发展的需要，再保险业务也随之相应不断进行变化。

二、再保险的发展演变

再保险的发展变迁与经济发展是密不可分的。自18世纪中叶以后，工业革命的兴起既带来了工商业的繁荣，也带来了保险业的发展。为适应保险业发展的需要，再保险活动无论从内容、方式到经营机构，都发生了深刻的变化。

（一）再保险合约形式的变化

再保险发展初期，再保险安排采用的是临时再保险方式。当时，再保险都是根据个别需要安排的，保险人和再保险人之间纯粹是临时性质的个别契约行为。这种再保险安排方式与当时的经济发展水平、保险发达程度以及再保险需求是相吻合的，所以在许多国家得到了普遍的运用和发展。到19世纪中叶，临时再保险已逐渐形成一定的格式。英国火灾委员会还于1871年制定了“火灾保险临时再保险规则”，以统一临时再保险做法。可以说临时再保险是再保险的最早形态。但是，临时再保险方式存在逐笔磋商、手续烦琐、费时费力、分保联系松散等弱点，不能满足保险业蓬勃发展的需要，于是一种新的再保险安排方式——合约再保险应运而生。合约再保险是由再保险双方事先签订再保险合同，约定业务范围、分保条件等事项，在合同有效期内，凡约定的业务，原保险人均按分保条件分出，再保险人必须接受，双方都没有选择权。这种再保险安排方式使再保险双方建立起了长期稳定的业务联系，简化了再保险手续，提高了工作效率，也适应了保险业务发展对再保险的需求增长。合约再保险方式的优越性慢慢被广大保险人认同，各国保险业纷纷采用，成为主要的再保险安排方式。1821年，法国巴黎国民保险公司和比利时布鲁塞尔业主联合保险公司签订了第一个固定的再保险合同。

（二）专业再保险公司的出现

再保险业务开始是在经营直接业务的保险人之间进行的，即这些保险人既经营直接保险业务又兼业经营再保险业务。随着再保险业务的不断发展和保险公司之间竞争的加剧，要求再保险经营的专业化，于是出现了专业再保险公司，专门从事再保险业务的经营。1856年，世界上第一家专业再保险公司——德国科隆再保险公司成立。此后，许多国家也开始设立专业再保险公司。1863年，瑞士再保险公司成立。1867年，英国成立第一家专业再保险公司。1880年，德国慕尼黑再保险公司成立。1890年，美国成立第一家专业再保险公司。专业再保险公司的出现，对促进再保险技术的提高和经营的专业化、推动再保险业务的发展都起到了积极的作用。

（三）再保险分散风险技术的发展

传统再保险分散风险的技术是比例再保险，即再保险双方以保险金额为计算基础分配责任，进行风险分散。19世纪末，伴随汽车工业的发展，汽车保险业务逐年增加。这种业务的特点是保单数量大、保额小、赔款多，而且一次事故可能造成累积责任。

如果用传统的比例再保险方式，尽管单位保额较小，但也必须分出，而且由于保单数量大，手续频繁，分出保费也较多，并且分出公司出现自负部分的累计赔款可能性很大。事实上，如果不对一次事故中的累积责任进行限制，分出入公司最后也都不会得到足够的保障，于是一种新的再保险责任限制方式——非比例再保险应运而生。

非比例再保险以赔款金额为计算基础分配再保险双方的责任。这样，既能限制分出公司的赔款责任，又能简化分保手续。分出公司不必分出每一笔业务，只在超额赔款发生时，由接受公司分摊赔款，减少了分保费的支出。由于超赔分保方式对巨灾风险和巨额风险的保障作用显著，随着巨灾风险和巨额损失的增多，超赔分保方式得到了进一步发展。

（四）国际再保险市场的形成

工业革命拉开了世界经济快速发展的序幕，20 世纪信息技术带来的科学技术革命、金融市场发展和金融工具创新，更是极大地推动全球经济高速发展和社会财富快速增长。与此同时，新的风险、风险的价值也呈现出新的发展态势，巨灾风险、巨额保险标的损失成为保险及再保险经营的内容。

面对巨额风险损失，保险人一方面受丰厚利润的诱惑而接受风险，另一方面又因潜在风险的威胁而必须分散控制风险。所以，巨额风险往往是通过再保险在保险同业之间予以分担，并且这种风险分散是在世界范围内进行的，使其分散消化更为彻底。超越国界的再保险安排是一项国际性业务，需要各国保险公司的通力合作和便利的交易场所，于是逐步形成了一些国际再保险市场。如伦敦、纽约、苏黎世、慕尼黑、巴黎、东京、新加坡、中国香港等都是著名的国际再保险市场。在国际再保险市场上，除了一些本土的保险和再保险公司外，还有一些世界性再保险公司的分支机构，大量的来自世界各地的再保险业务在这里成交。

再保险市场的国际化，一方面积聚了大量的保险资金，另一方面极大地提高了保险业整体的风险管理水平。随着科学技术发展带来的保险业的发展和创新，如互联网保险的发展、再保险市场的分保及风险管理技术，也将面临新的发展机遇和挑战。

三、中国再保险市场发展概况

改革开放以来，中国再保险市场经历了 1980—1995 年的业务恢复、1996—2005 年的法定分保、2006 年至今的全面改革开放多个发展阶段。随着直接保险市场的快速发展，中国再保险市场也取得了长足的进步。再保险市场主体稳步增加，业务规模较快扩大，承保能力进一步提高，监管力度不断加大。

我国保险行业“十四五”发展规划纲要明确提出，要深化保险发展与加快监管改革进程，加大保险结构性改革力度，促进行业转型升级，推动新产品、新技术、新模式不断涌现，为行业创新发展提供有力支撑。在保险开创更富活力、更富品质发展的过程中，为再保险业发展提供了新的契机和机遇。

第四节　再保险的职能和作用

一、再保险的职能

所谓职能，即职责与功能，是一事物区别于其他事物的本质特点。我国原保监会于2007年6月制定的《中国再保险市场发展规划》首次提出，再保险具有资本融通、风险分散和技术传导三大核心功能。

（一）资本融通

首先，再保险对直接保险公司的财务帮助能解决直接保险公司关于偿付能力、承保能力和资本约束等方面存在的问题；其次，再保险业务的国际性，使得保险业务突破了地区和国家界限，并能形成巨额的、全球性的保险基金用以承保一家保险公司或一国保险市场无法承担的巨额风险，满足现代化生产和高新技术发展对巨额保险的需要。

事实上，资本市场的快速发展扩大了保险资金运用领域，当然也增大了保险资金运用风险。通过再保险业务，原保险人可以将保险资金运用风险转移给再保险人，进一步讲，再保险活动增强了保险资金融通的功能。

（二）风险分散

社会经济的进一步发展带来了更多的巨灾风险、巨额标的的损失，使得原保险人无论其资本规模大小，都需要在更大范围来考虑业务经营的稳定性和风险的分散。如同直接保险一样，再保险人也存在对风险纵深分散的需要，再保险机制通过宏观及整体上对业务风险性质和特点把握的优势，督促和指导直接保险公司加强风险管理、提高承保及理赔质量、降低经营风险。

（三）技术传导

由于再保险人在数据积累、风险识别与防范、风险定价等方面具有技术优势，通过再保险机制的技术传导，将提高直接保险市场的风险管理水平，推动保险行业整体的规范化与标准化标准建设。直接保险市场产品创新和服务流程的整合，更是有赖于再保险的分保服务及其风险管理技术支持。

二、再保险的作用

（一）控制风险责任，稳定经营成果

再保险可以使保险人根据自己的技术、资金能力，通过合约限额、线数、险位控制、事故责任控制和年度赔付率等方式控制责任，实现业务和财务经营的稳定性。

（二）增强经营能力，降低营业费用

每一个保险人承保的业务总量都要受到资本额的限制，而且资本额不能低于业务

量的10%，否则业务的经营就潜伏着危机，需要清理，所以10%又被称为“清理界限”。因此，利用再保险手段可以在不增加资本金的情况下，增强原保险人的业务经营能力。

（三）降低营业成本，提高经济效益

再保险的支持，使得分出公司的业务量扩大，保费收入增长，但营业费用、管理费用并不按比例增长，降低了营业成本。此外，在发生损失时，分出公司向再保险人摊回赔款，与没有办理再保险相比，减少了赔款支出，因而可以降低保险赔付率。再保险分散风险原理与原保险分散风险原理相同，只是风险分散性质和分散程度较原保险更高。

（四）加强与国际保险市场的联系，提高经营管理水平

由于再保险业务大多是在国际范围内进行的，通过分保联系，可以密切同国外同业之间的关系，增进对国际保险、再保险市场情况的了解。同时，通过再保险业务交换，让世界了解中国保险业，扩大国内保险和国际保险的合作与交流。

思考题

1. 什么是再保险？简述再保险的职责和功能。
2. 如何理解再保险对分出公司业务经营的稳定作用？
3. 按分保安排方式划分，再保险分为哪几种？
4. 简述再保险与原保险的关系。
5. 比较再保险与共同保险的异同。

第二章　再保险合同

再保险合同是保险合同的一种形式，保险合同的基本原则都适用于再保险。再保险合同实际上是承保危险在原保险人和再保险人之间再次转移的法律形式，作为特定主体之间订立的保险合同，具有其特殊性。本章将对再保险合同的概念、原则及特点等进行介绍。

第一节　再保险合同概述

一、再保险合同的概念

再保险合同是指保险人将其所承担的保险责任，以分保的形式，部分转移给其他保险人而订立的保险合同。分出保险业务的为原保险人，又称分出人，接受分出保险业务的为再保险人，又称分入人。再保险合同又称分保合同。《保险法》第二十八条第一款规定："保险人将其承担的保险业务，以分保形式部分转移给其他保险人的，为再保险。"①

需要明确的是，再保险合同是在原保险合同基础之上建立起来的合同关系，是保险人为避免危险过于集中，不至于因某一次巨大事故的发生无法履行赔偿义务而采取的一种法律形式。原保险合同是再保险合同得以建立的基础，再保险合同的内容（包括保险危险、保险金额和保险期限）均要受原保险合同的制约。但是，再保险合同缔约双方都是保险人，其仅在再保险人和原保险人之间产生法律上的权利和义务关系，即再保险合同对原保险合同的被保险人不产生约束力。

二、再保险合同的法律性质

关于再保险合同的法律性质，虽然历经了四次修订，但《保险法》依然未对再保险合同的法律性质加以界定，我国学术界和实务界至今仍存在争议。主要代表性的观点有以下几种：

（一）非保险合同说

非保险合同说包括合伙说和保证说。

① 《保险法》第二十八条第二款规定："应再保险接受人的要求，再保险分出人应当将其自负责任及原保险的有关情况书面告知再保险接受人。"

1. 合伙说

该观点认为，再保险合同的双方当事人在再保险法律关系中，依据再保险合同的约定分摊风险的事实与合伙人共担风险的特点相吻合。另外，再保险合同的当事人可以约定以比例方式和非比例方式承担各自的责任，这也与合伙中按照出资多少或者合伙协议的约定来承担合伙责任相类似。

但是，再保险与合伙存在根本区别。《中华人民共和国合伙企业法》规定：合伙企业应由各合伙人订立合伙协议，共同出资、合伙经营、共享收益、共担风险。所以，合伙必须由共同出资作为合伙财产，当事人也必须以经营共同事业的意思表示而订立合同。再保险合同当事人是两个相互独立的法人，财产各自独立，各自经营自己的业务，没有经营共同的事业，订立合同的目的不包含再保险人和原保险人共同出资、共同经营，不符合订立合伙合同需要达到的目的。由此，再保险合同不是合伙合同。

2. 保证说

保证说认为，再保险合同凭借原保险合同的存在而订立，故再保险合同的法律效力从属于原保险合同，这种从属性与保证合同类似。但再保险合同与保证合同相比，既有从属性又有独立性，再保险合同中只有原保险人和再保险人两个当事人，原被保险人是再保险合同中涉及的第三人，但其不是再保险合同的主体。因此，再保险合同虽然是在原保险合同的基础上建立的法律关系，但其具有独立性。

（二）保险合同说

保险合同说包括原保险说、财产损失保险合同说和责任保险说。

1. 原保险说

原保险说又称继承说或同种保险说。该学说认为，原保险人为了分担风险与再保险人订立合同。这表明，再保险合同实质上是两个团体承担同一危险，进而构成同一利害关系体，故两个合同的性质应当相同，因为保险的标的并未改变。原保险说十分强调再保险合同与原保险的联系，却忽视了再保险合同与原保险合同的区别。在再保险合同当事人所负有的主要给付方面，再保险合同与原保险合同各自有自己的保险利益，再保险合同的保险利益不同于原保险合同的保险利益，所以，再保险合同是保险合同的一种，但再保险合同与原保险合同并不是同一种保险。

2. 财产损失保险合同说

财产损失保险合同说认为，当原保险合同约定的保险事故发生后，原保险人应当履行支付保险金的义务，而再保险人应当履行填补原保险人据此产生的损失义务。再保险人的损失填补业务与财产损失保险合同中，保险标的因约定的保险事故发生损失后，保险人即负赔偿责任来填补损害的情形相同。但在该学说下，在原保险人因丧失清偿能力而无法赔偿的情形中，因为未产生财产损失，则再保险人就没有向原保险人支付保险金的正当理由。这时，原保险人的利益都无法得到保障，原保险人订立再保险合同的目的就会落空。

3. 责任保险说

责任保险说认为，再保险合同与责任保险相同，保险标的都是被保险人对第三人依法应负担的赔偿责任，都是对被保险人无形财产的保护。从合同内容上看，两者都是以向合同以外的第三方赔偿为合同内容，虽然责任保险合同中法律明确规定保险人可以直接向合同以外的第三方即受害方进行赔偿，而再保险人无法直接向第三方支付保险金，但不可否认的是，再保险人向原保险人支付保险金就是为了分摊原保险人的保险责任，原被保险人实质上是再保险合同的受益方。从保险利益上看，两者保护的并非原保险人在保险事故发生后所产生的财产损失，而是为了避免其因法律或合同所负担的债务增加，保护的都是一种消极的财产利益。

综上所述，关于再保险合同的法律性质的学说主要有合伙说、保证说、原保险说、财产损失保险合同说和责任保险说等，但再保险合同并不完全符合上述学说的特点，而是有其自身的特征和独立性。

三、再保险合同的特征和独立性

（一）再保险合同的特征

再保险合同是基于原保险合同分散风险的目的而产生的，再保险合同是保险合同的一种，所以具有原保险合同的一般特征：一是适用诚信原则；二是具有射幸合同的特征；三是具有对人合同的特征。同时，再保险合同也具有不同于原保险合同之处：再保险合同当事人可能远隔万水千山，再保险合同的国际性比原保险合同更为明显。再保险合同虽源于原保险合同但又独立于原保险合同。

（二）再保险合同的独立性

再保险合同的独立性，是正确处理再保险内外部当事人法律关系的重要基础。传统再保险法理认为，原保险合同与再保险合同是两个独立的保险合同，再保险合同属于民法上的债权合同，其当事人为再保险人和原保险人，由债的相对性决定了其与原保险合同的被保险人没有任何法律关系，此即为“再保险合同的独立性”。

原保险合同的目的在于补偿被保险人，再保险合同的目的在于减免原保险人的保险赔偿责任，原保险人和再保险合同各自的法律关系互不相干，因此，即使被保险人拒绝缴付保险费，保险人也不得以此为由抗辩再保险人的保费请求权，再保险人也不能直接要求被保险人缴付再保险费；同样地，即使再保险人拒绝支付保险赔偿金，保险人也不得以此为由抗辩被保险人的损害赔偿请求权，被保险人也不得直接要求再保险人支付保险赔偿。

因此，再保险合同的独立性体现在以下三个方面：一是赔偿请求权的独立性。《保险法》第二十九条第二款规定：“原保险的被保险人或者受益人不得向再保险接受人提出赔偿或者给付保险金的要求。”二是保险费请求权的独立性。《保险法》第二十九条第一款明确规定：“再保险接受人不得向原保险的投保人要求支付保险费。”三是赔偿义务的独立性。《保险法》第二十九条第三款明确规定：“再保险分出人不得以再保险接受人未履行再保险责任为由，拒绝履行或者延迟履行其原保险责任。”

随着再保险业务的发展，再保险的独立性不是绝对的。在特定条件下，再保险人对第三人的代位求偿权、原被保险人对再保险人的保险请求权并非不可行使，应允许对债权独立性进行一定程度的突破。

第二节　再保险合同适用的基本原则

再保险合同是保险合同的一种形式，保险合同的基本原则均适用于再保险合同。但由于再保险合同自身的特点，再保险合同所适用的基本原则在内容上又区别于保险合同的基本原则，呈现出再保险的特征，反映了再保险制度的内在要求。再保险合同的基本内容以原保险合同为基础，保险合同的基本原则适用于再保险合同，主要包括最大诚信原则、保险利益原则和损失补偿原则。

一、最大诚信原则

诚实信用原则是民商法领域内的基本原则，有帝王条款之称。《中华人民共和国民法典》（以下简称《民法典》）第七条规定："民事主体从事民事活动，应当遵循诚实信用，秉持诚实，恪守承诺。"《保险法》第五条规定："保险活动当事人行使权利、履行义务应当遵循诚实信用原则。"诚信原则起源于罗马法。在罗马法的诚信契约中，债务人不仅要依照契约条款，更重要的是要依照内心的诚实观念完成契约所规定的给付。最大诚信原则在保险领域的运用，最早可以追溯到海上保险初期。因当时各种条件的限制，要求对保险合同当事人双方必须有超出一般合同的诚实信用。在再保险合同中，最重要的原则是最大诚信原则。由于再保险合同订立与履行的特点，其对最大诚信原则的要求高于原保险合同。当事人不仅在订立再保险合同时应适用最大诚信原则，而且在履行再保险合同时也应适用最大诚信原则。

（一）适用最大诚信原则的原因

大多数再保险交易是在全球范围内进行的，再保险人接受再保险业务和订立再保险合同，只能根据原保险人提供的情况，无法进行深入的调查，其是否决定接受分保、分保份额的大小，都是凭借其对原保险人的信赖；同时，如果原保险人不相信再保险人会履行赔偿义务，再保险交易则无法进行。因此，原保险人与再保险人之间需要相互信赖，遵循最大诚信原则。再保险合同是在保险同业之间订立的、当事人深知最大诚信原则的内涵和在再保险领域内的特殊要求。当事人在再保险合同的订立、变更、理赔以及其他有关再保险事务的处理中，均应遵循最大诚信原则。

（二）如实告知义务

《保险法》第二十八条第二款规定："应再保险人的要求，再保险分出人应当将其自负责任及原保险的有关情况书面告知再保险接受人。"在再保险合同中，如实告知义务是最大诚信原则的具体表现和最基本的要求，是再保险合同生效的基本条件。再保险合同当事人避免告知不实是远远不够的，再保险分出人必须向再保险接受人披露全部的重要事实，或者法律上认为应当知道的事实，而这些事实再保险人是不知道或者被认为是不知道的。这些事实与所承保的风险密切相关。这种义务对再保险合同的双方当事人均适用。披露义务的形成是为了确保再保险分出人对所提交风险的陈述是清楚准确的。

再保险合同当事人的披露义务与原保险合同当事人的披露义务基本相同，但由于再保险合同自身的特点，又有不同于原保险合同之处。在再保险合同中，分出人应将其从原保险合同的投保人处所获得的所有重大事实，接受人希望了解的情况，详细、及时、准确地向再保险人披露，特别是合同的承保范围和地区范围。此外，还包括分出人的经营方法、合同的自留额、保费和以往的赔款记录等实质性事实。因为再保险接受人是凭借分出人提供的信息决定是否接受承保。完整、明确的信息可能避免误解或进一步查询而耽误对方复证的时间。所以，分出人提供的信息越详尽、资料的质量越好，越有利于接受人做出决定。

不仅在再保险合同订立之前，分出人应向接受人告知实质性情况，而且在整个合同有效期间，分出人都要履行该项义务。

（三）违反最大诚信原则的法律后果

告知不实与欺诈或者重大事项未披露，均违反如实告知义务。

1. 原保险人违反如实告知义务

一旦原保险人违反最大诚信原则，而且再保险人是因原保险人披露不实或者虚假陈述而订立再保险合同的，再保险人可以行使撤销权。一旦再保险人行使对再保险合同的撤销权，再保险合同则自始无效。但是，如果再保险人在合理期限内没有行使撤销权，再保险人的权利消灭，再保险合同仍然有效；如果再保险人在合理期限内行使撤销权，致使再保险合同自始无效，根据 1906 年英国海上保险法的规定，分出公司有权要求再保险人全额返还再保险费。

2. 被保险人违反告知义务

在被保险人违反披露义务或者如实告知义务的情况下，再保险合同是否有效，取决于再保险合同的约定。长期以来，人们一直认为，被保险人将虚假的事实告知保险人，而保险人在没有审查其真实性的前提下，将这些虚假的事实告知再保险人，再保险人有权解除再保险合同。在订立原保险合同之前，如果被保险人做出了不正确的陈述，保证原保险单中事实的真实性，而这些陈述又成为订立再保险合同的基础，再保险人一旦发现事实的真相，有权拒绝承担责任。因此，再保险合同条款可以载明，如果原保险人信赖被保险人的陈述，并保证在其陈述的准确性的前提下，再保险合同生效。一旦证明被保险人的陈述是虚假的，则再保险合同无效。

二、保险利益原则

“无利益，无保险”。《保险法》第十二条第六款明确规定：“保险利益是指投保人或者被保险人对保险标的具有的法律上承认的利益。”无论是英美法系还是大陆法系，都认可保险利益原则。当投保人或被保险人因保险事故受到损害时，这种利益都将受到损害。因此，再保险合同应当具有保险利益。

（一）再保险合同的保险利益

在再保险合同中，再保险的保险标的与原保险的保险标的不同。原保险的保险标的是指发生保险事故的标的，如火灾保险中的被保险建筑物、海上货物运输过程中的被保险货物、海上船舶保险中的被保险船舶等；而再保险的保险标的则是原保险人的保险责任。保险人在订立再保险合同时，基于原保险合同对被保险人负责赔偿的保险责任，是一种基于有效合同而产生的合法利益，也就是再保险的保险利益。

原保险人对再保险的标的具有法律上承认的利益，这种利益就是再保险的保险利益，是再保险合同生效的要件。原保险人对直接保险合同保险标的的损失与否具有财产上损害补偿的利害关系，这项经济利益，因原保险中的保险事故的发生而受到损害，如果不发生保险事故，原保险人则继续享有这种利益。再保险合同的投保人——原保险人，对于原保险合同的保险标的，不具有积极保险利益，但具有消极保险利益。当该保险标的发生保险事故后，原保险人的赔偿责任开始转嫁给再保险合同的保险人。

（二）再保险合同的保险利益范围

再保险合同的保险利益范围以原保险人在原保险合同中的责任范围为限，而该责任范围取决于原保险合同的保险金额、承保的保险标的和承保的危险事故。通常情况下，再保险合同承保的条件与原保险合同的条件相同，再保险合同的危险事故也与原保险合同的危险事故相同，且再保险合同的保险责任范围不得超过原保险合同的责任范围。当原保险人不再具备保险利益时，则应当适用《保险法》第十二条规定，原保险人对于保险标的没有保险利益时，再保险合同失去效力。

（三）再保险的保险利益的限度

再保险的保险利益的限度，因再保险方式的不同而存在差异。在比例再保险中，根据再保险金额确定再保险的保险利益；在非比例再保险中，则根据损失的数额确定再保险的保险利益。以再保险金额确定再保险的保险利益依据的，是金额再保险；以损失数额确定再保险的保险利益依据的，是损失再保险。

三、损失补偿原则

损失补偿是财产保险的基础，在保险事故发生后，投保人或者被保险人只能按照其实际遭受的损害，请求保险人进行赔偿，不能因此获得额外的利益。在再保险合同中适用损失补偿原则，只有原保险人有权向再保险人请求赔偿。

（一）损失补偿的主要内容

在再保险合同中，损失补偿发生在原保险人和再保险人之间，原保险人是否已经履行其对被保险人的义务，与再保险人没有任何关系。即再保险人不得以原保险人没有履行其对原保险中的被保险人义务为由，拒绝履行其对原保险人的义务。此外，原保险人同样也不得以再保险人没有履行其赔付义务为由，拒绝向原保险中的被保险人履行其赔付义务。在再保险合同中，补偿原则要求再保险人的赔偿责任以原保险人的实际损失为最高界限，即原保险人不能获得超过其实际损失的赔偿。

所有的再保险均属于责任保险，故在再保险合同中，损失补偿原则不仅适用于财产保险分保合同，也适用于人身保险分保合同。

（二）再保险人的补偿范围

再保险人补偿损失的范围，以再保险标的的范围为准，即使通融赔付，也必须是再保险合同有规定才可以实施。再保险人对于直接保险合同规定范围之外的损失，不承担赔偿责任。此外，再保险人在向原保险人履行填补损失的赔付义务时，有权要求原保险人提供损失的证据，原保险人应承担举证责任，否则，再保险人有权拒绝承担赔偿责任。即使原保险合同所规定的保险事故发生，而且属于再保险合同承保的责任范围，但是，再保险人的补偿责任并不当然发生，而应根据再保险方式而定。再保险方式不同，再保险人的补偿责任也大不相同。例如，在超额赔款再保险合同等非比例再保险合同中，如果原保险人的赔偿金额没有超过起赔额，那么，再保险人无须承担补偿损失的义务。

（三）损失补偿原则在再保险中的应用

如前所述，在再保险合同中适用损失补偿原则，只有原保险人有权向再保险人请求赔偿。损失的补偿发生在原保险人与再保险人之间，原保险人是否已经履行其对被保险人的义务，与再保险人没有任何关系。

在原保险人破产的情况下，再保险人的赔偿责任以原保险人的赔偿责任为准，再保险人应当支付的赔款，归破产管理人所有，成为破产保险人财产的一部分，由债权人参与分配。直接保险合同中的被保险人不得直接向再保险人行使赔偿请求权。《保险法》第二十九条第二款规定："原保险的被保险人或者受益人不得向再保险接受人提出赔偿或给付保险金的要求。"但是，由于被保险人只能以普通债权人的身份参与破产的保险人财产分配，被保险人的利益缺乏必要的保障。为了保护被保险人的利益，英美法对允许被保险人直接向再保险人行使请求权采取肯定的态度。只要被保险人在再保险合同中规定"直接给付条款"，就可以直接向再保险人行使赔偿请求权。

第三节　再保险合同的基本内容

一、再保险合同的法律关系

《保险法》第十条第一款规定："保险合同是投保人与保险人所签订的约定保险权利义务的协议。"这表明，保险合同是确立保险关系当事人之间权利和义务的法律形式，它将保险立法规定的当事人享有的权利和承担的义务，具体固定在各个保险法律关系之中，并通过当事人的履约行为来实现保险保障职能。再保险合同作为一种独立的保险合同，同样是合同当事人为实现一定的经济目的而进行的民商事法律行为，能产生民事法律效果。而民商事法律关系由主体、客体和内容三要素构成。

（一）再保险合同的主体

保险合同的主体是指参与保险合同关系的各方当事人。再保险合同的主体包括再保险合同的当事人和关系人。再保险合同的当事人有再保险的分出公司和接受公司，即原保险人和再保险人；再保险合同的关系人为再保险经纪人。

原保险人是与再保险人签订再保险合同并受再保险合同保障的人，负有支付再保险费的义务，同时也有权按照再保险合同的规定向再保险人要求损失分摊。通常，原保险人是经营保险业务的各种保险组织。

再保险人是收取再保险费，并按照再保险合同的约定承担原保险人赔偿责任的人。通常，再保险人也是经营保险的各种保险组织。

再保险经纪人是原保险人与再保险人建立再保险关系的中介人。再保险经纪人通过促成再保险交易或提供市场信息和咨询服务而获取佣金或手续费。根据再保险经纪人所提供的服务，可以分为综合经纪人、国际经纪人、劳合社经纪人、临时分保经纪人和专业自保公司经纪人等。

（二）再保险合同的客体

保险合同的客体是保险合同的各方当事人的权利和义务共同指向的对象、是构成保险合同的要素之一。再保险合同的客体是再保险合同当事人权利和义务所共同指向的对象。如果没有再保险标的，双方当事人就无法履行合同所约定的权利和义务，再保险合同也就不能成立。但是，与原保险不同的是，再保险合同的标的不是具体标的本身，即不是原保险合同中的财产或寿命，而是原保险人根据原保险合同承担的保险责任。

一旦约定的保险事故发生或保险事件出现，原保险人就要承担赔偿或给付义务，经济利益就会受到影响，所以原保险人对再保险标的具有保险利益，这也是构成再保险合同的有效条件。再保险合同的客体是再保险利益，再保险合同保障的就是原保险人对再保险标的所具有的利益。

（三）再保险合同的内容

再保险合同的内容，即再保险合同双方当事人享有的权利和承担的义务。

1. 原保险人的权利

（1）原保险人有权处理与再保险人相关的业务，包括风险的选择、保险费率的厘定和承保条件的确定等；

（2）原保险人有权处理与再保险相关的业务，包括保险金的赔付事宜等；

（3）原保险人有权向再保险人收取再保险手续费；

（4）对于比例再保险，原保险人有权要求再保险人提存保费准备金和赔款准备金；

（5）在遭遇巨额赔款及赔款责任超过约定数额时，原保险人可以要求再保险人以现金摊赔。

2. 原保险人的义务

（1）如实告知义务，原保险人应按照再保险人的要求，将影响再保险人是否决定承保及影响再保险费率的重要事实，向再保险人如实告知；

（2）原保险人应按约定的期限，支付再保险费；

（3）在达成再保险协议后，原保险人应向再保险人发送正式分保条，并定期编送账单、业务更改报表、赔款通知书、已决和未决赔款报表；

（4）防灾防损的义务，原保险人应对保险标的的安全情况进行检查，及时提出消除不安全因素的建议，在保险事故发生时有责任提供合理的施救整理措施；

（5）原保险人在归还保费准备金和赔款准备金时，应同时支付给再保险人议定的利息；

（6）如因分入人工作的需要，原保险人应向再保险人提供有关账册、单据和文件；

（7）如有损余收回或向第三者责任方追回款项时，应按再保险人的分保比例予以退回。

3. 再保险人的权利

（1）依约向原保险人收取保险费；

（2）如有损余收回或向第三者责任方追回款项时，再保险人可以向原保险人要求按分保比例摊回有关款项；

（3）当原保险人不履行义务时，再保险人可以要求根据具体情况提出解除或终止再保险合同；

（4）在工作需要时，再保险人可以要求检查原保险人的有关账册、单据和分保记录。

4. 再保险人的义务

（1）再保险人应按时支付再保险手续费；

（2）在比例再保险中，再保险人应在分保费中扣存合同规定的保费准备金和赔款准备金；

（3）原保险人为维护双方共同利益而支付一定费用，再保险人应当按约定比例分摊；

（4）在遇到巨额赔款、赔款责任超过约定数额时，再保险人应按照再保险合同规定进行现金摊赔；

（5）在再保险合同成立后，除非法律或合同另有约定，否则再保险人不得在保险有效期内终止合同；

（6）再保险人应分担原保险人应列入合同的业务所发生的税款。

二、再保险合同的条款

再保险合同的内容是在条款中得以体现的，合同条款是合同双方当事人享有权利、承担义务的基础和依据。再保险合同中包括两类条款：一类为基本条款，另一类为通用条款。

（一）再保险合同的基本条款

（1）当事人名称和住所；

（2）保险期限，包括合同开始和终止时间；

（3）执行条款，包括再保险的方式、业务范围、地区范围及责任范围；

（4）再保险责任和免除条款；

（5）再保险费条款；

（6）手续费条款；

（7）再保险赔偿金额条款；

（8）违约责任和争议处理条款；

（9）再保险合同终止条款；

（10）货币条款，规定自负责任额、分保责任额、保费和赔款使用的货币以及结付应付的汇率。

（二）再保险合同的通用条款

再保险合同的种类繁多、方式各异，我国没有专门的再保险法，也没有标准的再保险合同。一般来说，再保险合同由分出公司与再保险人双方协商，共同拟订再保险合同的主要条款。但在再保险国际市场上已经形成一些通用条款和国际惯例，只要在再保险合中载明这些条款，此条款的相应规则即对双方当事人产生效力。这些条款包括共命运条款、仲裁条款、错误与遗漏条款、检查条款。

1. 共命运条款

共命运条款是国际保险市场被广泛使用并得到普遍承认的条款。在再保险合同中，共命运条款的一般表述为："兹双方当事人特别约定，凡属本合同约定的任何事项，再保险人在其利害关系范围内与原保险人同一命运。"[①] 共命运条款的含义是，与原保险人有关的诉讼结果对再保险有约束力，而且原保险人根据诚实信用原则所做出的非诉讼赔偿，也对再保险有约束力。再保险人承担责任的前提条件是必须有对价，否则，不承担任何责任。

但是，原保险人因调查和抗辩保单持有人的权利请求而支出的费用，再保险人不予负担。原保险人可能因没有及时处理或者没有按照诚实信用原则处理损害赔偿，而对保单持有人造成损害的，根据英国的法律，再保险人通常不承担责任。但是，共命运条款不能要求再保险人承担超过合同规定限额之上的损失，以及合同规定责任范围之外的灾害性事故所造成的损害。

共命运条款的目的是给予原保险人灵活自主处理直接业务的权利。但共命运条款并非毫无限制，其范围在"再保险人的利害关系范围内"。这种利害关系是保险上的利害关系。也就是说，再保险人与原保险人共命运的是保险上的命运，而不是商业上的命运。此外，原保险人为了单方利益而产生的费用，再保险人就无须承担。某些合同则要求原保险人的通融赔付和争议诉讼行为须事先征得再保险人同意。

由于共命运条款在再保险实务中已经成为一个惯例，因此，在所有的再保险合同中，均有共命运条款的规定，即使当事人没有约定，也不妨碍共命运条款在再保险合同中的适用。换言之，在再保险业务中，无须原保险人做出任何表示，共命运条款当然适用，再保险人同样受到该条款的约束，即再保险人接受分保业务之后，再保险人的命运就与原保险人相随与共。

---

① 陈欣．保险法［M］．北京：北京大学出版社，2006：260．

2. 仲裁条款

本合同以及本合同项下再保险业务所发生的纠纷，当合同双方不能友好协商解决时，应提交仲裁庭解决。在原保险和再保险合同中，均有专门的仲裁条款。仲裁条款的一般表述为：仲裁条款是原保险人与再保险人在自愿的基础上达成的纠纷解决方式，在订立再保险合同时，原保险人与再保险人必须明确规定。仲裁条款的法律效力在于，再保险合同有仲裁条款规定的，一旦发生仲裁条款所规定的合同纠纷，任何一方当事人不得寻求司法途径来解决纠纷，只能提交仲裁解决。

合同中，原保险人与再保险人通常以仲裁的方式解决双方的纠纷。再保险合同的订立与履行涉及世界不同的国家和地区，由于各地的政治制度和法律制度存在较大的差异，因而再保险合同在履行过程中不可避免地会产生各种各样的纠纷。仲裁条款为双方当事人之间纠纷的解决提供了一种双方所认可的准则，保障了纠纷结果的可预见性，从而促进了再保险交易的发展。

在仲裁条款中，一般规定了仲裁地点、仲裁机构、仲裁规则、仲裁程序以及仲裁效力等。

再保险的仲裁地点是再保险仲裁条款的主要内容之一。在订立再保险合同时，原保险人与再保险人通常力争在本国仲裁。这一方面是因为再保险合同的当事人对本国的法律和仲裁规则非常了解，而且没有文化和语言的障碍；另一方面是因为仲裁地点与保险仲裁的结果密切相关。根据一般的惯例，如果原保险人与再保险人在再保险合同中没有选择适用的法律，则适用仲裁所在地的法律。通常，再保险合同的仲裁地点约定在原保险人所在地，由于直接保险标的在原保险人所在地，便于仲裁活动的开展，有利于调查、取证。

由于我国的再保险市场不发达，再保险业务主要以分出为主，为最大限度地维护我国保险公司的利益，在订立再保险合同的仲裁条款时，应力争在中国境内的仲裁机构进行仲裁。我国的船舶保险再保险和海洋运输货物再保险合同等规定在我国进行仲裁，中国人民保险公司的再保险合同的通用条款规定按照我国的法律在北京进行仲裁。

仲裁中，由合同双方各指定一名仲裁员，再由这两名仲裁员共同推选一名首席仲裁员，共同组成仲裁法庭。如果双方指定的仲裁员在30天内不能推选出首席仲裁员，那么，则由仲裁所在地的保险同业公会理事长指定首席仲裁员。仲裁员必须具备丰富的保险和再保险的业务知识与实践经验，并且能够公正妥善地处理纠纷，一般为保险公司或者再保险公司的高级管理人员，与再保险合同纠纷没有利害关系。再保险仲裁员在进行仲裁时，不是严格按照法律对再保险合同做出解释，而是从实际出发，根据保险、再保险惯例和公平原则对再保险合同做出解释，并以此对双方当事人之间的再保险纠纷做出裁决。仲裁员必须在仲裁庭成立之后六个月内做出仲裁裁决，仲裁庭所做出的仲裁裁决对双方当事人均有约束力。

仲裁机构有临时仲裁庭与常设仲裁机构之分。临时仲裁庭是根据原保险人与再保险人的协议，由双方选定的仲裁员组成仲裁庭，审理并做出仲裁之后，自行解散。常设仲裁机构是一个固定性组织，既有自己的组织章程、仲裁规则，还有办事机构和行政管理制度。常设仲裁机构一般有可供选择的仲裁员名单。常设的仲裁机构有三类：

一是国际性的仲裁机构，如联合国国际贸易法委员会和国际商会仲裁院；二是全国性的仲裁机构，如英国伦敦的仲裁院、美国的仲裁协会、瑞典的斯德哥尔摩商会仲裁院、日本国际商事仲裁协会以及我国的对外贸易仲裁委员会和海事仲裁委员会；三是专业仲裁委员会。

仲裁程序是指从仲裁的开始到仲裁结束的全过程，包括仲裁申请的提出与仲裁申请的受理、仲裁庭的组成、仲裁的开庭和仲裁裁决的做出。

仲裁裁决是仲裁法庭多数人的决定，少数人意见可以做成附卷。仲裁裁决必须以书面的方式做出，并应说明理由。仲裁庭的裁决是终局的，原保险人和再保险人均不得向法院或者其他机构提出变更。

3. 错误与遗漏条款

因为再保险手续十分繁杂，从风险的分配与安排，再到账单的编制以及再保险费的支付等，可能不时会有过错、遗漏和迟延等情形发生，因而有可能影响再保险合同的效力。通常，为避免由此而引发双方之间的纠纷，影响正常再保险业务的开展，在再保险合同中，原保险人与再保险人规定了错误与遗漏条款。

一方面，错误与遗漏条款的目的在于防止因疏忽而未报告分出分保以及不正确报告分出分保，导致再保险合同解除，只要错误与遗漏一经发现就应立即矫正；另一方面，在大多数再保险合同中，均有错误与遗漏条款。错误与遗漏条款旨在保护原保险人的利益，避免因错误与遗漏而产生极为不利的后果。错误与遗漏条款的内容一般表述为：有关本合同或其分保业务项下的错误、延迟、疏忽或遗漏，在任何情况下都不能推卸双方的责任，一如这些错误、延迟、疏忽或遗漏未曾发生。但这些错误、延迟、疏忽或遗漏一经发现，应立即更正。

该条款是为了防止再保险人拒绝承担正当的再保险责任范围，要求再保险人与原保险人共命运，即使原保险人遗漏了必要的信息或者提供了错误信息。

但是，原保险人发生的错误、遗漏或者迟延，在主观上不应存在故意；否则，就因违反最大诚信原则而不能适用错误与遗漏条款的规定。原保险人一旦发现错误、遗漏或者退延的，应立即通知再保险人，并及时纠正错误、遗漏，从而避免因违反再保险合同义务所产生的严重的法律后果，以保证再保险目的的实现。

4. 检查条款

检查条款一般表述为：应再保险人的要求，原保险人应在任何合理的时候向再保险人提供有关合同的账册、单据、文件和损失凭证等，以供再保险人授权的代表进行检查。本条款主要是赋予再保险人查核原保险人的账单及其他业务文件，如保单、保费、报表及赔案卷宗等的权利。允许再保险人享有这些权利主要是为了保障再保险人的利益，使其有权核实原保险人的申报情况。再保险合同双方都赋予对方明确的权利，以保证对方享有其权利，使其合法利益得到保护。再保险人给予保险人选择承保标的、制定费率和处理赔款的权利。保险人则赋予再保险人查核账册及其他业务文件的权利，使再保险人可以了解开展业务和赔案处理等情况，明确自己再保险的危险责任。因此，本条款也可以称为“保障缔约双方权利条款”。但在实务中，再保险人一般不使用这种权利，尤其在友好公司之间，除非双方发生争执且有可能付诸诉讼时，再保险人才运用本条款。有时再保险合同虽已结束但尚有未解决的责任问题，再保险人仍有权检查。再保险人需查账时，应事先通知原保险人，并承担查账产生的所有费用。

三、再保险合同的订立

再保险合同的订立需要经过要约和承诺。再保险合同是由一系列法律文件组成的。

（一）要约和承诺

《民法典》第四百七十一条规定："当事人订立合同，可以采取要约、承诺方式或其他方式。"

合同订立是缔约人为意思表示并达成合意的状态，包含当事人各方为了进行交易，与对方进行接触、洽谈，最终达成合意的整个过程，是动态行为和静态协议的统一体。再保险合同订立的主要方式也是要约和承诺。《民法典》第四百七十二条、第四百七十九条对要约和承诺分别定义为："要约是希望与他人订立合同的意思表示""承诺是受要约人同意要约的意思表示"。

再保险合同的订立要经过要约和承诺，即分出人提出分保建议是要约的过程，接受人提出修改和完善的条件是反要约。要约和反要约的过程就是分出人与分入人讨价还价的过程，直到达成协议，再保险合同即告成立。再保险合同的订立应采取书面形式。《民法典》第四百六十九条明确："当事人订立合同，可以采取书面形式、口头形式或者其他形式。""书面形式是合同书、信件、电报、电传、传真等可以有形地表现所载内容的形式"。

（二）再保险合同文件

再保险合同一般由合同文本、分保条及附约组成，它们都是再保险活动中具有法律性的文件。

合同当事人双方对合同的主要条款达成一致后，合同就宣告成立，具有法律约束力。当事人双方必须全面履行合同规定的义务，任何一方都无权单独变更或解除合同。

1. 合同文本

分出业务的合同文本是分出公司与接受公司之间签订的正式合同文件。一般由分出人根据合同当事人双方已经达成的协议，参照国际保险市场的惯例起草并寄送对方。在合同当事人双方对文本中的各项条款及内容达成一致的情况下由合同当事人双方被授权的代表签字，一式两份，双方各执一份。合同文本包括必须具备的主要条款。合同文本一经签订，再保险双方当事人的权利和义务就有了法律依据。合同文本的文字须规范、严谨，表达清楚，并能被合同当事人双方接受。

2. 分保条

分保条也称分保建议，是由分出公司编制，并提供给其拟定的可供选择的分入公司的具有要约性质的文件。其主要内容包括分出公司名称、合同名称、合同期限、需要分保的业务的险别及地区范围、分保方式、合同限额和自留责任额、分保费率、分保佣金率及盈余佣金率、保费准备金、现金赔偿的最低数额、分出公司以往的经营业绩等。

3. 附约

附约是在合同签订后，对合同内容进行修改的文件。在合同签订后，合同双方当事人必须遵守合同的规定，不得单方面修改和变动合同内容。如果一方当事人要修改合同内容，必须征得对方的同意，并以附约的形式进行修改。该附约须经合同双方当事人签字后才能生效。

思考题

1. 简述再保险合同的法律性质。
2. 试比较原保险合同与再保险合同的异同。
3. 再保险合同的法律特征有哪些？
4. 简述再保险合同的独立性。
5. 试述再保险合同适用的基本原则。
6. 简述再保险合同的基本条款。
7. 共同命运条款的要点和实质是什么？
8. 简述再保险合同的订立。

第三章 比例再保险

保险人在经营直接保险业务时会面临各种类型的风险，保险公司需要对其承保风险进行进一步分散和转移，其中，再保险方式是保险人转移风险的传统和重要的方式。20 世纪 70 年代，随着经济金融化浪潮和金融衍生产品技术的发展，再保险技术不断发展和创新，出现了以财务再保险、保险风险证券化、保险衍生产品和专业自保公司为代表的新型风险转移产品和机制。本章主要对传统再保险方式中的比例再保险方式进行讲述。

本章介绍比例再保险分保方式的具体内容、特点及适用领域，在此基础上对比例再保险合同的主要条款进行讲解。

第一节 比例再保险的主要方式

比例再保险（proportional reinsurance，prorata reinsurance）是指以保险金额为计算基础来确定分出公司自留额与接受公司责任额的再保险方式。在比例再保险中，分出公司的自留额和接受公司的责任额都表示为保额的一定比例，该比例也是双方分配保费和分摊赔款的依据。这充分显示了保险人和再保险人利益的一致性，因而其应用范围十分广泛。不论是一般性大额保险业务，还是巨灾性分保业务，都可以运用比例再保险作为分保合同的基础。

比例再保险分保方式主要有三种：成数再保险、溢额再保险、成数和溢额混合再保险。

一、成数再保险

（一）成数再保险概述

成数再保险（quota share reinsurance）是指原保险人将每一危险单位的保险金额按照约定的比例分给再保险人的再保险方式。按照成数再保险方式，不论分出公司承保的每一危险单位的保险金额大小，只要是在合同规定的限额之内，都按双方约定的比例进行分配；同时，该危险单位的保费和发生的赔款也均按此比例分配与分摊。成数再保险既是最具比例再保险特点的分保方式，也是最简单的再保险方式。

在实际运用中，成数再保险对再保险的人数一般没有限制，各个再保险人接受的份额也可以不同。但分出公司的自留比例一般较大，为 40%～50%。由于成数再保险对每一危险单位都按固定的比例分配责任，因而在遇到巨额风险责任时，原保险人和再保险人承担的保险责任仍然很大。因此，在成数分保合同中，为使分保双方承担责任有一定范围，一般每一危险单位或每张保单都订有最高责任限额也即合同容量。分出公司和接受公司对每一危险单位的保险金额，在最高责任限额内按分保比例分别承担责任。在再保险实际工作中，再保险合同通常附有限额表（table of limits），针对各种不同的危险品质拟定其最高限额。

以一份成数再保险合同为例，合同中首先载有以下条款：

"The company agrees to ceded and the reinsurer agrees to accept by way of reinsurance a quota share of %（percent）of each and every cargo risk of any description written by the company in its marine department in the United Kingdom during the currency of this agreement, provided that the amount so ceded shall not exceed £in respect of each and every such risk."

成数再保险合同中载明需要订立的"a quota share of %"是指分出部分的百分比，如 a quota share of 60 %，就称该合同为60%的成数再保险合同，意思是指分出公司自留比例为40%，接受公司接受比例为60%。而"the amount so ceded shall not exceed £"则是指合同双方需要约定的最高责任限额如 the amount so ceded shall not exceed £2 500 000，是指该合同的最高责任限额即合同总容量不得超过 f 2 500 000。

例 3-1 分出公司就海上运输货物保险业务与 A、B、C、D 四个再保险人共同签订一份成数分保合同，合同约定自留比例为 20%，而 A、B、C、D 四个再保险人的接受成数分别为 30%、25%、15%和 10%，合同的最高责任限额为 1 000 万元。如果发生以下四笔业务，原保险人与各再保险人的责任额分配如表 3-1 所示。

表 3-1 成数分保责任分配 单位：万元

保险金额	原保险人自留 20%	再保险人责任				其他
		A（30%）	B（25%）	C（15%）	D（10%）	
200	40	60	125	30	20	0
500	100	150	125	75	50	0
800	160	240	200	120	80	0
1 200	200	300	250	150	100	200

在表 3-1 中，原保险金额为 1 200 万元时，因超过合同最高责任限额，因此合同双方仍按 1 000 万元的限额计算各自的比例责任。原保险人对于超过的 200 万元可以另行安排临时再保险或按其他方式处理，否则只能由原保险人自己承担。

（二）成数再保险责任、保费和赔款的计算

成数再保险中分保双方的保额承担比例一旦确定，则保费和赔款按保额承担的同一比例进行分配与计算分摊。

例 3-2 分出公司组织一份海洋运输货物保险成数合同分保，确定每一危险单位的最高责任限额为 1 000 万美元，自留额为 40%，分出额为 60%，此合同称为 60% 成数分保合同。当分出人有三笔货物运输险业务时，责任、保费和赔款计算如表 3-2 所示。

表 3-2 成数分保计算 单位：万美元

货物	总额			自留 40%			分出 60%		
	保额	保费	赔款	自留额	自留保费	自负赔款	分保额	分保费	分摊赔款
A	300	0.3	0	120	0.12	0	180	0.13	0
B	800	0.8	0	320	0.32	80	480	0.48	120
C	1 200	1.2	0	400	0.4	0	600	0.6	0

在表 3-2 中，因第三笔业务保额 1 200 万美元已超出合同限额，故合同双方只需在 1 000 万美元保额内按比例分别承担 400 万美元和 600 万美元，同时按承担保额占总保额的比例分配保费及赔款。超过合同限额的 200 万美元可以另行安排分保，若无安排，则由分出人自负，相应保费和赔款也自留了。从本例可以发现，成数再保险中合同双方的责任、保费和承担的赔款与对应的总责任、总保费和总赔款的比例，三者是完全一致的，因而其计算简便，有利于接受公司控制再保险业务风险。

（三）成数再保险的特点

1. 合约双方利益一致

合同约定范围内的业务良莠不齐，双方都需按约定的固定比例承担，无权选择，故双方共命运，利益完全一致。在各种再保险方式中，成数再保险是保险人与再保险人双方利益完全一致的唯一方式。所以，在各种分保方式中，订立成数分保合同的双方很少发生争执。

2. 缺乏弹性

成数分保是按固定比例分配双方责任，具有简便的优点，但同时也存在合同缺乏弹性的问题。对于分出公司来说，当业务量好、保额不高时，分出公司也需按比例分出，不能多做自留，导致分保费支出较多；反之，当业务质量较差时，分出公司也不能减少自留额，因此，成数再保险往往不能满足分出公司获得精准再保险保障的需求。

通常，由于成数分保分出公司自留比例比较高，因而其对业务的选择也十分注意，所以成数分保业务更能反映承保业务的一般质量。正因为如此，成数分保的接受公司给予分出公司的佣金条件最优厚，且分出公司可用成数分保换来回头业务（互惠交换业务），即办理分保交换。

3. 不能均衡风险责任

由于成数分保是按固定比例来划分双方责任的，无法针对标的的危险程度、损失的大小加以区别而做适当的安排。虽然合同中设有的最高责任限制有均衡风险责任的初衷，但其主要目的是为了防止责任累积，对于超过限额的部分需要组合其他分保方式分散解决。

（四）成数再保险的运用

成数再保险的特点决定了其在实务运作中的具体适用范围。一般而言，成数再保险主要适用于以下业务：

1. 新公司、新险种业务

新创办的保险公司，由于缺乏经验，采用成数分保，可以得到再保险人在风险分析、承保审核以及赔款处理等方面更多的帮助。而对于新开办的业务，由于缺乏统计资料和实际经验，一般也采用成数分保，以争取优厚的分保条件，取得接受公司共命运基础上技术和财务的支持。

2. 危险性高、保额和业务质量均匀的业务

危险性高的航空险业务，由于常有巨额赔款的可能，成数再保险则可以发挥其手续简便、双方共命运的优势，成为安排分保的首选。对于保额和业务质量均匀的业务，如集装箱货运险业务，其运载工具的吨位及每艘船的保额大致相同，采用成数分保时，可以收取较高的分保手续费。

3. 赔款频繁、各类转分保、分保交换及集团分保业务

赔款频繁的业务如汽车险以及各类转分保业务，由于手续烦琐，采用其他分保方式比较困难，一般都采用易于计算的成数再保险方式。而因为分保条件优惠，分保交换在国际分保交往中常用成数再保险的方式。同时，保险集团或再保险集团内部的分保，为简化分保手续，一般也采用成数分保方式进行。

二、溢额再保险

（一）溢额再保险概述

溢额再保险（surplus reinsurance）与成数再保险的区别是保险金额或保险责任分配的比例不同，成数再保险的比例是事先直接规定的，溢额再保险的比例是间接计算出来的。

溢额再保险方式是指原保险人以每一危险单位的一定保险金额作为自留额（line，即线），对超过自留额所溢出的保险金额，按自留额的一定线数（lines，即倍数）作为分出额分给接受公司，用自留额和分出额对保额间接计算出来的比例也是分配保费和分摊赔款的比例。溢额分保之所以是比例分保，是因为溢额分保的自留额与分保额均以保额为基础，且分保费和赔款摊回额均按照自留额、分保额对保额的比例进行，因此溢额再保险也属于比例再保险的一种类型。与成数再保险不同的是，在成数合同中，存在一个固定的比例，每一笔业务都按固定比率办理。而溢额再保险因每一笔业务保额的不同，其自留比例与分出比例在不断变动，不存在一个固定比例。同时，在溢额合同中，只有当危险单位的保额超出自留额时才需办理分出。在自留额限度内的业务则可全部自留，而不像成数合同，无论业务大小一律分出。

溢额再保险合同容量与其合同限额是不同的概念。溢额再保险合同容量是分出公司自留额与接受公司接受限额之和。接受公司接受限额即是溢额分保合同限额，通常以自留额的倍数计算，如接受公司接受 5 线的再保险额度，即接受公司的接受限额是

分出公司自留额的5倍，如果自留额为50万元，则接受限额即为250万元，而该溢额分保合同即被称为5线的分保合同，总合同容量为300万元。

（二）溢额再保险的三要素

在溢额再保险合同中，危险单位、自留额和线数构成溢额再保险的三要素。换句话讲，安排溢额再保险合同，需要明确危险单位、自留额和线数。

危险单位由分出公司根据实际业务情况划分；自留额完全由分出公司自行拟定；线数由分出入双方根据承保能力议定。一般而言，溢额再保险确定线数时，接受公司会考虑原保险人的业务内容以及自留能力，如平均保额和自留额的关系、巨额标的承保状况等。一般资本雄厚、规模较大的保险公司，其自留额较高，故可在线数不多的情况下获得充分额度的再保险保障；反之，对于实力较弱的保险公司，由于自留额较低，因而需要比较多的线数才能获得充分的再保险保障。

例3-3 某保险人组织一个火险溢额分保合同，确定每一危险单位的最高自留额为50万美元，分保限额为自留额的5倍，即250万美元。该合同则称为5线火险溢额分保合同，合同总容量为300万美元。溢额合同关于责任、保费和赔款的计算，现以保额不等的四笔火险业务为例，见表3-3。

表3-3 溢额分保计算 单位：万美元

危险单位	总额			自留部分			分出部分		
	保额	保费	赔款	自留额	自留保费	自负赔款	分保额	分保费	分摊赔款
A	40	0.04	10	40	0.04	10	0	0	0
B	100	0.1	0	50	0.05	0	50	0.05	0
C	250	0.25	0	50	0.05	0	200	0.2	0
D	500	0.5	0	50	0.05	0	250	0.25	0
总计	890	0.89	10	190	0.19	10	500	0.5	0

由于第四笔D业务的总保险金额为500万美元，超过了溢额再保险合同的容量，其超过的200万美元部分将放入其他合同或安排临时再保险，否则仍须由分出公司自己承担。从表3-3中可以看出，由于每笔业务的保额不同，则每笔业务的分保比例也是在变化的。由于发生赔款的A业务全部自留，接受公司在分保合同中收取了分保费而未有任何赔款分摊，分出公司支出了分保费却未得到任何摊回，因而溢额分保合同双方的利益并非完全一致，这是和成数分保合同的重要区别。

（三）溢额再保险的分层设计

由于承保业务的发展和保额的增加，有时一个溢额合同不能满足分出公司的业务需要。为此，分出公司可以在原溢额分保合同的基础上再组织其他溢额分保合同。这样，原溢额分保合同称为第一溢额分保合同，其他合同则分别称为第二溢额分保合同、第三溢额分保合同，以此类推。

有人把放入各溢额分保合同中的业务形象地用流水做了比喻：被保风险正如流水一样首先注入自留额容量的小器皿，而后溢出流入第一溢额分保合同的大器皿。如果被保风险充满第一溢额后仍有溢出，则可放置第二溢额分保合同的更大容量器皿。以此类推，可以用第三溢额、第四溢额等分保合同来容纳更大保额的保险标的。这种溢额的分层设置鲜明地体现了风险责任的依次分散与转移，是溢额再保险的重要功能。

例 3-4 某保险人与再保险人分别签订了两份海上货运险溢额再保险合同。危险单位按每艘船每一航次划分。分出公司自留额为 10 万美元，第一溢额合同限额为 10 线，第二溢额合同限额为 15 线，则分出公司与各再保险人之间有关保险责任和保费的分配以及赔款的分摊计算如表 3-4 所示。

表 3-4 分层溢额再保险计算 单位：美元

项目	船名	A	B	C	D	合计
总额	保额	50 000	500 000	2 000 000	2 500 000	5 050 000
	保费	500	5 000	20 000	25 000	50 500
	赔款	0	10 000	20 000	100 000	130 000
自留部分	保额	50 000	100 000	100 000	100 000	350 000
	比例	100%	20%	5%	4%	
	保费	500	1 000	1 000	1 000	3 500
	赔款	0	2 000	1 000	4 000	7 000
第一溢额	保额	0	400 000	1 000 000	1 000 000	2 400 000
	比例	0	80%	50%	40%	
	保费	0	4 000	10 000	10 000	24 000
	赔款	0	8 000	10 000	40 000	58 000
第二溢额	保额	0	0	900 000	1 400 000	2 300 000
	比例	0	0	45%	56%	
	保费	0	0	9 000	14 000	23 000
	赔款	0	0	9 000	56 000	65 000

从表 3-4 中统计的保费收入和支付的赔款来看，这是一个亏损严重的合同，整个合同的赔付率为 257.43%，但原保险人、第一溢额再保险人、第二溢额再保险人的赔付率各不相同，分别为 200%、241.67%、281.61%，由此显示出高层次溢额再保险的危险度比低层次溢额再保险的危险度大，这是由于进入高层次溢额的标的数量减少的原因所致。因此，在实务中，各个层次的溢额再保险，除次序有先后差别外，其再保险条件也有所不同。

（四）溢额再保险的特点

1. 可以灵活确定自留额

溢额合同分保能根据不同的业务种类、质量和性质确定不同的自留额。凡自留额以内的业务，全部由分出公司自留而不必分出。

2. 对高额业务的处理有弹性

分出公司在安排第一溢额再保险合同以外，还可以安排第二溢额、第三溢额分保，以备大额或高额业务之用。

3. 分保双方经营成果不一致

在溢额合同中，分出公司和接受公司的经营成果，随保额不同、承担责任不同以及损失情况不同而产生较大的差异。如果赔款都是自留额以内的小额损失，分出公司的累积责任可能会很大；而若大额赔款多，接受公司的经营就可能出现亏损。

（五）溢额再保险的运用

溢额分保是再保险实务中应用最广泛的方式。一般来说，对于危险性较小、利益较优且风险较分散的业务，多采用溢额分保方式，以保留充足的保费收入。对于质量不一、保额不均匀的业务，往往也采用溢额分保来均匀风险，如火险、船舶险、人身险业务等。尤其是在现代的船舶保险中，由于大型海轮的保险金额高达几亿美元，运用溢额再保险可以发挥其分层设计功能，以分散和转移风险。而在火灾保险等非水险业务中，溢额再保险也是最基本的再保险安排方式。在国际分保交往中，溢额分保也是再保险双方常见和乐于考虑的业务，可以用于分保交换。

由于在溢额再保险的办理中优先将业务分给第一溢额，第二溢额的业务量一般较少，且多为大额风险，业务平均质量较差，故分保条件比较优厚。在特殊情况下，分出公司可洽谈第三溢额，但实际操作中并不多见。以美国为例，通常对各层溢额合同的安排为：第一溢额 3~5 线、第二溢额 1~2 线、第三溢额 1~2 线。分层设计时，第一溢额的线数比普通溢额合同所包括的线数少，主要是为了使各层溢额合同具有较大的伸缩性。

三、成数和溢额混合再保险

成数和溢额混合再保险（combined quota share and surplus reinsurance）是将成数再保险和溢额再保险组织在一个合同里，以成数再保险的合同限额作为溢额再保险的自留额，再确定溢额再保险的合同限额。成数和溢额混合再保险可以结合成数和溢额两类安排方式的特点从而弥补单一方式的不足。在实际运用中，具体有两种方式：

（一）成数再保险合同之上的溢额再保险合同

这种混合方式是由分出公司首先安排一个成数再保险合同，规定其合同限额，然后以成数合同的限额作为自留额，安排另一份溢额再保险合同，规定接受公司接受的线数。如果一笔实际业务的保额不超过成数再保险合同的限额，则全部保额由成数分保合同的分出公司和接受公司接受，溢额分保合同没有发生作用。只有实际业务的保额超过成数再保险合同的限额时，超过成数再保险合同限额部分的“溢额”才由溢额分保合同的接受公司接受，直至该溢额再保险合同规定的最高线数。

例 3-5　某公司首先安排了一份合同限额为 500 万元的 60% 成数分保合同，而在此基础上，又安排了一份以 500 万元为自留额的 4 线溢额分保合同。如果一笔业务保额为 400 万元，则可由成数分保合同完全承担，分出公司自留 160 万元，成数分保合同的接受公司接受 240 万元。如果一笔业务的保额为 1 000 万元，则成数分保合同双方分别按 500 万元的限额计算，分出公司自留 200 万元，成数分保合同接受公司接受 300 万元，而超过 500 万元之后的 500 万元保额，因未超过 4 线（2 000 万元），故全部由溢额分保合同的接受公司承担。

（二）溢额再保险合同之内的成数再保险合同

这种混合方式的再保险是分出公司先安排一个溢额再保险合同，但对其自留额部分再另外签订成数分保合同处理。例如，分出公司首先安排了一份自留额为 100 万元的 5 线溢额分保合同，规定分出公司有权对其自留额部分另外签订成数分保合同。其后，分出公司以 100 万元为合同限额又安排了一份 50% 成数分保合同，也即分出公司实际仅保留了溢额合同自留额的 50% 责任。在这种混合合同中，成数再保险合同的分出部分为溢额合同自留额的优先额，由溢额合同的接受公司优先承受。参加成数再保险合同的接受公司，是否也是参加溢额合同的接受公司，实际操作中没有限制。

关于成数和溢额混合分保的责任分配计算，以下例进行说明。

例 3-6　某分出公司组织了一个游艇成数和溢额混合分保合同，成数分保合同的合同限额为 200 000 美元，分出比例为 60%，溢额分保合同则是自留额为 200 000 美元的 4 线合同，即成数和溢额混合分保合同总容量为 1 000 000 美元。现有保额不等的 6 条游艇，它们在该混合分保合同中的责任分配情况如表 3-5 所示。

表 3-5　成数和溢额混合再保险的责任分配　　单位：美元

船名	保险金额	成数分保		溢额分保
		自留 40%	分出 60%	
A	100 000	40 000	60 000	0
B	150 000	60 000	90 000	0
C	200 000	80 000	120 000	0
D	400 000	80 000	120 000	200 000
E	800 000	80 000	120 000	600 000
F	1 000 000	80 000	120 000	800 000

组织成数溢额混合再保险合同可以解决单纯组织成数再保险合同要分出更多保费，而组织溢额再保险合同又存在保费和责任欠平衡问题，故采用混合再保险方式来协调各方风险责任承担与保费分配之间存在的利益矛盾。

第二节 比例再保险合同的主要条款

第二章中我们介绍了再保险合同的一些共同性的基础条款。由于再保险的业务种类、责任范围、分保方法和市场情况的不同，再保险合同还需要根据不同的分保技术，约定其他相关条款，在此称为主要条款。由此也可以看出，再保险合同并没有统一的标准文本。本节我们对比例再保险合同约定的主要条款进行介绍。

一、业务范围条款

比例再保险合同适用于各种保险业务，但在同一再保险合同中一般只限于同一险种的保险业务，如水险合同、火险业务、航空险业务、汽车险业务等。因此，在再保险合同中，首先要明确再保险的业务种类，其次要明确险种的责任范围。这是因为，各保险公司对于各种业务所承保的责任范围并不一致。比如，国际上一般常用非水险业务来代替火险业务，以表示在火险基础上的附加险、责任险都包括在内，在国际分保实务中，常见“水险”“非水险”“汽车险”“航空险”等术语。由此可以看出，非水险并非指除水险以外的所有业务。再如火险业务，有的公司仅承保由于火灾造成的财产损失，而有的公司承保范围较为广泛，包括地震、洪水、台风和盗窃等危险。正因为上述原因，为明确双方权责，在比例再保险合同中，必须对业务范围加以明确，并尽可能表述清楚。

除了明确一般的业务范围外，还要明确规定除外责任范围，以免发生损失时由于责任范围不明确而互相推诿。原则上，对某类业务再保险人的承保范围及除外责任与原保险单的规定相同，比较特别的主要是针对战争风险和核风险的约定。

二、再保险业务来源与地区范围条款

再保险合同要明确分入业务是来自直接业务还是来自转分保业务。转分保对原保险人而言，可以避免危险责任的过度累积；转分保对再保险人来讲，则可以增加其业务来源，扩大其业务规模。

再保险合同还应明确规定列入合同的某一险种业务的地理区域范围。例如，由于北美地区的业务有很多特殊的做法，法律也较复杂，因此规定世界范围内的业务可以作为分保对象，但却将北美地区除外。

三、责任划分条款

就再保险承担的风险而言，原则上与原保险单承担的风险相同。

在再保险合同中，必须明确分出公司和接受公司双方的责任，即规定对每一危险单位分出公司的自留额和接受公司的最高责任限额是多少。就成数再保险合同而言，既要明确分出公司的自留比例和接受公司的接受比例，又要明确每一危险单位的最高责任限额；就溢额合同而言，需要明确分出公司的自留额是多少，以及接受公司的分

保线数是多少。分出公司分出的份额可能由若干个接受公司按比例接受。有关每个接受公司接受的份额，一般在合同的附表中列明。

在比例再保险合同中，一般规定分出公司有权决定如何划分一个危险单位，并且在其认为有利于合同双方利益的前提下，分出公司可以对其净自留部分责任安排超赔保障，分保接受公司对合同项下业务的责任应与分出公司同时开始及终止。

四、再保险费率

比例再保险合同中分保费率一般都是按原保险单上规定的费率办理，在合同中常以“如原条件”（as original）表示。

五、分保佣金

分保佣金又称分保手续费，是比例再保险合同中的重要项目。它是再保险接受人根据分保费而付给分出公司的一定费用，用以分担和补偿分出公司为招揽业务和经营管理过程中所支出的费用，如分出公司为经营直接业务而发生的调查危险、签发保单、处理赔款等所支出的各项业务费用。接受公司在比例再保险中相当于直接享受了分出公司的承保业务，但并未发生任何费用支出，故以分保佣金方式负担一部分业务费用。

影响分保佣金支付数量及方式的因素主要有再保险方式（成数或溢额）、分保业务以往的经营业绩和利润率、再保险市场的竞争状况、分出公司已支付给再保险经纪人的佣金数量以及分出公司的营业费用等。在现代保险实务中，随着业务费用不断上升，再保险佣金率呈现出增长趋势。以英国为例，火险合同国内佣金率提高到30%，国外佣金率则为32.5%~35%。通常，美国的分保佣金率较高，最低为28%、最高为47%。

鉴于分保佣金直接影响到分出公司和接受公司的经营效益，所以一般对分保佣金的计算方法及支付方法，都需要做明确约定。一般分保佣金按分保费的一定比例计算，这个比例即佣金率。佣金率分为固定佣金率和浮动佣金率两种。

（一）固定佣金率

固定佣金率又称单一佣金率，即不论放入合同的业务量大小和质量高低，分出公司均按分保费的一定比例向分保接受人收取佣金。如规定固定分保佣金率为30%，若该年度分保费收入为40万英镑，则该年度的分保手续费为12万英镑。一般如果某类业务经营绩效相对稳定，通常不会发生巨大的波动，那么对该类分保业务经常会采用固定佣金率。通常，固定佣金率规定为分保合同中毛分保费的一定比率。而该比率根据再保险方式、业务种类、地理区域和以往业绩及市场状况而定。一般而言，合同分保的佣金率高于临时分保，而成数分保的佣金率高于溢额分保。但是，固定佣金率应该足以补偿分出公司的展业费用，并分摊一部分分出公司的经营管理费用。

固定佣金率的最大缺点是缺乏激励机制，在分保合同有较多盈余时，分出公司不能增加分保佣金的收入；同样，在分保合同发生亏损时，接受公司也不能减少分保佣金的支出，这样不利于鼓励分出公司加强经营管理，对于经营业绩波动较大的业务也不适合。

（二）浮动佣金率

浮动佣金率又称递增佣金率，是指按照赔付率来调整佣金率，使得分保佣金在一定限度内与合同的赔付率具有直接的关系。实际做法是：规定一个最低佣金率，当赔付率逐渐下降时，佣金率逐渐提高，但不超过最高佣金率。由于每个业务年度经营的实际结果事先无法预料，接受公司通常在期初按约定的临时手续费标准先支付给分出公司，到年终时再按实际赔付率所对应的实际佣金进行调整。

在浮动佣金率制度下，赔付率的计算是十分重要的。一般情况下，分出公司赔付率的计算公式为：

赔付率 = 发生赔款 × 100% / 当年到期保费

发生赔款（incurred 1）= 本年度已付赔款（含赔款费用）+ 本年度提留未决赔款准备金-上年度转入未决赔款准备金

到期保费（earned premium）= 本年度保费收入+上年度转入未到期保费准备金 - 本年度提留未到期保费准备金

关于浮动佣金率，举例如下：

例 3-7 某一成数分保合同规定，“在下述限额范围内，损失率每下降 1%，则应付的佣金率上升 1%。在损失率等于或高于 60%时，佣金率为 30%，当损失率等于或低于 50%时，最高佣金率为 41%。”（A 1% increase in the commission rate will be payable for every 1% reduction in the loss ratio within the following limits. 30% commission will apply if the loss ratio is 60% or more and a maximum 41% commission will apply if the loss ratio is 50% or less.）按该合同规定，则该合同的分保佣金率可用表 3-6 表示。

表 3-6 浮动佣金率

赔付率	分保佣金率
60%及以上	30%
59%及以上，低于 60%	31%
58%及以上，低于 59%	32%
57%及以上，低于 58%	33%
56%及以上，低于 57%	34%
55%及以上，低于 56%	35%
54%及以上，低于 55%	36%
53%及以上，低于 54%	37%
52%及以上，低于 53%	38%
51%及以上，低于 52%	39%
50%及以上，低于 51%	40%
低于 50%	41%

最低佣金率通常被用作预收分保佣金的标准，年终时按照实际赔付率对应的佣金率进行调整。比如：

（1）如果全年保费为 500 000 元，则预收分保佣金为 15 000 元（500 000×30%）。

（2）如果年终结算时赔付率为54.5%，则分保佣金率应为36%，应付分保佣金为180 000元（5 000×36%），接受公司还应付给分出公司30 000元。

（3）如果年终结算时赔付率为44%，则分保佣金率应为最高佣金率41%，应付分保佣金为205 000元（500 000×41%），接受公司还应付给分出公司55 000元。

（4）如果年终结算时赔付率为66%，则分保佣金率即为最低佣金率30%，接受公司不用调整支付分保佣金。

六、未了责任的转移

（一）未了责任及其解决方式

当分保合同业务年度结束时，由于分保业务存在未到期保费和未决赔款的问题，一般在合同中订有未了责任转移条款，即指分出人为结束某个业务年度的账务将未到期保费与未决赔款转移由下一年度接受人承担。

未了责任的转移在不同业务中的处理方式也不同，目前有两种方法：

1. 自然满期

自然满期（to expiry）是指在某业务年度结束后，由原接受公司保持各笔业务的分保责任，直到3~5年后，它们的责任自然到期或结束时为止。由于分保业务年度的全部业务已经到期，故无未到期保费，因此也就没有保费未了责任的转移。水险业务多用此方法。

2. 结清法

结清法（clean cut basis）是指在分保合同终止时，接受人对各笔分保业务的责任也同时终止，将全部未了（未到期保费和未决赔款）转出，由下一个业务年度的接受公司转入承担。火险业务多用此方法。

（二）未了责任转移

从上述分析可见，未了责任（portfolio transfer）是指分出公司为了结束某个业务年度的账务，将保费未了责任和赔款未了责任转移到下一业务年度，由新的接受公司承担。未了责任转移有两个部分：一是未到期保费转移，二是未决赔款转移。具体如何计提由分保合同约定。

1. 未到期保费的计算方法

未到期保费是指在会计年度决算时，因为保险合同签发日期不同，保险合同存在尚未到期在下一年度仍将承担保险责任的情况，所以应将属于下一会计年度的对应保险费提存出来，这部分保费即是未到期保费。未到期保费的计算方法有下列四种，在分保合同中如何计算则主要看合同双方的具体约定，目前运用较多的是1/365法。

第一，百分比法。

百分比法是一种按照保费收入的一定比例简单地计算未到期保费的方法，如按照保险费的50%、35%比例计算未到期保费。百分比法的原理是假定每日的保费收入额在该业务年度内是均匀分布的，则在年底决算时可以简单地认为，年底时到期保费和未到期保费分别为一半。如果不考虑附加费用的问题，则可以直接按毛保费的50%计提未到期保费，在年度间进行转移。如果考虑到毛保费中包含有 30% 的附加保费，则未到期保费仅对剩余的 70% 纯保费提取 50%，即按毛保费的 35% 计提未到期保费，在年度间转移。如果假定附加保费为 20%，则未到期保费按 80% 纯保费的 50% 计提，即按毛保费的 40% 计提未到期保费。因此，百分比法常见的即按毛保费的 50%、35% 或 40% 计提未到期保费，而采用 35% 法较为常见。

例如，2020 年度毛保费为 800 000 元，按 50% 法则应计提 400 000 元未到期保费，作为当年度支出，而在 2021 年度，分保接受人则转入 400 000 元上年度未到期保费，作为收入。而按 35% 法，则应计提 280 000 元未到期保费；按 40% 法，则应计提 320 000 元未到期保费。

百分比法假定保费收入在一年当中是每日均衡的，因此往往不能与实际业务情况相吻合，完全忽视了业务在年度和季节内的不均衡现象，缺乏准确性，因而在计提未到期保费时，产生了一些常用的其他方法。

第二，1/8 法。

1/8 法又称季平均估算法。这种方法是将全年的保费按季度划分统计，并假定每一季度内的保费收入都是每日均衡分布的，因而可以推定每一季度的保费在季末有 50% 的保费是该季度终止时的未到期保费，因此也可以简单地假定每个季度的所有保单都是以该季度的中间日为起保日，从而计算该季度保费到年底时的未到期保费比例。如此推导，可以得出，一年划分为 4 个季度、8 个分区，1/8 法由此得名。第一季度保费收入收取于 2 月 15 日，因此到年底 12 月 31 日到期时，未到期比例为 1/8；第二季度保费收入收取于 5 月 15 日，到年底时未到期比例为 3/8，第三季度、第四季度以此类推。该计算方法如表 3-7 所示。

表 3-7　1/8 法计算未到期保费　　单位：元

季度	保费	到期保费部分		未到期保费部分	
		比例	到期保费	比例	未到期保费
1	100 000	7/8	87 500	1/8	12 500
2	200 000	5/8	125 000	3/8	75 000
3	300 000	3/8	112 500	5/8	187 500
4	200 000	1/8	25 000	7/8	175 000
共计	800 000		350 000		450 000

第三，1/24 法。

1/24 法又称月平均估算法。这种方法是将全年的保费按月份划分，分为 12 个月、24 个单位，因此得名 1/24 法。该方法假定每月的所有保费收入是均匀分布的，因此假设都以每月的 15 日为起保日，推导方法同 1/8 法，如 1 月份的保费收入于 1 月 15 日起期，到年底 12 月 31 日累计到期 23/24、未到期 1/24；2 月份及以后月份保费收入同理推导，并按每月的未到期比例分别计提未到期保费。该计算方法如表 3-8 所示。

表 3-8　1/24 法计算未到期保费　　　　单位：元

月份	保费	到期保费部分		未到期保费部分	
		比例	到期保费	比例	未到期保费
1	10 000	23/24	9 583	1/24	417
2	10 000	21/24	8 750	3/24	1 250
3	20 000	19/24	15 833	5/24	4 167
4	20 000	17/24	14 166	7/24	5 834
5	20 000	15/24	12 500	9/24	7 500
6	20 000	13/24	10 833	11/24	9 167
7	25 000	11/24	11 458	13/24	13 542
8	25 000	9/24	9 375	15/24	15 625
9	30 000	7/24	8 750	17/24	21 250
10	30 000	5/24	6 250	19/24	23 750
11	30 000	3/24	3 750	21/24	26 250
12	40 000	1/24	1 666	23/24	38 334
共计	280 000		112 914		167 086

第四，1/365 法。

1/365 法又称日比例法，原理同上述两种方法。它是按每一保单未到期天数与 365 天的比例计算，到期保费和未到期保费是最准确的一种计算方法。在业务数据电脑管理系统越来越发达的今天，1/365 法已经被大量采用。其计算公式为

$$\text{未到期保费} = \sum \frac{\text{每日保费}\times\text{未到期天数}}{365}$$

2. 未决赔款的计算方法

未决赔款是指分出公司的已发生但尚未结案的赔款，一般计提方法包括逐案估算法和平均估算法等。如对巨灾损失的未决赔款一般采用逐案估算法，根据具体赔案的保险金额、损失程度，并结合实际勘察结果进行估算。而对一般业务损失的未决赔款则采用平均估算法，即根据以往年度的赔款统计数据，估算出平均每一赔案的赔款金额。未决赔款的数额一般为按各种方法估算出来的未决赔款金额的 100%或 90%计提。

七、保费准备金和赔款准备金

为确保再保险人能依约履行义务，原保险人将应付再保险费的一部分留存一定期间，以备将来支付赔款和退费。留存的这笔款项被称为保费准备金。原保险人提存准备金的数额，一般为应付再保险费的 35%、40%或 50%，而以 40%最为普遍。通常，保费准备金按再保险费的 40%在每季度分保费中扣存，至翌年同期返还，留存期为一年。因此，至第二年第一季度，归还上年第一季度提存的准备金，同时就新的再保险

费重新提存准备金。保费准备金的数额在分保业务账单中设置有“保费准备金”专栏进行记载。保费准备金的提存及返还如表 3-9 所示。

表 3-9　　保费准备金的提存及返还　　单位：英镑（£）

年度	季度	保费	保费准备金		留存保费准备金余额
			扣存 40%	返还	
第一年	1	40 000	16 000	—	16 000
	2	60 000	24 000	—	40 000
	3	80 000	32 000	—	72 000
	4	100 000	40 000	—	112 000
第二年	1	120 000	48 000	16 000	144 000
	2	140 000	56 000	24 000	176 000

在实务中，分保分出人将应付给接受人的保费留存一部分作为保费准备金，势必影响分保接受人的现金收入。为此，分出人应付给接受人留存保费准备金部分的利息，作为补偿接受人在现金周转中由此而产生的损失。利息一般按各个市场的利息情况而定，由双方在分保合同中规定确定的利率。分出公司在归还保费准备金时，同时应根据合同的规定利率支付利息。如第二年度第一季度归还上年度第一季度保费准备金£16 000，如按年利率 4%计算，分出公司应付给分保接受公司利息£640。

同时，比例分保合同中也常常规定有赔款准备金。通常，赔款准备金按某一时期的未决赔款的估计数额提留，常见的按一年期提留，但有时也会按季度提留。当实际赔付时，分出公司即可支取赔款准备金。从理论上说，留存赔款准备金是既费时又费力的事情，每发生一次赔款，分出公司则需要增补赔款准备金。为此，实务中，常按前几月的经营状况按年或半年提留。赔款准备金可以由接受公司以开立对方接受银行的信用证的方式向分出公司提供，并在信用证中明确支取的条件和限制。与保费准备金相同，分出公司在每年度调整准备金金额时，就是赔款准备金也应向接受公司支付利息。

八、盈余佣金

盈余佣金又称纯益手续费。它是在再保险合同获得盈利时，接受公司将盈余额按一定比率返还给分出公司，作为额外的报酬，用以鼓励原保险人谨慎核保或报答原保险人的努力而致合同获得利润。盈余佣金一般在较为稳定的成数和溢额分保合同中使用。如果分保合同使用的是浮动分保佣金制度，一般就不再使用盈余佣金，因为浮动的分保佣金制度已经使经营业绩较好的分出公司获得了额外的奖励。

在实务中，盈余佣金有三种计算方法：

（一）一年基准法

一年基准法（annual basis）按每一年度计算再保险合同利润，以此利润再计算盈余佣金。所谓每一年度，是指按单独个别年度计算，而与过去年度盈亏无关。如三个业务年度，第一年亏损 30 万元，第二年盈余 20 万元，第三年亏损 10 万元，按一年基准法，即使分保合同在三年内是总亏损的，但再保险人第二年仍必须支付盈余佣金。

由于再保险业务的利润变化很大，除非合同利润非常稳定，否则一般不用这种方法。按一年基准法，在获利的年度再保险人要支付盈余佣金，若遇到亏损年度，再保险人却无从弥补自己的亏损。因此，在若干年度总利润亏损的情况下，再保险人仍需要对个别盈余年度给付盈余佣金，对再保险人不利。

（二）三年平均法

三年平均法（three year average system）是为修正一年基准法的不足，将当年度合同利润与过去两个年度的合同利润予以平均，就所得到的三年平均利润计算盈余佣金。这种方式比一年基准法对再保险人较为有利，也比较公平，是保险业中采用较多的形式。该计算方法如表 3-10 所示。

表 3-10 三年平均法盈余佣金计算 单位：元

业务年度	合同盈亏额	三年平均盈亏额	固定盈余佣金 20%
第一年度	+60 000	+60 000	12 000
第二年度	-30 000	（60 000-30 000）/2=15 000	3 000
第三年度	+30 000	（60 000-30 000+30 000）/3=20 000	4 000
第四年度	+90 000	（-30 000+30 000+90 000）/3=30 000	6 000

（三）亏损滚转法

亏损滚转法（losses to extinction，carrying losses forward basis）是指任何年度的亏损均继续转入次一年度以计算盈余，直至该项亏损全部消失为止。如果次年度因此增加其亏损，也须将此全部亏损继续转入再下一年度，如此转移直至全部亏损抵消而有盈余为止，再保险人才开始支付盈余佣金。这意味着，再保险人仅在合同的累计利润有盈余时，才开始给付盈余佣金，此种计算办法对再保险人而言是最有利的方法。这种方式在意外险或业绩不佳或合同不稳定的情况下采用较多。该计算方法如表 3-11 所示。

表 3-11 亏损滚转法盈余佣金计算 单位：元

业务年度	盈亏额	亏损滚转	固定盈余佣金 20%
第一年	-20 000	-20 000	0
第二年	15 000	-5 000	0
第三年	-30 000	-35 000	0
第四年	60 000	+ 25 000	5 000
第五年	-10 000	-10 000	0

在亏损滚转法中，还有一种特殊做法，称之为三年滚转法。这种方法是将某一业务年度的亏损滚转至以后连续的三个业务年度，如果仍有亏损，则必须停止。如上例，第一年亏损 20 000 元，如果滚转到第四年仍有亏损，则第五年按实际盈亏计算盈余佣金，第一年度亏损不再滚转。

九、赔款的处理

比例分保合同中一般规定，当损失发生时，分出公司可以按自己认为适当的方法全权处理赔款，包括全部赔付、部分赔付、拒绝赔付和通融赔付等。另外，分出公司还有权对受损标的采取合理的施救措施，对任何赔款提出抗辩。接受公司应对分出公司支出的赔款和合理费用按分保比例进行分摊。但如果有损余收回或向第三者追回款项时，分出公司也应按分保比例退回给接受公司。

对于小额赔款，分出公司一般无须通知接受公司，只是在相关报表中记录赔款事项，并在分保账单的应付分保费中扣减。但分出公司有义务在发生赔款超出一定金额时，及时将出现的情况、估计的损失、出险日期和原因等通知接受人，即要做出险通知。另外，在发生巨额索赔时，为了便于接受公司对分出公司提供财务支持，比例分保合同可以规定当某一笔赔款及费用总额达到或超过双方约定的一定金额时，分出公司可以向接受公司立即摊回现金赔款，接受公司应在收到现金赔款通知后 7 天或 14 天内给予支付。

近年来，为了使接受公司在某一业务年度再保合同发生严重亏损的情况下，可以得到分出公司的分摊。有些分保合同中也会采用损失分摊（loss participation）的条款。该条款规定，如果分保合同经营发生严重亏损，当超过一定比例时，分出公司需要承担接受公司赔款的一定比例。常见条款可能表述为“in the event that the loss ratio for the treaty exceeds 100%, the reinsured bears 25% of all losses in excess of this figure”。合同中规定，类似的条款主要是促使分出公司控制其业务质量，提高其业务经营管理水平。

十、分保账单和结算

分保账单是分保合同执行期内双方对业务往来进行结算的文件，主要包括账单期内各月份的分出再保险费、应摊付的赔款金额、扣减的分保佣金、已付现金赔款的抵消等。分保账单的编送以季度账单与半年账单最多。通常，在限定期限终了后的 30 天或 60 天内，分出公司应将分保账单编制完成并送达再保险人。在再保险人收到账单后，一般应在 15 天或 30 天内复证确认，逾期以确认而论。复证期内，接受公司要就账单的内容、计算方法以及数据正确与否，根据合同的条件或事先约定加以核算。通常，复证的方法是在原保险人所寄达账单的副本上加上再保险人的签署寄回。经确认的账单在规定期内（一般为 30 天）由借方按规定货币向贷方结算，如果使用其他货币，双方同意后可以用实际付款当天的汇率折成合同货币进行结算。目前，由于国际分保市场对分保资金的运用十分关注，因此，编制账单和结算日期也为接受公司所关心。

十一、报表

原保险人办理再保险，要按规定向接受公司编制和报送业务报表、业务更改报表等。原保险人既要在有关账册或表格中载明自留金额和再保险金额，还要登记保单号码、被保险人姓名、标的物和地址、保险期间、保险金额、限额号码、地段号码、再保险号码等。这种记录往往称为再保险登记簿。这项登记是再保险交易最基本的记录，原保险人可以据此编制业务明细表以及再保险账单寄送给再保险人。此外，在必要时，这种登记也是再保险人查询的重要记录。编制再保险明细表是原保险人告知与通知义务的具体体现。

再保险明细表包括业务明细表与损失明细表两大类。其中，业务明细表分为初步业务明细表、确定业务明细表和业务变动明细表等；损失明细表分为初步明细表和确定赔款明细表。传统上，初步业务明细表由原保险人每周寄送给再保险人。但随着业务日趋频繁与复杂，加之最后以确定业务明细表为准，遇有变动时，又要按业务变动明细表办理，故初步业务明细表对于原保险人和再保险人都已失去原有的价值，因而在实务中已不采用。现在所说的业务明细表，通常是指确定业务明细表。变动明细表是指对已确定的再保险业务，如发生减保、加保、退保等，都将直接增加或减少再保险人的责任与再保险费，故必须以变动明细表的方式通知再保险人。

通常，确定业务明细表和变动业务明细表按月分别编制，合并寄送给再保险人。明细表的内容由于险种的不同而略有差别。确定业务明细表的内容包括保单号码、被保险人名称、保险标的内容及所在地、保险期间、保险条件、保险金额、保险费率、保险费等项以及再保险号码、自留额、再保险金额、再保险费等。业务明细表是再保险人掌握危险情况及全盘管理业务的需要。在实际操作中，再保险人可以根据明细表了解原保险人所办理再保险的实际情况，如业务的大小、种类、分布状况、品质标准及费率的适用情形、危险的累积或集中程度等。此外，原保险人、再保险人均可以依次计算再保险责任与再保险费，遇有赔款发生，再保险人则根据报表查对并审核计算本身应摊负的金额。总之，再保险业务明细表是再保险业务中的基本资料。当某一再保险人与同一市场内大部分保险人签订有同一性质的再保险合同时，可以根据各原保险人寄送的报表另编制表格，以避免危险的重复承担而导致累积。

再保险业务明细表虽然重要，但就原保险人而言，编制明细表要花费大量的人力和物力，且要分送给每一再保险人，加重了工作负担，故有些合同规定除某些高额或赔偿严重的业务外，分出公司还可以减少报表内容，或者只向首席分保接受人提供报表。另外，编制业务明细表，再险人可能担心业务机密外泄，故在选择再保险人时要特别慎重。当然，再保险人为原保险人保守业务机密乃是职业道德的基本要求。

十二、合同的终止、修改

（一）合同的终止

一般分保合同均规定本合同从某年 1 月 1 日零时起生效。合同的终止有三种情况：

期满终止、通知终止和特殊终止。由于比例合同一般是不定期的，故期满终止很少采用，主要以通知终止和特殊终止为准。

通知终止是指合同当事人任何一方都可以在业务年度终了前（一般提前 3 个月）通知对方表示终止合同的意愿。提前通知的目的是给对方以充分的时间安排业务。在注销通知发出后尚未到终止时间之前，若该方仍有意保持分保关系可以收回注销通知，否则期限一到，合同就终止。

分保合同一般都订明在某些特殊情况下立即终止合同，即特殊终止，又称“突然死亡条款”。特殊终止包括以下三种情况：

（1）缔约双方无法控制的法律或事实的原因使合同无法履行。如法令新颁布实施或修改后，现行合同规定与之发生抵触。此时，即使合同不终止，也将失去效力。

（2）经营方面的原因，导致合同关系无法持续。如任何一方因经营不善丧失已缴资本的全部或部分，任何一方被宣布清理、破产或经营执照被吊销，任何一方被其他公司收购、合并或控制经营权，合同一方违反合同所规定的应尽的义务，合同的一方停办与合同有关的业务。

（3）战争条款。如合同方所在国之间发生战争或敌对行为。遇到这种情况，再保险人的责任自发生敌对行为之日起自动终止。又如，合同当事人的一方国家在政治上受他国统治，或被他国军队占领，无法开展正常的商业活动。此时，合同自动终止。此外，有些合同进一步订明，再保险人不得将原保险人分出的再保险业务直接或间接转分给原保险人的敌对国，或与该敌对国友好的国家，或禁止或不欢迎从事贸易的国家的任何人。

特殊终止也要求注销方以书面通知或其他通信方式告知对方。合同终止时，要同时决定如何结束现有的再保险责任、如何结算已付未付的再保险费，以及已发生而未决赔款的问题。这些问题相互关联，并且还涉及责任准备金的解除与再保险佣金的退还等问题。实际中，解决的方法可以在自然满期和结清方式中由再保险人自行选择采取何种方式。

（二）合同的修改

分保合同在有效期内，可以由任何一方取得对方同意，对合同的内容、条件等进行变更或修改，其方式可以用函件或附约办理。

变更或修改的内容在性质上较为非正式、轻微者，往往以信函处理。其方法是由双方指定的人或负责实务的人交换签署函件，或以一方签署的函件由对方再签署复证后寄回存查。例如，火险再保险合同原不保盗窃险，但某一标的需加保盗窃险，原保险人拟将加保的盗窃险也放入合同内再保，于是需通知再保险人，并得到签署复证。

变更修改的内容在性质上较为重大者，要采用附约的方法。例如，再保险佣金的更改或盈余佣金的计算方法的补充约定，都要以附约方式办理。当得到对方同意时，附约视为合同的一部分。附约和合同文本的处理方式一样，一式两份，经双方签字后，各执一份为凭。

思考题

1. 成数再保险和溢额再保险有哪些共同点和不同点？并分别总结其运用的特点、原则和范围。

2. 溢额再保险的三要素是什么？其作用有哪些？

3. 为什么溢额再保险属于比例再保险？

4. 如何理解溢额的层次划分及意义？

5. 混合分保有何特点？如何理解其兼顾风险与收益的平衡？

6. 比例再保险的责任和范围如何划分？

7. 什么是未了责任？比例再保险合同处理未了责任有哪两种方式？

8. 计提未到期保费的方法有哪些？

9. 什么是盈余佣金？盈余佣金是如何确定的？

10. 比例再保险合同终止有哪些形式？

第四章　非比例再保险

本章介绍传统再保险方式中的非比例再保险方式的内容、计算、特点及适用领域，对比例再保险和非比例再保险两种方式的特点进行比较，并介绍这两种方式的组合运用。在掌握非比例再保险分保技术的基础上，对非比例再保险合同的主要条款进行较详细的讲解。

第一节　非比例再保险概述

一、非比例再保险的概念

非比例再保险又称损失再保险或超损失再保险，是指原保险人和再保险人以损失为基础来确定各自的保险责任。采用这种再保险方式，只有当原保险人对投保人的赔款超过一定标准时，再保险人才对原保险人进行补偿，所以它又称“第二危险再保险”，以示责任的先后。在这种分保方式中，分出公司和分入公司的保险责任与保险金额之间没有固定的比例关系，因此称其为非比例再保险。

根据赔款计算方式的不同，超赔分保的基本方式主要有三种：险位超赔分保、事故超赔分保和赔付率超赔分保；同时，超赔分保还包括碰撞超赔分保、伞形超赔分保和缓冲超赔分保等特殊分保方式。

二、非比例再保险的产生和历史

19 世纪后期特别是进入 20 世纪以来，随着工业的发展、科学技术的日新月异，巨灾风险、巨额损失不断增加，对再保险分保技术提出了新的要求。巨灾风险的特征是一次灾害涉及面广，如地震、洪水、飓风等，一旦发生，将给人民生命财产带来巨大的损失。巨额损失是由于保险标的价值巨大，如万吨货轮、大型飞机、人造卫星、核电站等，这些标的一旦遭受损失将会严重威胁到保险公司的财政稳定性。因此，为解决巨灾风险、巨额损失的保障问题，以赔款为基础的计算分保双方责任额的分保方式——超额损失再保险（非比例再保险）就发展起来了。事实上，19 世纪末期，英国劳合社承保某些特定的信用风险，成立了世界上第一家超额保险公司。1885 年前后，劳合社希思（Heath）公司首先提出了超额赔款分保的设想，以控制分出公司的责任。这种设想于 1889 年首先在意外险中应用，很受欢迎。特别是在汽车保险业务中，这种分保方式解决了许多因数量多、保额小、责任积累和赔款多带来的保障问题，而且简化了分保手续。

1910 年，英国第一次签订了这种巨灾分保合同。这种超赔分保方式对巨灾的保障作用显著，且手续比较简单，故广为应用于多种保险业务尤其是意外险和责任险。第一次世界大战后，这种再保险方式开始与当时占主要地位的溢额再保险和成数再保险相提并论。它的应用非常有利于促进车险及其责任险的发展。由于法庭对责任赔偿判决的补偿金额越来越高，这种高补偿金额导致保险人对超赔分保的需求增大。同时，随着航空事业的日渐发达，高额的风险单位及风险累积问题愈加突出。超赔分保在易于发生风险累积、高额保险标的及巨灾风险的保险业务中逐渐占据了重要地位。可以预计，超赔分保在健康险、责任险和巨灾保险业务领域大有作为。

第二节　非比例再保险的主要方式

一、险位超赔分保

险位超赔分保（excess of loss per risk basis，risk excess，working cover）以每一危险单位的赔款作为计算自负责任额和分保责任额的基础。所谓险位，即每一危险单位。合同双方约定，对每一危险单位所发生的赔款，分出公司自负一定金额，接受公司负责超过部分的一定金额。非比例分保的自负责任额又称起赔点或免赔额。如对火险业务安排一超过 100 万元以后的 500 万元的险位超赔，则当某危险单位的损失在 100 万元以内，全部由分出公司承担；当某危险单位的损失超过 100 万元时，超出部分由接受公司承担；当某危险单位的损失超过 600 万元时，分出人与接受人的责任分别以 100 万元和 500 万元为限。超出部分若无另行安排，仍由分出人自负。

险位超赔分保在一次事故中的赔款计算有两种情况：一是按危险单位分别计算，没有限制；二是有事故限额，即对每次事故总的赔款有限制，一般为险位限额的 2~3 倍，即每次事故接受公司只赔付 2~3 个危险单位的损失。

例 4-1　假设现有某一超过 2 000 000 元以后 8 000 000 元的火险险位超赔分保，在一次事故中有 3 个危险单位遭受损失，如果每次事故对危险单位没有限制，则分出公司与接受公司对赔款的分摊情况如表 4-1 所示。

表 4-1　险位超赔再保险的赔款分摊　　单位：元

危险单位	发生赔款	分出公司自负赔款	接受公司分摊赔款
A	4 000 000	2 000 000	2 000 000
B	3 000 000	2 000 000	1 000 000
C	2 500 000	2 000 000	500 000
共计	9 500 000	6 000 000	3 500 000

如果每次事故有危险单位的限制，假定为险位限额的 2 倍，则分出公司和接受公司的赔款分摊情况如表 4-2 所示。

表 4-2 （限额）险位超赔再保险的赔款分摊 单位：元

危险单位	发生赔款	分出公司自负赔款	接受公司分摊赔款
A	4 000 000	2 000 000	2 000 000
B	3 000 000	2 000 000	1 000 000
C	2 500 000	2 500 000	0
共计	9 500 000	6 500 000	3 000 000

由于对每次事故有两个危险单位赔款的限制，接受公司在已承担两个危险单位的赔款基础上，对第三个危险单位的损失不再承担分摊责任，而全部由分出公司自负。因此，对于损失金额不同的危险单位，其赔款顺序就非常重要了。若简单按损失发生的时间顺序依次赔偿（假设损失从 A 到 D 依次发生），则以表 4-2 为准。若按其他标准或无法分出各个危险单位损失发生的顺序，则须重新计算损失。尤其是当损失金额巨大时，更会牵动分保双方的切身利益。所以，分保双方应在合同中明确规定危险单位的赔款顺序或划分标准，以免产生纠纷。

险位超赔分保方式可以控制分出公司对每一危险单位的自负责任，使每次赔款成本都得到控制。在实务中，险位超赔分保通常只适用于一般小额业务，经常与比例分保结合使用。分出公司在控制自留风险责任的同时还提高其承保能力。险位超赔分保比较适合于保障涵盖险种复杂的业务，如火险及海上运输货物保险等。

二、事故超赔分保

（一）事故超赔及“一次事故”的概念

事故超赔分保（excess of loss per event/occurrence basis，event cover）以一次巨灾事故所发生的赔款总和为基础计算原保险人自负责任额和再保险人再保险责任额。其目的是保障一次事故造成的责任累积，常用于异常灾害保险，故又称巨灾超赔再保险（catastrophe cover）。

在事故超赔分保下，不论一次事故中涉及的风险单位有多少、保险金额有多大，只要总赔款是在分出公司自负责任范围内，则均由分出公司自行赔付。只有当其事故总赔款额超过自负赔款额时，超过部分才由接受公司负责赔付直至一定的额度。事故超赔是险位超赔在空间上的扩展，目的是保障一次事故造成的众多标的损失而引起的责任积累。事故超赔主要用于保障分出人所面临的异常灾害或巨额风险的再保险保障，所以又称巨灾超赔再保险。巨灾超额再保险在火灾保险、海上保险、责任险、汽车险和意外伤害险中都有广泛的运用。前文提到的成数再保险、溢额再保险和险位超赔再保险都是以每个危险单位为基础，而且巨灾超赔再保险是以一次事故为基础，如地震、洪水、飓风等。这种再保险可以将属于原保险人支付的全部责任净额中的一定成分，转让给再保险人分担。

例 4-2 假设现有一份超过 5 000 000 元后的 45 000 000 元的火灾事故超赔再保险合同，现有一次火灾事故，一次事故造成了 3 个危险单位损失。其损失金额、分出公司自负情况和接受公司分摊情况如表 4-3 所示。

表 4-3 事故超赔分保赔款分摊 单位：元

危险单位	发生赔款	分出公司自负赔款	接受公司分摊赔款	其他
A	8 000 000			
B	12 000 000			
C	50 000 000			
共计	70 000 000	5 000 000	45 000 000	20 000 000

在例 4-2 中，因一次事故所造成的超额赔款已超过接受公司的最高责任限额，所以超出的 2 000 万元赔款如无其他分保安排，则由分出公司自负。

在事故超赔分保中，对一次事故的界定非常重要，因此事故超赔分保合同订有“时间条款”作为划分一次损失事故的标准。例如，规定发生在连续 72 小时内的飓风、台风、暴风雨、冰雹、旋风或龙卷风为一次事故；发生在连续 72 小时内的地震、海啸、海潮潮汐及火山爆发、火灾为一次事故。有的一次事故的确定还有地区范围的限定，如损失发生在同一城镇或乡村的罢工、暴动、恶意损害行为是一次事故。有的巨灾事故如洪水等既有时间上的限定，如连续 168 小时内，又以河谷或分水岭为界划分为一次事故。

一次事故所选用的时间界定标准不同，可能使分出公司和接受公司的赔款负担结果完全不同。一般在事故超赔分保合同中，分出公司有权选择事故连续时限开始的日期和时间，但是选定的时限起始不应早于一次事故或巨灾带来第一个赔付损失发生的日期和时间。

（二）事故超赔分保的分层设计

由于巨灾风险涉及面广，损失严重，通常需要较高的保障数额。为更广泛地分散巨灾风险，事故超赔分保产生了分层设计的做法，即设置若干层次的超赔分保，每一层的再保险限额累积起来可以达到巨大的金额，以充分保障可能偶然发生的百年不遇的巨灾，而各层接受公司的责任额又不至于过大，对分保双方均有利。

在事故超赔分层再保险中，第一层的起赔点就是分出公司的自负责任额，第二层的起赔点是第一层自负额和接受人责任限额的合计，以下各层以此类推。假设分出公司需要安排总额为 5 000 万元的事故超赔再保险合同。分出公司可以安排四个层次的事故超赔，以满足保障需求：第一层，超过 100 万元以后的 400 万元；第二层，超过 500 万元后的 1 000 万元；第三层，超过 1 500 万元后的 1 500 万元；第四层，超过 3 000 万元后的 2 000 万元。发生赔款时，由第一层的再保险人先行赔付，如有不足，由第二层开始依次由各层分摊赔款。

三、赔付率超赔分保

（一）赔付率超赔分保的概念

赔付率超赔分保（excess of loss ratio reinsurance）是按年度赔款和保费的比率来确定自负责任和再保险责任的一种再保险方式。按照赔付率超赔分保方式，分出公司将一年内某项业务的赔付率限制在一定自负比率内，当实际业务赔付率超出约定比率时，超出部分由接受公司负责至某一约定赔付率或金额，两者以较小者为限。赔付率超赔再保险不是对个别危险负责，而是一种对保险人财务损失的保障。所以，赔付率超赔分保又称停止损失再保险或损失中止再保险。

因此，正确、恰当地规定这两者的标准是安排赔付率超赔分保的关键，它既要能够在分出公司赔款较多、遭受承保业务亏损时给予保障，又不能使分出公司借此牟利、损害再保险人的利益。通常，赔付率超赔分保合同责任限额一般确定为自负赔付率加上 2 倍的营业费用率即 130%，如若某项业务自负赔付率为 70%、营业费用率为 30%，则分保接受人的负责区间为 70%~130%的赔付率。

（二）赔付率超赔分保的赔款分摊计算

例 4-3 一个赔付率超赔分保合同规定赔付率在 70%以下由分出公司负责，超过 70%至 120%，即超过 70%以后的 50%，由接受公司负责，并规定了赔付金额最高为 600 000 元的责任限制，两者以较小者为准。假设（单位：元）：

某年净保费收入：1 000 000

当年总赔款：800 000

赔付率：80%

赔款分摊：	分出人 70%	700 000
	接受人 10%	100 000

例 4-4 承前例，假设当年赔款为 1 350 000 元，则结果如下（单位：元）：

某年净保费收入：1 000 000

当年总赔款：1 350 000

赔付率：135%

赔款分摊：	分出人 70%	700 000
	接受人 50%	500 000（低于 600 000）

剩余赔款 150 000 元仍由分出公司负责，如果保险人要求更大的保障，根据需要可以另外购买第二层或更高层的赔付率超赔。如在本例中，分出公司还可以安排第二层的赔付率超过 120%以上的 30%部分的赔付率超赔分保，则超出 15%赔付率部分则由第二层的分保接受人分摊。

例 4-5 假设一个赔付率超赔分保，自负赔付率为 70%，分保赔付率为 40%，并规定了赔付金额最高为 600 000 元的责任限制，两者以较小者为准。如果当年净保费收入为 2 000 000 元，总计净损失赔款为 2 500 000 元，即赔付率为 125%。赔款分摊如下（单位：元）：

当年净保费收入：2 000 000

当年总赔款：2 500 000

赔款分摊：分出人 70%　　1 400 000

接受人 40% 600 000（40%的赔款超过 60 万元上限，以 60 万元为限）

余下赔付率中超过 110%的 15%部分的赔款 300 000 元和接受人 40%赔付率责任中超过 60 万元最高金额限额的部分 200 000 元（2 000 000×40%−600 000），共计 500 000 元，仍由分出人负责。

此外，在赔付率超额分保合同中，常有一项特别的规定，即再保险人对超过赔付率以上部分赔款只负责90%，另外10%仍由分出公司负责，这种做法称为共同再保险。其理由是，由于分出人自留了一定成分，因而与接受人一样，对合同的经营结果有共同利害关系，这可以使分出人在业务的承保方面采取谨慎的态度。如果经营不善，合同发生亏损，分出人同样也会遭受损失。

例4-6 承前例，超赔分保合同中规定了分出公司10%的共保比例，也即接受公司只负责超过部分的90%，且不超过接受人的最高赔付金额的90%。这样，例4-5中的赔款分摊计算如下（单位：元）：

当年净保费收入：2 000 000

当年总赔款：2 500 000

赔款分摊：分出人70% 1 400 000

分出人再负责：80 000（2 000 000×40%×10%）

接受人分摊：540 000

接受人应分摊720 000元（2 000 000×40%×90%），但因合同同时规定最高赔付率金额限额为600 000的90%，即540 000元，故接受人赔款以540 000元为限，其余未分摊赔款480 000元（超过110%以上的15%部分的300 000元以及40%以内超过540 000元以上的180 000元部分）仍由分出人负责。

（三）赔付率的计算

赔付率再保险保障的是赔付率，因此如何计算赔付率至关重要。传统的赔付率计算方法为已发生赔款与到期保费之比，即

$$赔付率=\frac{发生赔款}{到期保费}\times 100\%$$

发生赔款=本年度已付赔款+转出本年度未决赔款-转入上年度未决赔款

到期保费=本年度保费+转入上年度未到期保费-转出本年度未到期保费

这种计算方法理论上是成立的，但在实际工作中，由于未了责任的估算受主观因素的影响较大，且其计算手续比较烦琐、准确性差，所以实务中通常采用财务会计制度的算法，用本年度的净自留保费收入与赔款净额的比率来计算赔付率，即

$$赔付率=\frac{赔款净额}{年净自留保费收入}\times 100\%$$

净自留保费收入=毛保费+加保费-退保费-佣金-再保险费支出-保费税款-盈余佣金

赔款净额=已发生赔款（包括诉讼及理赔费用）-赔款追偿-摊回的再保险赔款

上面所提及的再保险费的支出及再保险赔款的摊回等，必须是与本再保险标的有关的再保险内容。若未安排本超赔再保险而支付的再保险费，则不能从净保费收入内扣除，其再保险的赔款也不作为净赔款的减少项。

赔付率超额赔款分保的赔付率每年计算，但常以3~5年为合同年限。这是因为，赔付率按签单年度的会计账计算，而会计账需要等各签单的责任全部到期后才能精确计算。因此，习惯上要延缓两个年度，于第三年年底计算调整。但这时仍免不了有未

决赔款估计。由于担心第三年年底所做的未决赔款估计不准确，而且有些赔案不能在短期内全部解决，致使再保险的赔付率确定要延长数年，合同内通常要约定最终决算年限，一般为 5 年。

（四）赔付率超赔分保的适用范围

赔付率超赔分保是以分出公司的经营成果为对象的再保险，其功能在于防止分出公司的承保业绩在某年度突然发生变化，将分出公司的业务亏损控制在其财力所能承受的范围内。因此，赔付率超赔分保一般运用于单位损失金额不大，但损失频率较高，或者损失较集中且累积责任较大的业务，如农作物保险或冰雹保险等。这类业务较易出现亏损，同时在汽车险和第三者责任险中的应用也很广泛。

四、其他超赔再保险

（一）碰撞超赔分保

传统方式下，保险人分别为公司各类业务单独安排再保险保障。在此种安排方式下，存在发生一次事故而同时对两类或两类以上的业务造成损失的可能性，如一次暴风雨事故可能同时造成水险和航空险业务的损失。保险人并不愿意承担因一次事故而造成各类业务都发生自留损失而积累的风险，正因如此，碰撞超赔分保才应运而生。

碰撞超赔分保对于一次事故造成不同保险业务类别的损失积累提供保障。假设分出公司已经为公众责任险、雇主责任险和意外伤害险分别安排了碰撞超赔分保保障，同时也安排了包括车损险在内的产险业务、水险或航空险超赔保障。当一次损失事件发生引起了所列举的两类或以上的业务都发生损失时，分出公司则可以将各类业务的自负责任额累计，而对该公司的碰撞超赔分保接受公司提出索赔。值得注意的是，即使一次重大损失事故发生，但如果该事故仅引起了单项业务的重大损失，则碰撞超赔分保并不对此负责。

例如，分出公司就产险业务安排了一份自负责任额为 10 万英镑的超赔分保，就水险业务安排了一份自负责任额为 20 万英镑的超赔分保，同时又安排了一份超过 10 万英镑以上的 40 万英镑的碰撞超赔分保保障。如果由于一次火灾事故，分出公司承保的一位客户在码头待装船的货物发生损失，同时另一位客户的仓库内的货物也发生了损失，那么分出公司则将产生产险业务的自留责任 10 万英镑和水险业务自留责任 20 万英镑的损失积累，而此时总计 30 万英镑的自留责任积累即可由碰撞超赔分保的接受公司分摊 20 万英镑的赔款。

（二）伞形超赔分保

伞形超赔分保与碰撞超赔分保不同。碰撞超赔分保是对各类业务的自留责任累积风险提供保障，而伞形超赔分保则是当损失超过免赔额后，且所有已安排的各类超赔分保合同的责任额耗尽后，对仍存在的赔款提供保障。因此，它只有在一次重大损失事故发生，且下层的分保保障全部进行分摊后才最终提供赔款。伞形超赔分保因它是处于一系列业务已有的再保保障之上的再保险而命名，主要是处理那些可能存在的赔付额大、发生频率低的损失风险的约定。

（三）缓冲超赔分保

缓冲超赔分保主要是对某一超赔分保合同提供的一个较低层次的保障，且通常只是针对某一特殊损失原因进行安排，比如对于一份包含产险和车损险在内的分保合同。缓冲超赔分保仅对车损损失提供保障。

通常，缓冲超赔分保会结合赔付率超赔分保运用，更加普遍的做法是对超赔分保的主要层次提供保障。当特定原因造成损失时，先由缓冲超赔分保的接受公司承担，然后由原赔付率超赔分保接受公司承担。

五、比例再保险与非比例再保险的区别

（一）自负责任与分保责任的确定基础不同

比例再保险是以保额为基础来确定自负责任和分保责任的；非比例再保险是以赔款为基础来确定自负责任和分保责任的。在非比例再保险中，再保险人仅在赔款超过免赔额时才承担责任，不受保险金额大小的影响。

（二）分保费计算方式不同

比例再保险分保费的计算是按分配保额的同一比例计算的，分保费率与原保险费率完全相同；非比例再保险是采取单独费率制度，再保险费以业务年度的净保险费为基础，由订约双方协商而定，另行计算，通常采取年初预付、年终调整的付费方式。

（三）分保手续费支付不同

在比例再保险中，通常都有再保险佣金的规定，是因为接受公司与分出公司的关系类似“共同保险”。鉴于对分出公司开展直接承保业务提供一定的营业费用补偿，接受公司对分出公司需要支付分保手续费和盈余佣金。在非比例再保险中，接受公司视分出公司与被保险人的地位相等，更接近“保险人的保险”的定义，所以接受公司一般不支付分保手续费。

（四）保费准备金提留不同

比例再保险接受公司存在未到期责任，分出公司在支付分保费时往往会提留保费准备金，以应付未了责任和其他意外；非比例再保险接受公司通常不对个别风险负责，仅在赔款超过起赔点时才予以负责，因此，一般不提留保费准备金。

（五）赔款的偿付方式不同

比例再保险的赔款偿付，除个别巨灾赔款分出公司要求接受公司以现金赔偿外，通常都通过账户处理，按期结算，如通过季度账单或半年账单进行结算；非比例再保险的赔款多以现金偿付，接受公司于收到分出公司的损失清单后短期内如数偿付。

（六）控制直接业务经营风险的作用不同

比例再保险控制分出公司经营风险的作用是间接的。比例再保险的主要功能是通过分出保费，降低自留风险，以在一定的资本金条件下提高承保能力。此外，接受公司往往会给予分保佣金以及保费准备金等财务弥补，提升分出公司的经营业绩，或用于换回回头业务，调整业务结构。非比例再保险对特大风险的保障作用是比例再保险无法比拟的。非比例再保险直接将分出公司风险控制在一定的限度之内，即以少数巨额风险以及年度累积赔款为对象，通过控制赔款规模和赔付率，对分出公司业务的稳定经营提供保障。

第三节　比例再保险与非比例再保险的结合运用

比例再保险与非比例再保险尽管存在实质上的区别，但它们却可以结合起来加以运用。下面我们主要介绍以下两种组合运用方式。

一、成数分保和超赔分保的组合运用

当分出公司为其业务安排了成数分保以后，其自留责任部分仍然可能面临较大风险，尤其是当业务赔付率较高时。在这种情况下，分出公司可以对自留风险安排超额赔款再保险，以稳定其自留责任的业务成绩。

例 4-7　某公司安排有一个成数分保合同，自留额为 50%，分保比例为 50%，分保佣金为 30%，盈余佣金为 20%，年终结算结果如表 4-4 所示。

表 4-4　成数分保结算结果　　单位：元

项目	总额	自留部分	分出部分
保费	1 000 000	500 000	500 000
费用（或分保佣金）	-300 000	- 150 000（费用）	-150 000（分保佣金）
赔款	- 900 000	- 450 000	-450 000
结果	- 200 000	-100 000	- 100 000

本例中，本合同亏损 200 000 元，自留部分和分保部分各亏损 100 000 元，亏损率为 20%。

安排本合同时，分出人为保证合同更好的稳定性，征得分保接受人同意，为双方另行安排了一个超过自负责任 100 000 元以后 500 000 元限额的超额赔款保障，保险费率为总保费的 5%，则成数合同项下的结算结果如表 4-5 所示。

表 4-5　成数分保和超赔分保组合运用的结算结果　　单位：元

项目	总额	自留部分	分保部分
保费	1 000 000	500 000	500 000
超赔保费	-50 000	-25 000	-25 000
费用（或分保佣金）	-300 000	-150 000	-150 000
赔款	-600 000	-300 000	-300 000
结果	50 000	25 000	25 000
盈余佣金		+ 5 000	5 000
最终结果		30 000	20 000

表 4-5 说明，因为本合同项下有一次 400 000 元的赔款，可以从超赔分保保障项下摊回赔款 300 000 元，从而使成数合同的赔款数字从原来的 900 000 元降低到 600 000 元，合同的成绩从亏损 200 000 元转变为盈利 50 000 元。在这种情况下，购买超额赔款保障对分出人和接受人双方都是值得的。本例对分出人更为有利。从业务结果看，双方得益分别为 25 000 元。不过，由于接受人支付了手续费 5 000 元，因此双方实际得益分别为 30 000 元和 20 000 元，如果接受人已安排有超赔保障或者不愿意为自己接受的比例购买“共同账户”下的保障，可以不参加本合同项下共同账户的超赔保障。

从本例可以看出，超额赔款分保方式不仅可以保障分出人的自留业务，还可以就分出人安排的比例分保业务与接受人一起购买“共同账户”的超赔分保，只是在操作时要事先征得接受人同意。

二、溢额分保和超赔分保的组合运用

例 4-8　分出公司对火灾再保险进行安排，对单一危险单位的再保险采用溢额分保方式，并按保险金额确定自留额为 400 000 元。根据承保能力的需要，分出公司安排了分别为 6 线和 4 线的两层溢额分保，承保能力共计 4 400 000 元。

自留额：400 000 元。

第一溢额（6 线）：2 400 000 元。

第二溢额（4 线）：1 600 000 元。

在此基础上，为了分散事故的累积责任，安排事故超赔分保。确定自负责任额为溢额分保自留额的 2 倍，即 800 000 元，安排三个层次的超赔分保合同。

第一层：超过 800 000 元以后的 1 000 000 元。

第二层：超过 1 800 000 元以后的 1 000 000 元。

第三层：超过 2 800 000 元以后的 1 600 000 元。

如果发生一次大的火灾事故，有三个危险单位遭受损失。它们的保额、分保和赔款的情况分别如表 4-6、表 4-7、表 4-8 所示。

表 4-6　危险单位 A　　单位：元

项目	保险金额	分保比例/%	承担赔款
自留额	400 000	16. 67	333 400
第一溢额	2 000 000	83. 33	1 666 600
共计	2 400 000	100	2 000 000

表 4-7　危险单位 B　　单位：元

项目	保险金额	分保比例/%	承担赔款
自留额	400 000	9. 09	363 600
第一溢额	2 400 000	54. 55	2 182 000
第二溢额	1 600 000	36. 36	1 454 400
共计	4 400 000	100	4 000 000

表 4-8　危险单位 C　　单位：元

项目	保险金额	分保比例/%	承担赔款
自留额	400 000	11. 11	333 300
第一溢额	2 400 000	66. 67	2 000 100
第二溢额	800 000	22. 22	666 600
共计	3 600 000	100	3 000 000

对于上述三个危险单位，分出公司在溢额合同自留额项下累积赔款为 1 030 300 元（333 400 + 363 600 + 333 300），超过超赔分保自负责任 800 000 元，超过的 230 300 元应由事故超赔项下赔付。

综上所述，在该次火灾事故中，危险单位 A 的赔款额为 2 000 000 元，危险单位 B 的赔款额为 4 000 000 元，危险单位 C 的赔款额为 3 000 000 元，三个危险单位的赔款额总计为 9 000 000 元。其摊付的情况如表 4-9 所示。

表 4-9　赔款摊付情况

分出公司自负额	800 000 元	8. 89%
第一溢额分保合同	5 848 700 元	64. 99%
第二溢额分保合同	2 121 000 元	23. 57%
事故超赔分保合同	230 300 元	2. 55%

第四节 非比例再保险合同主要条款的内容

非比例再保险合同的一般性条款，如业务范围和地区范围、除外责任、分保账单和结算、错误或遗漏、合同的终止和修改等，通常与比例再保险合同有关条款类似。本节就非比例再保险合同的特色条款加以说明。

一、最后净损失条款

最后净损失额也即最后净付赔款，是分出公司在一次事故中实际付出赔款总额（包括经接受公司同意的一切与处理赔款有关的费用）减去分出公司赔款的各种金额，如损余、向第三者的追回款以及其他再保险接受公司应摊回的比例或临时分保赔款等。

最后净付赔款一般包括理赔费，但不包括分出公司员工工资及财务管理费用开支。诉讼费是否为理赔费用，视具体规定而定，有的不包括在理赔费用之内，而由分出公司和接受公司分摊。用公式表示为

最后净付赔款=赔款总额+法律费用+其他费用（分出人职工的工资除外，但专家费用包括在内，如理赔费用等）-损余收回-向第三者追回的款项-从其他再保险人摊回的赔款

例 4-10 为某一超过50万元后的100万元海上运输货物安排险位超赔分保，如一次船舶碰撞事故中一批货物发生赔款200万元，货物残值30万元，向事故责任方追回50万元，则该险位超赔分保合同项下的最后净赔款为120万元（200-30-50）。而根据超赔分保合同的条件，其中分出公司自负责任为50万元，接受公司全部分摊余下的70万元赔款。在索赔处理没有结束之前，如事故责任赔款的追偿未成功时，接受公司可以先按初期赔款数字赔付，其后根据最后净赔款调整退回。

二、净自留责任条款

在非比例再保险中，通过合同中的净自留责任条款（net retained lines clause）明确分出公司自负责任以划分分出公司与分入公司赔款责任的界限。但由于分出公司可能就自留责任部分还安排有其他再保险合约，因此，超赔分保合同开始前分出公司所承担的净自留责任才是计算分出公司最后净赔款的标准。

例 4-11 分出公司根据自身偿付能力确定自留限额，如安排超过50万元以后的50万元超赔分保，其中50万元为自留额。但有时分出公司还可能对自留额再另行安排分保。如就50万元的自留额再安排超过20万元以后的30万元的超赔分保，则20万元称为净自留责任。如有这种情况，应在合同中予以明确，即用净自留责任条款说明。

从此可以看出，如果分出公司就直接业务安排几份分保合同时，各接受公司对分出公司分别承担再保责任，而不互相负连带责任。如果有某接受公司不能履行其赔款责任时，分出人不得将该部分未偿赔款计入净自留赔款，要求其他再保险人负担。

例 4-12 关于成数分保和险位超赔分保的组合运用。假定该成数分保合同的基本

条件是分出公司自负责任为40%，分入公司的分入责任为60%，合同限额为120万元。超赔合约是超过100万元后的200万元的险位超赔分保。如果发生赔款150万元，则分出公司的自留赔款是100万元，超赔分入公司承担赔款50万元，此时需要运用净自留责任条款，最后分出公司实际净自留赔款为40万元，成数分保接受人分摊赔款60万元。

三、任何一次事故条款/时间条款

事故超赔分保接受公司承担由一次事故造成的超额赔款责任。鉴于一次事故的时空界定有时很难确认，如地震风险，一次地震往往有预震、余震。因此，在非比例再保险实务中，常常用一次事故特殊扩展条款或称时间条款（hours clauses）对一次事故从时间上加以限制。

一般规定如下：

（1）暴风、冰雹——在连续24小时（twenty-four consecutive hours）或48小时或72小时内，不论发生多少次，均认为是一次事故。上述时间的长短因合同而异，开始计算的时间由原保险人决定，但不得早于原保险人负责第一次赔款之时（shall not commence prior to the first lo being sustained by the reissued），也不得在前一次事故未完成之前。

（2）地震、海啸、潮汐、火山爆发——在连续48小时或72小时或168小时内，不论发生多少次，均作为一次事故处理。开始计算的时点仍由原保险人决定，但在前一次事故时限未完成前，不得开始计算（shall not commence within the period of any previous loss occurrence）。

（3）洪水——在连续168小时内所发生者，认为是一次洪水事故。洪水在168小时（或其他时间）内将涉及很大的区域，故另有地区的规定，通常以河谷（water basin）或分水岭（watershed）作为划分同一洪水区域的依据。但由气象条件所引起的洪水则无地区界限，均作为一次事故处理。洪水开始的时点由原保险人决定，但开始的时点不得在前次洪水的时限内。

（4）罢工、暴动等——在连续72小时内发生者，认为是一次事故，但也有地区的限制，如在同一市、镇、村辖区内（within the confines of any one city，town or village）所发生，且在72小时内者，不论发生多少次，均作为一次事故。开始的时点仍由原保险人决定，但不得在上次事故时限内起算本次事故。一次事故应理解为一次且为同一巨灾事故直接引起或造成的所有的单个损失。针对不同风险，任何损失发生时限及损失程度有如下不同规定：一是暴风、暴雨、冰雹、飓风、龙卷风、台风和/或旋风连续72小时视为一次事故；二是连续72小时的地震、海啸、火山爆发、火灾及前述危险事故引发的海潮汐视为一次事故；三是损失发生在同一城镇或乡村的罢工、骚乱、民变和恶意毁坏行为视为一次事故。

在以上所列的风险带来损失的前提下，本协议保障的其他风险出险时，连续72小时内发生的损失视为一次事故。

其他风险，一般可以连续168小时内视为一次事故。

洪水，一般认定连续168小时内某河流及其分支所发生的事故为一次洪水事故。

洪水事故一般还有地区的限定，通常以河谷或分水岭作为划分同一洪水区域的依据。但由气象条件所引起的洪水则无地区界限，均作为一次事故处理。

时间条款一般规定。分出公司可以选择连续时限开始的日期和时间，但是选定的时限起始不应早于一次事故或巨灾带来第一个该赔付损失发生的日期和时间，同时，两个选定时限不能出现重叠的现象。

时间条款规定的一次事故的划分方法是相当重要的。例如，如果有一超过 1 000 万元后的 4 000 万元的巨灾超赔分保合同，一次事故持续了 6 天，共造成损失 5 000 万元。如按时间条款规定 168 小时为一次事故，则分出公司自负 1 000 万元，接受公司负责 2 000 万元，超出超赔分保限额的 2 000 万元仍由分出公司自负。但如果合同规定 72 小时为一次事故，则该事故可以划分为两次事故。如果第一个 72 小时内发生损失 2 000 万元，第二个 72 小时内发生损失 3 000 万元，则第一次事故，分出公司自负 1 000 万元，接受公司负责 1 000 万元，第二次事故分出公司自负 1 000 万元，接受公司负责 2 000 万元，总计 5 000 万元的损失接受公司共负责了 3 000 万元。两种方式相比较，可以发现，一次事故的划分对于双方责任的影响是非常重大的。

四、合同期限条款

非比例再保险的合同期限一般为一年，但也有不定期的。实务上，一般采取以一年度为合同期限的做法。因为非比例再保险有其专门的费率制度，要根据实际赔款每年调整（详见第五章），所以每年要结算再保险费并洽商下一年度的费率。

非比例再保险对于合同到期时的未了责任，有三种不同的处理方式：

（一）按保单签发基础处理

按保单签发基础处理（policies issued basis/risk attaching basis），即在分保合同有效期内分出公司所签发的保单和续转的业务都是分保合同应承担的责任。即使在合同到期时还有未了责任，仍由接受公司继续负责至责任终了。这种方式一般被险位超赔再保险合同采用。

（二）按损失发生基础处理

按损失发生基础处理（losses occurring basis），即凡是在分保合同有效期内发生的损失，不论原保单是在当年还是在上年签发的，都是该分保合同应负的责任。在合同有效期内签发的保单，在合同到期时还有未了责任的，则由下一年度的接受公司负责，但分出公司也可以采取加费的办法由原接受公司继续负责至责任终了为止。这种方式一般被事故超赔再保险合同采用，以便于计算一次事故中所积累的责任。

例 4-9 一商业财产保单的保险期限为 2020 年 7 月 20 日零时至 2021 年 7 月 19 日 24 时，保单跨越 2020 年与 2021 年两个再保险合同年度。若 2021 年 4 月 1 日发生火灾事故，那么，如果分保保单是采纳保单签发基础处理的，则由 2020 年的超赔分保接受公司负责；如果分保保单是采纳损失发生基础处理的，则由 2021 年度的超赔分保接受公司负责。

（三）按索赔发生基础处理

按索赔发生基础处理（losses discovered/claims made basis）是指凡是在分保合同期限内有效保单项下提出索赔的损失均属于分保合同承担的责任，而不论原保单是何时签发的、赔案是何时发生的。这种方式一般被责任险的超赔合同采用，因为责任险保单通常采用索赔发生制的承保责任基础。

五、赔款通知条款

该条款主要是有关赔款的通知（claims notification and reporting clauses）以及赔款账单的编制、报送和摊回的规定。一般在合同中应订明，如有赔款发生并可能涉及接受公司的责任时，分出公司应及时通知。接受公司在接到赔款账单后，应在规定的期限内向分出公司摊付赔款。

六、再保险费率及再保险费条款

与比例分保采用原费率的方法不同，超赔分保合同采取单独的费率制度。再保险费率的厘定过程类似原保险费率的厘定过程，由纯费率和附加费率构成。纯费率根据赔款成本与净保费收入的比例确定。超赔分保的赔款成本是根据分出人以往业务年度内超过起赔点至最高限额间的各项赔款统计。而超赔分保的附加费率也是为支付接受公司的营业费用、税金和预期利润，但其比率往往较高，可以认为是包含了较高的安全系数。超赔分保习惯将附加费用率和纯费率用分数表示，如100/80或100/75，即附加费用率为纯费率的25%或33.33%。当纯费率确定后，乘以100/80或100/75，即可得出再保险费率。确定再保险费率一般要考虑合同的持续性、业务以往经验数据、通货膨胀、汇率变动等因素而最终确定。

一般情况下，再保险费以分出公司的保费收入乘以再保险费率而得。但需要明确的是，一般计算再保险费的基础是分出公司的毛净保费收入（gross net premium income，GNPI），即分出公司收取的原业务毛保费中扣除退保费、分保费等后的净额。

超赔再保险费的计算方法主要有下列两种类型：

（一）固定再保险费

固定再保险费，即双方约定一固定金额的再保险费。再保险费金额由分出公司和接受公司按以往的赔款记录共同商定，与分出公司该分保年度的净保费收入和发生赔款多少无关。固定再保险费制度大多被劳合社市场使用。这是因为，劳合社对于保险费的收支等采用三年核算制，每一年度的保费和赔款需等三年后才能完整核算，这样就无法进行每年的再保险成本的核算，所以劳合社只能使用固定再保险费制度。除劳合社外，采取固定再保险费制的业务主要是新业务和未办理过超赔分保的业务，由于缺乏以往的记录和经验，采取固定再保险费制作为一种过渡方法。此外，超赔分保责任高层风险由于核算困难，一般也采取固定再保险费制。

（二）变动再保险费

非比例再保险一般均采取变动再保险费（variable premium），即再保险费按合同所包括业务的毛净保费收入总额与再保险费率的乘积计算。由于毛净保费收入总额须待合同年度届满后才能计算出确切数额，但在合同履行期间若发生赔款，再保险人仍需先行赔付，所以在实务中一般采用预付保费（deposit premium）制度，即合同订立后分出人即行支付分保费。待年终净保费收入总额和接受公司的赔款总额计算出来之后，再按实际应付分保费数额进行调整。为保证接受公司最低保费收入，实务中预付保费通常采用最低预付保费（minimum deposit premium）制度，即在年度终了时应付分保费高于预付保费时，分出公司应按结果增加给付，但如果应付分保费低于最低预付保费，则接受公司不用退还。最低保费一般为预计再保险费的70%~80%，并可以按约定期限分期交付。调整再保险费又分为按固定再保险费率和变动再保险费率两种方法对再保险费进行计算与调整。

1. 固定再保险费率

这是以分出公司的净保险费收入为基础，采用单一的固定再保险费率进行再保险费的计算和调整。实行固定再保险费率制就是在分保合同中只约定一个再保险费率，且固定不变。其计算公式为

再保险费=分出公司保险费收入×再保险费率

例 4-14　有一超赔分保合同规定，固定再保险费率为3%，预存再保险费为240 000元，最低再保险费为210 000元。由于各个业务年度的净保费收入不同，所以，需做调整的再保险费情况也不一样。

①假如某年度净保费收入为10 000 000元，则按3%的固定再保险费率计算，再保险费应为300 000元，但由于分出公司已付预存再保险费240 000元，所以，要扣减这部分再保险费，最后得出的调整再保险费为60 000元，这也是分出公司必须加付的再保险费。

②假如某年度净保费收入为7 500 000元，则按3%的固定再保险费率计算，再保险费应为225 000元，但由于分出公司已付预存再保险费240 000元，并且超过了应交的再保险费，所以，最后得出的调整再保险费15 000元为接受公司应返还给分出公司的再保险费。

2. 变动再保险费率

这是以赔款为基础来计算再保险费率，并以实际再保险费率来进行再保险费的计算和调整。实行变动再保险费率意味着再保险费不仅与净保费收入挂钩，还与赔款挂钩。使用变动再保险费率的合同条款中除了对预付再保险费有规定外，通常还分别规定一个最低再保险费率和最高再保险费率。如果实际再保险费率低于约定的最低再保险费率，则按最低再保险费率计算再保险费；反之，则按最高再保险费率计算再保险费。常用的变动再保险费率的计算方法有：

第一，一年法。

这是按当年度分出公司的毛净保费收入（GNPI）和接受公司的超额赔款支出求得纯费率，再加上附加费率，作为当年度超额赔款再保险的费率。采用这种方法必须每年调整再保险费率。

例 4-15 假定某超赔再保险合同规定的最低分保费率为 2%，最高分保费率为 7%，附加费率为 20/80。分出公司的净保费收入为 1 000 000 元，预付再保险费为 16 000 元。如果接受公司分摊的超额赔款为 10 000 元，则再保险费率为

10 000/1 000 000 ×（1 + 20/80）×100% = 1. 25%

由于计算所得的再保险费率 1. 25%低于规定的最低分保费率 2%，故最终的再保险费应按 2%的最低分保费率计算。其再保险费为

1 000 000 × 2% = 20 000（元）

因为预付的最低再保险费为 16 000 元，则调整的再保险费为 4 000 元。这是分出公司应加付的再保险费。

①如果接受公司分摊的超额赔款为 80 000 元，则再保险费率为

80 000/1 000 000 ×（1+20/80）× 100% = 10%

由于计算所得的再保险费率 10%高于规定的最高费率 7%，故最终的再保险费应按 7% 的最高费率计算。其再保险费为

1 000 000 × 7% = 70 000（元）

由于预付的最低再保险费为 16 000 元，则调整的再保险费为 54 000 元，这是分出公司应加付的再保险费。

②如果接受公司分摊的超额赔款为 40 000 元，则再保险费率为

40 000/1 000 000 ×（1+20/80）× 100% = 5%

由于计算所得的再保险费率 5%在最高分保费率和最低分保费率之间，故最终的再保险费率应按实际费率 5%计算。其再保险费为

1 000 000 × 5%= 50 000（元）

因为预付的最低再保险费为 16 000 元，则调整的再保险费为 34 000 元，这也是分出公司应加付的再保险费。

第二，前三年（或五年）平均法。

这是根据分出公司前三年（或五年）的净保费收入总和与接受公司前三年（或五年）的超额赔款总和求得纯费率，再加上附加费率，作为当年度的超额赔款再保险费率。

例 4-16 假如某分出公司前三年的净保费收入分别为 750 000 元、900 000 元和 1 400 000 元，同期接受公司支付的超额赔款分别为 3 700 元、23 000 元和 56 700 元。则按此三年的净保费收入和超额赔款支出可以求得的纯再保险费率为

（3 700 + 23 000 + 56 700）/（750 000 + 900 000 + 1 400 000）× 100% = 2. 73%

若附加费率为 30/70，则本年度再保险费率为

2. 73% ×（1+30/70）= 3. 9%

如果本年度分出公司净保费收入为 2 000 000 元，接受公司支出的超额赔款为 80 000 元，则本年度再保险费为

2 000 000 × 3. 9% = 78 000（元）

第三，三年危险分散法。

这种方法是按分出公司当年度与前两个业务年度的净保费收入总和与同期接受公司支出的超额赔款总和求得的纯再保险费率，再加上附加费率，作为当年度超额赔款再保险的费率。

例 4-17 假如某分出公司前两年和本年度的净保费收入分别为 900 000 元、1 400 000 元和 2 000 000 元，同期接受公司支出的超额赔款分别为 23 000 元、56 700 元和 80 000 元。则纯再保险费率为

(23 000 + 56 700 + 80 000) / (900 000 + 1 400 000 + 2 000 000) ×100% = 3. 71%

若附加费率为 30/70，则再保险费率为

2. 71 × (1+30/70) = 5. 3%

本年度再保险费为

3 000 000 × 5. 3% = 106 000 (元)

第四，三年共同法。

按照这种方法确定的再保险费，其再保险费率的计算方法与三年危险分散法的计算方法一样，只是计算出来的费率是作为这三个业务年度的共同费率。故这种计算方法常用于三年期再保险合同的共同再保险费的计算。采用这种方法，分出公司每年要预付再保险费，当三个业务年度全部结束后，再做最后调整。

七、责任恢复条款

责任恢复是非比例再保险的重要特点之一。责任恢复就是在赔款发生而使得接受人分保责任减少，分出公司为了获得充分保障，需要将接受人分保责任恢复至原有的额度。例如，有一超过 50 万元以后的 50 万元的超赔分保，其分保责任额为 50 万元。现发生了 75 万元的损失，超赔再保险人赔付了 25 万元，使分保责任额由 50 万元减少至 25 万元。如果有恢复责任的规定，则可以在一定方式下将分保责任额仍恢复至原有的额度即 50 万元。

运用责任恢复条款（reinstatement clause）需要注意三点：恢复责任的次数、一次责任恢复和恢复责任的费用。

（1）恢复责任的次数。通常，以原保险责任额的倍数为限，或称再保险责任恢复的次数。例如，约定合同的总责任额是原责任的 2 倍，即 2 次责任恢复，此时合同的总责任额为原责任额的 3 倍。

（2）一次责任恢复。在分保合同有效期内即一年中，可以有一次金额等于一个再保险责任限额全损的责任恢复，或多次部分损失金额的责任恢复，但累计损失金额不得超过一个再保险责任限额。

（3）恢复责任的费用。有些合同对于责任恢复是免费的，称为自动恢复（automatic reinstatement）。但一般情况下，责任恢复要加缴再保险费，加缴再保险费的标准一般按原保险费加 50%或 100%。如果以原保险费的 100%为基础，则按实际未到期的期间来计算；如果以原保险费的 50%为基础，则不考虑未到期的期间。

例 4-18 有一份超过 50 万元后的 100 万元的超赔再保险合同。合同起讫日期为 2021 年 1 月 1 日至 12 月 31 日，再保险费为 5 000 元。合同规定责任恢复两次，100% 加费。如果 2021 年 9 月 30 日发生赔款 100 万元，接受公司分摊赔款 50 万元。恢复责任金额为 50 万元。

① 100%加缴再保险费，考虑恢复金额和未到期天数，则分出公司需要加缴再保险费为

年再保险费　　　　20 000 元

责任恢复　　　　一次

加缴再保险费　　　　100%

5 000×100%× 500 000/1 000 000 × 3/12 = 625（元）

② 50%加缴再保险费，不考虑未到期天数，则分出公司需要加缴再保险费为

5 000×50% ×500 000/1 000 000 = 1 250（元）

八、物价指数条款

由于受通货膨胀的影响，非比例再保险合同常发生使再保险人责任增大的不公平现象。由于超赔分保接受人的责任是以赔款超过规定的数额为基础的，这样，通货膨胀使实际赔款额增大时，产生的后果将主要由再保险人承担。为了公平起见，也为了保障再保险当事人的双方利益，非比例再保险合同中订有物价指数条款（index/stability clause），也称通货膨胀条款。

物价指数条款是指赔款的通货膨胀风险，由分出人和接受人共同来分摊。按指数调整比较麻烦，所以通货膨胀率幅度在 10%以内的，无须调整。

例 4-19 有一个赔款超过 600 000 元后的 1 500 000 元的责任险超赔分保合同，现有赔款 1 000 000 元，赔付时的物价水平比合同生效时提高了 40%。

①如果没有物价指数条款，分保接受人应赔付的金额为

1 000 000-600 000=400 000（元）

②如果有物价指数条款，则应按通货膨胀率 40%调整为

自负额= 600 000×140%=840 000（元）

责任额=1 500 000×140% = 2 100 000（元）

分保接受人应赔付额=1 000 000-840 000=160 000（元）

九、汇率变动条款

再保险业务的国际性特点，分出入业务往往涉及多种货币，这就给超额赔款合同分保的责任和限额计算带来了很多不便，因此超额赔款分保合同制定有汇率变动条款（currency conversion and/or currency fluctuation clause），一般规定合同适用的主货币，如英镑、美元等。合同的限额要用主货币来表示，发生的赔款也要折算成主货币后按合同进行分摊。另外，由于汇率变动会影响分出公司和接受公司的责任变化，所以，在非比例再保险合同中还要明确各种货币的汇率使用的是固定汇率还是变动汇率。

有时，由于再保险合同涉及多个国家和地区，因而合同中会规定一定的确定汇率将多地区的再保险合同转换为包含多个单一地区独立的子合同的形式。一般情况下，在计算分出公司自负责任限额和接受公司的分保责任限额转换时应使用合同起讫日期的官方汇率，在计算接受公司应摊付的赔款时应使用分出公司原始赔款应付日的官方汇率以转换。

例 4-20　如有一份事故超赔分保合同，合同规定为£1 000 000 XS £1 000 000，但是该公司在马来西亚有分保业务，在该合同起期时的汇率为£1. 00 = Malay RM5. 50。假定马来西亚业务发生一次事故，发生赔款为 Malay RM 5 800 000，而赔付时汇率为£1. 00 = Malay RM7. 50。

如果合同规定按照合同起期时的汇率计算，则 Malay RM 5 800 000 折合为£1 054 545. 46，超过了合同规定的自留额£1 000 000，接受公司需要承担£54 545. 46 的责任。

如果合同规定按照赔付时的汇率计算，则 Malay RM 5 800 000 折合为£773 333. 33，没有超过合同规定的自留额£1 000 000，所以接受公司不需要承担责任。

在上述情况下，由于汇率的变化只涉及一种货币，计算相对较为简单，分出公司和接受公司赔款责任的分配变化也一目了然。但是，如果一次事故中涉及多种货币，则分出公司和接受公司的自负责任限额与超赔责任限额要根据涉及的不同货币重新分配，两者的赔款责任也因此发生变化。

例 4-21　如有一份事故超赔分保合同，合同规定为£2 000 000 XS £500 000。在合同期内发生一次事故，所遭受的损失包含一种以上的货币：

澳大利亚元 Aus　$1 000 000

美元 U.S.　$800 000

瑞士法郎 SFR 1 200 000

英镑 £500 000

合同起期时汇率：

£1=Aus　$2. 1

£1=U.S.　$1. 9

£1=SFR 2

对该事故的赔偿计算，应按以下步骤进行：

按合同起讫期汇率计算各种货币情况下的责任额和限额

①澳大利亚元 Aus　$4 200 000 XS 1 050 000；

②美元 U.S.　$3 800 000 XS 950 000；

③瑞士法郎 SFR 4 000 000 XS 1 000 000。

1. 计算出各种货币下的赔款占总赔款额的比例（按起讫日期的汇率），计算过程见表 4-10。

表 4-10　各种货币赔款占总赔款额的比例

各种货币业务损失	汇率	折算为英镑	所占赔款比例/%
Aus $1 000 000	£1= Aus $2.1	476 190	23.84
U.S $800 000	£1 = U.S $1.9	421 052	21.08
SFR 1 200 000	£1 =SFR 2	600 000	30.04
£500 000		500 000	25.04
总计		1 997 242	100

2. 按各种货币业务损失折算成合同货币后占全部损失的比例，计算出分出人的自负责任额和接受人的分摊赔款责任额，计算过程见表 4-11。

表 4-11　分出人和接受人的责任额

各种货币损失的占比	调整自负额和限额	损失金额	接受人责任额
Aus $23.84%	1 001 280 XS 250 320	1 000 000	749 680
U.S $21.08%	801 040 XS 200 260	800 000	599 740
SFR 30.04%	1 201 600 XS 300 400	1 200 000	899 600
£25.04%	500 800 XS 125 200	500 000	374 800

3. 按分出人赔付日的汇率计算出接受人应赔付的英镑总额，计算过程见表 4-12。

表 4-12　接受人应赔付的英镑总额

超赔责任金额	赔付日汇率	给付英镑赔款
Aus $749 680	£1=Aus $2	£374 840
U.S $599 740	£1=U.S. $1.95	£307 559
SFR 899 600	£1=SFR 2.1	£428 381
£374 800		£374 800
接受人总计支付赔款		£1 485 580

在涉及多种货币赔款的超赔分保中，分出公司和接受公司赔款分摊的关键是将主货币表示的合同限额在各种货币中按比例分配，以计算出各种货币所占的自负责任限额和超赔责任限额，这样分摊的基础就确定了。分出公司和接受公司不仅合理分摊各种货币赔款，也合理承担各种货币汇率变动带来的损益。

为了避免受汇率变动的影响，有的合同对于不同货币的折算采用固定汇率，而并不根据变动的汇率调整赔付。多种货币赔款的分摊如例 4-22 所示。

例 4-22　合同订明为 £400 OOOXS £200 000，或超过 $500 000 XS $400 000，合同规定固定汇率为£1= $2。现有一笔赔款包含£200 000 和 $100 000。其赔款计算如下：

①按固定汇率计算出总赔款额和两种货币所占的比例。

£200 000 占 80%

\$100 000= £50 000 占 20%

②算出接受人应付额，按不同货币损失比例分摊。

接受人应付赔款额为£250 000-£200 000= £50 000。

英镑部分分摊£50 000×80% = £40 000。

美元部分分摊£50 000×20% = £10 000，按固定汇率折合成 \$20 000。

思考题

1. 非比例再保险包含哪些重要的品种？
2. 试比较分析比例再保险和非比例再保险的差异。
3. 如何运用责任恢复条款？有哪些责任恢复方式？
4. 什么是汇率变动条款？对于多种货币的赔款应如何调整？

第五章　超额赔款再保险的保险费率

超额赔款再保险是非比例再保险的典型代表。非比例再保险以赔款金额为基础，其费率不同于比例再保险沿用原保险合同费率，而是采用另行厘定的方式。本章讲述非比例再保险中超额赔款再保险费率的制定。

第一节　超额赔款再保险的纯费率

与直接保险的保险费率构成类似，超额赔款再保险费率是由纯再保险费率和附加再保险费率两部分构成。制定超额赔款再保险费率需要考虑极端概率事故对再保险人费率的影响，换句话讲就是再保人需要考量单一巨额、异常损失及巨灾损失发生的可能，因此，在超赔费率的构成中附加费率占比较大。

一、超额赔款再保险纯费率的计算思路

（1）纯再保险费是分出公司净保费收入的一部分，可以用以下公式表示：

$$\text{纯再保险费率}=\frac{\text{纯再保险费}}{\text{分出公司净保费收入额}}\times 100\% \tag{5-1}$$

（2）依据再保险分入公司的纯再保险费收入与其赔款摊回的对价关系，公式（5-1）转化为以下公式：

$$\text{纯再保险费率}=\frac{\text{分入公司净赔款额}}{\text{分出公司净保费收入额}}\times 100\% \tag{5-2}$$

（3）公式（5-2）的分子、分母同时乘以“分出公司净赔款额”，上述公式转化为以下公式：

$$\text{纯再保险费率}=\frac{\text{分出公司净赔款额}}{\text{分出公司净保费收入额}}\times\frac{\text{分入公司净赔款额}}{\text{分出公司净赔款额}}\times 100\% \tag{5-3}$$

（4）纯再保险费率的计算公式。根据财产保险费率制定原理，财产保险公司净赔款额与其净保费收入之比即保费损失率，因此公式（5-3）纯再保险费率即是分出公司净保费损失率与分出入公司净赔款额比值的乘数关系，即

$$\text{纯再保险费率}=\text{分出公司净保费损失率}\times\frac{\text{分入公司净赔款额}}{\text{分出公司净赔款额}}\times 100\% \tag{5-4}$$

（一）超额赔款再保险的赔款分析

在公式（5-4）中，分出公司净保费损失率涉及的分出公司净保费收入、分出公司

净赔款额，可以根据分出公司以往的保费收入和保险赔款的数据计算出来。分入公司分摊的净赔款即超额赔款是分出公司全部赔款减去分入公司自负责任额以上至其最高责任限额这一区间的赔款。分出入公司赔款比率用公式（5-5）表示如下：

$$\text{分出入公司赔款比率}=\left(\frac{\text{分出公司自负责任额以上的净赔款}}{\text{分出公司全部净赔款}}-\frac{\text{分入公司最高责任限额以上的净赔款额}}{\text{分出公司全部净赔款}}\right)\times 100\% \tag{5-5}$$

由于分出公司的自负责任额与分入公司的最高责任额可以根据分出公司和不同的分入公司的具体情况在签订再保险合同时商定，且分出公司可以根据自身偿付能力和可能获得的保险业务的最大赔付金额与若干个分入公司签订分层次的再保险合同，分出公司的自负责任额与分入公司的最高责任限额可以分成不同的层次。因此，可以将分出公司以往一定时期内（如一年内）的全部赔款按起赔金额分成不同的等级。分入公司分摊赔款比率的计算如表 5-1 所示。

表 5-1　不同等级超额赔款占全部赔款的比率

超额赔款的起赔金额/元 ①	赔款大于起赔金额的赔案的件数/件 ②	赔款大于起赔金额的赔案的赔款总额/元 ③	赔款大于起赔金额的赔案中等于起赔金额的赔款总额/元 ④=①×②	赔款大于起赔金额的赔案中大于起赔金额的赔款总额/元 ⑤=③-④	赔款大于起赔金额的赔案中大于起赔金额的赔款总额占总赔款的比率/% ⑤/192 253 111
0	19 120	192 253 111	0	192 253 111	100
5 000	3 299	18 030 974	16 495 000	163 814 724	85.2
10 000	2 206	17 259 380	22 060 000	150 533 850	78.3
20 000	1 268	15 929 905	15 360 000	133 939 085	69.67
30 000	870	14 963 134	26 100 000	123 531 384	64.25
50 000	530	13 657 426	26 500 000	110 074 276	57.25
70 000	383	12 793 408	26 870 000	101 124 088	52.6
100 000	281	11 945 877	28 100 000	81 355 837	47.52
150 000	187	10 795 358	28 050 000	71 703 578	41.56
200 000	141	99 942 172	2 820 000	71 742 172	37.31
300 000	88	87 117 649	26 400 000	60 717 641	31.58
400 000	68	80 178 631	27 200 000	52 978 631	27.55
500 000	49	71 859 099	2 450 000	47 359 099	24.63
700 000	37	64 862 751	2 590 000	38 962 751	20.27
1 000 000	24	53 857 834	24 000 000	29 857 834	15.53
1 500 000	13	41 152 453	19 500 000	21 652 453	11.26
2 000 000	7	31 039 023	14 000 000	17 039 023	8.86
3 000 000	6	28 945 354	20 000 000	10 975 354	5.69
4 000 000	5	25 649 326	18 000 000	5 649 326	2.94
5 000 000	2	12 179 457	10 000 000	2 179 457	1.13
6 000 000	1	6 376 665	6 000 000	376 665	0.19

(二) 超额赔款的比率分析

通常情况下，一个超额赔款再保险合同总是要有分出公司的自负责任额与分入公司的最高责任限额。假定在签订再保险合同时，分出公司可以将任一等级的起赔金额作为自负责任额，分入公司可以将任一较高等级的起赔金额作为自己的最高责任限额，从超过前者的赔款占全部赔款的比重减去超过后的赔款占全部赔款的比重，即为有最高责任限制的条件下由分入公司分摊的赔款总额占分出公司总赔款的比率。这样，就可以形成分出公司自负赔款责任与分入公司最高赔款责任的多个不同组合的超额赔款比率。

表 5-2 中的比率为分入公司所分摊的净赔款额占分出公司全部净赔款的比率，可以在原保险的保费损失率已知的前提下计算出超额赔款的纯再保险费率。

表 5-2　有责任上限条件下由分入公司负责的超额赔款占总赔款的百分比

分出公司自负责任额/万元	分入公司责任限额/万元								
	50	100	150	200	300	400	500	600	700
0	75. 37	84. 47	88. 74	91. 14	94. 31	97. 06	98. 87	99. 81	100
5	32. 62	41. 72	45. 99	48. 39	51. 56	54. 31	56. 12	57. 06	57. 5
10	22. 89	31. 99	36. 26	38. 66	41. 83	44. 58	46. 39	47. 33	47. 52
15	16. 93	26. 03	30. 3	32. 7	35. 387	38. 62	40. 43	41. 37	41. 56
20	12. 68	21. 78	26. 05	28. 45	31. 26	34. 37	36. 18	37. 12	37. 31
30	6. 95	16. 05	20. 32	22. 72	25. 89	28. 64	30. 45	31. 39	31. 58
40	2. 92	12. 02	16. 29	18. 69	21. 86	24. 61	26. 42	27. 36	27. 55
50		9. 10	13. 37	15. 77	18. 94	21. 69	23. 50	24. 44	24. 63
100			4. 27	6. 67	9. 84	12. 59	14. 40	15. 34	15. 53
200					3. 17	5. 92	7. 73	8. 67	8. 86
300						2. 75	4. 56	5. 50	5. 69
400							1. 81	2. 75	2. 94
不同组合区间的纯再保险费率									

二、超额赔款再保险纯费率的调整

在确定费率时，要依据以往数据计算的纯再保险费率，在此基础上考虑其他因素进行必要的调整。近年来，各等级超额赔款占全部赔款的比率的变化趋势是需要考虑的重要因素，这种趋势可以通过积分线的变动情况进行分析和判断。

积分线是指将一定时期（如一年）内各等级超额赔款与其占全部赔款的百分比的交点在坐标上标出，再将各个交点连接起来形成的曲线，见图 5-1。某起赔金额横线（图中虚线）、积分线和坐标纵轴围起来的面积占全部面积的百分比，即为该起赔金额以上赔款（只有下限而无上限的超额赔款）占全部赔款的百分比。

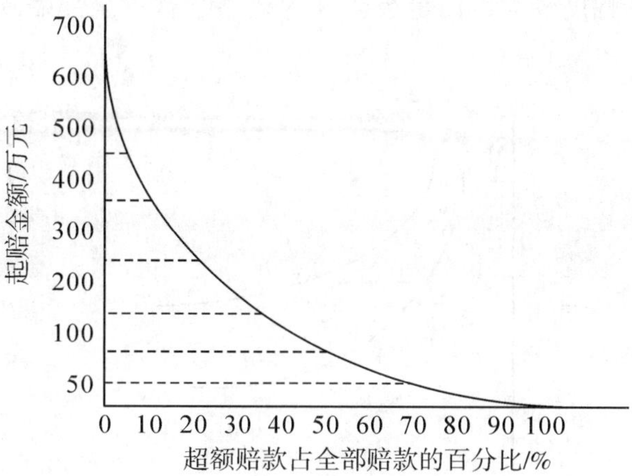

图 5-1 积分线

把近年来的积分线进行比较，可以发现超过各级起赔金额以上的超额赔款占全部赔款的比重的变化趋势。分出公司与分入公司签订再保险合同时，应根据积分线的变化趋势，对当期的再保险费率进行必要的调整，以使即将制定的再保险费率中的纯费率能够与各等级超额赔款占全部赔款的比率的变化相吻合。

积分线的变化主要有六种情况：

（1）积分线以相同幅度向外推移，即各个等级以上的超额赔款占全部赔款的比重以同一幅度提高（见图 5-2）。

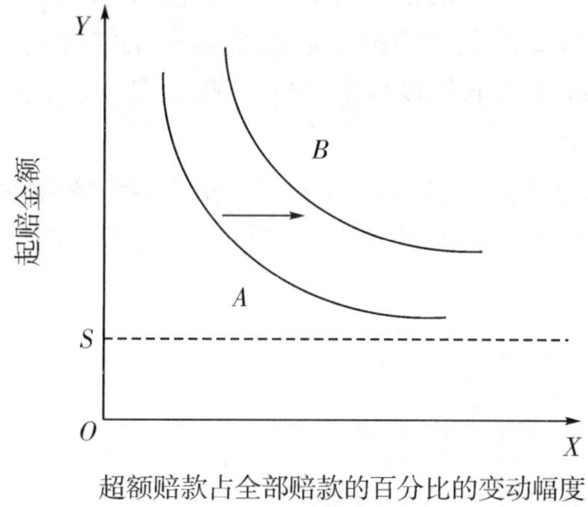

图 5-2 积分线的变化趋势（一）

图 5-2 中的坐标纵轴 *OS* 为截距，代表分出公司合同中一般最低自负责任金额，曲线 *A* 为基期积分线，曲线 *B* 代表观测期积分线。该图表明，随着时间的推移，各个等级的超过起赔金额以上的超额赔款占全部赔款的比重是以相同的幅度上升的。在这种情况下，以各邻近或不邻近的两个起赔金额作为分出公司自负责任额和分入公司最高责任限额的各个超额赔款再保险合同，其纯再保险费率都应以相同或相近的幅度提高。

（2）积分线以不同幅度向外推移，呈下宽上窄形状，即等级较低的超额赔款占全部赔款的比重上升的幅度较大，而等级较高的超额赔款占全部赔款的比重上升的幅度较小（见图 5-3）。

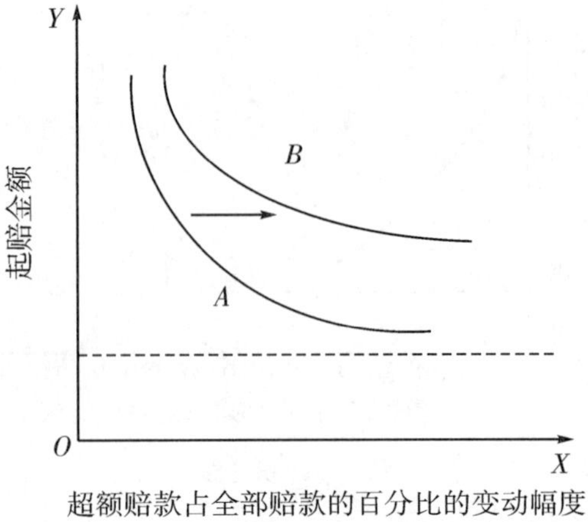

图 5-3　积分线的变化趋势（二）

图 5-3 表明，随着时间的推移，各个等级的超过起赔金额以上的赔款占全部赔款的比重是以不同幅度上升的，等级较低的超额赔款占全部赔款的比重上升的幅度比等级较高的大。在这种情况下，以邻近的两个起赔金额作为分出公司自负责任额和分入公司最高责任限额的各个超额赔款再保险合同，其纯再保险费率应按与其相对应的超额赔款占全部赔款的比重上升的幅度相应提高。起赔金额处于较低等级的超额赔款再保险合同，其纯再保险费率提高的幅度应比处于较高等级的大。如果作为分出公司自负责任额和分入公司最高责任限额的两个起赔金额不是邻近的，而是相距较远，那么当期合同的纯再保险费率提高的幅度应取处于较高等级与较低等级超额赔款占全部赔款的比重变化率的平均值。

（3）积分线以不同幅度向外推移，呈下窄上宽形状。等级较低的超额赔款占全部赔款的比重上升的幅度较小，而等级较高的超额赔款占全部赔款的比重上升的幅度较大（见图 5-4）。

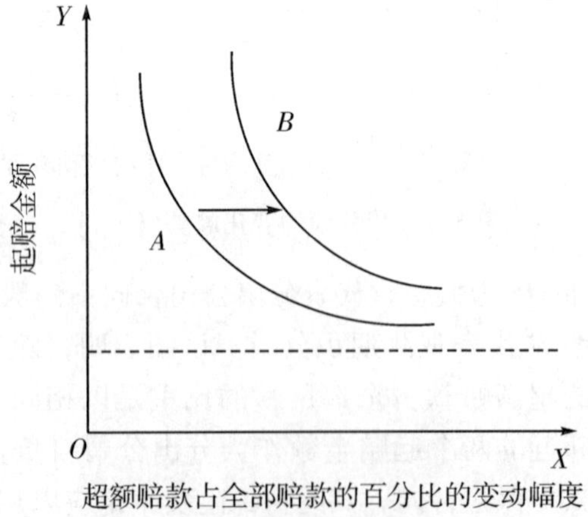

图 5-4　积分线的变化趋势（三）

图 5-4 表明，随着时间的推移，各个等级的超过起赔金额以上的赔款占全部赔款的比重是以不同幅度上升的，等级较高的超额赔款占全部赔款的比重上升的幅度比等级较低的幅度大。在这种情况下，以邻近的两个起赔金额作为分出公司自负责任额和分入公司最高责任限额的各个超额赔款再保险合同，其纯再保险费率应按与其相对应的超额赔款占全部赔款的比重上升的幅度相应提高。起赔金额处于较高等级的再保险合同其纯再保险费率提高的幅度应比处于较低等级的大；反之，亦相反。如果作为分出公司自负责任额和分入公司最高责任限额的两个起赔金额不是邻近的，而是相距较远，当期合同的纯再保险费率提高的比率应取处于较高等级与较低等级超额赔款占全部赔款的比重变化率的平均值。

（4）积分线交叉变动，观测期积分线上部向左移动，观测期积分线下部则向右移动，即等级高的超额赔款占全部赔款的比重下降，而等级低的超额赔款占全部赔款的比重上升（见图 5-5）。

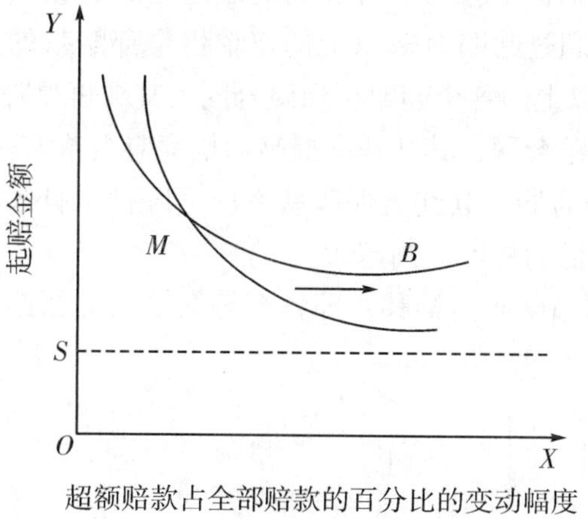

图 5-5 积分线的变化趋势（四）

图 5-5 表明，随着时间的推移，等级高的超过起赔金额以上的赔款占全部赔款的比重下降，而等级低的超过起赔金额以上的赔款占全部赔款的比重上升。在这种情况下，起赔金额在 A、B 两条曲线交点 M 以上的各个超赔再保险合同，其纯再保险费率应当降低，且起赔金额所处等级越高的超赔合同，其纯费率降低的幅度应当越大；起赔金额在 A、B 两条曲线交点 M 以下的超赔合同，其纯再保险费率应当提高，且起赔金额所处等级越高的超赔合同，其纯费率提高的幅度应当越大。

（5）积分线交叉变动，观测期积分线上部向右移动，观测期积分线下部则向左移动，即等级高的超额赔款占全部赔款的比重上升，而等级低的超额赔款占全部赔款的比重下降（见图 5-6）。

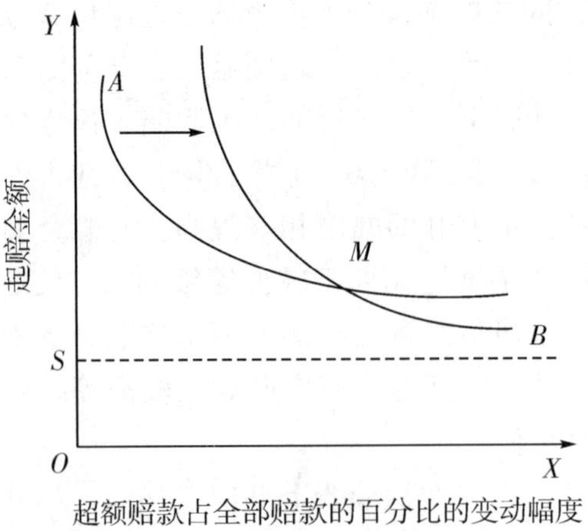

图 5-6　积分线的变化趋势（五）

图 5-6 表明，随着时间的推移，等级高的超过起赔金额以上的赔款占全部赔款的比重上升，而等级低的超过起赔金额以上的赔款占全部赔款的比重下降。起赔金额在 *A*、*B* 两条曲线交点 *M* 以上的各个超赔再保险合同，其纯再保险费率应当提高，且起赔金额所处等级越高的超赔合同，其纯费率提高的幅度应当越大；起赔金额在 *A*、*B* 两条曲线交点 *M* 以下的超赔合同，其纯再保险费率应当降低，且起赔金额所处等级越低的超赔合同，其纯费率降低的幅度应当越大。

（6）积分线以相同幅度向内推移，即各个等级以上的超额赔款占全部赔款的比重以同一幅度下降（见图 5-7）。

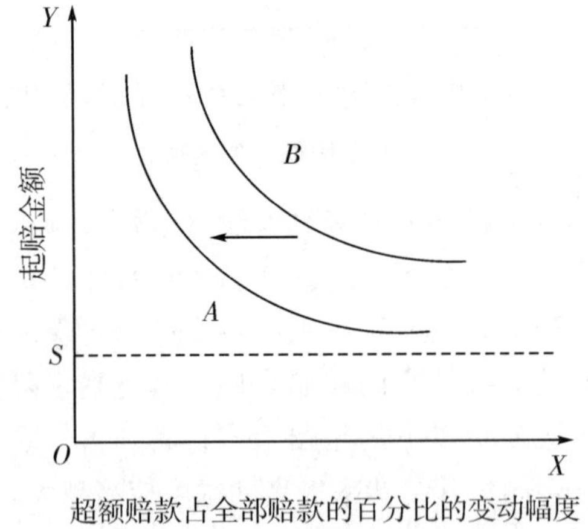

图 5-7　积分线的变化趋势（六）

图 5-7 表明，随着时间的推移，各个等级的超过起赔金额以上的超额赔款占全部赔款的比重是以相同的幅度下降的。在这种情况下，以各邻近或不邻近的两个起赔金额作为分出公司自负责任额和分入公司最高责任限额的各个超额赔款再保险合同，其纯再保险费率都应以相同或相近的幅度按每年全部超额赔款占全部赔款的比重下降的比率降低。

第二节　超额赔款再保险的实际费率

超额赔款再保险的实际费率由纯再保险费率和再保险附加费率构成。其中，纯再保险费率是纯再保险费与分出公司全部净保费收入的百分比，再保险附加费率是附加再保险费与分出公司全部净保费收入的百分比，两者之和就是实际执行的再保险费率。

一、附加再保险费率

如前所述，用于弥补费用支出和实现合理利润的那部分保费收入，可以称为附加再保险费。在实践中，附加再保险费率表现为纯再保险费率的一定比率，而这个比率又是用特定的分数来表示的。如果附加再保险费率为纯再保险费率的1/8，则可以将纯再保险费率看成80/80，而附加再保险费率为10/80。两者之和为90/80。它意味着实际再保险费率应为纯再保险费率的112.5%。由于附加再保险费率可以由分出公司与分入公司协商确定，此类分数可以事先表示为（$80+x$）/80、（$75+x$）/75、（$70+x$）/70等形式。待x的值确定下来之后，就可以根据已知的纯再保险费率计算出包括纯再保险费率和费率的实际再保险费率。例如，已知纯再保险费率为3.4%，分出公司与分入公司在签订超赔再保险合同时，在（$80+x$）/80的基础协商确定x为20，则实际再保险费率为：（80+20）/80×3.4%=4.25%。

二、超额赔款再保险实际费率的确定方式

根据超额赔款再保险费率与赔付率关系的不同，超额赔款再保险实际费率又可以划分为固定再保险率和变动再保险费率。

（一）固定再保险费率

固定再保险费率是指由分出公司与分入公司在订立再保险合同时，共同协商确定的不受实际赔付率影响的再保险费率。采用固定再保险费率的再保险业务主要有两类：一类是分出公司以往未开办过的新的保险业务，另一类是分出公司以往未办理过超赔再保险的业务。这两类业务之所以采取固定再保险费率的方式，是因为分出公司向分入公司支付再保险费时，缺少以往的赔款和保费收入的数据与经验，采用可变动费率有一定的困难。固定再保险费率也与保费收支等账务的会计制度有关。如劳合社对于保费收支等账务的会计制度采用三年制，每一会计制度的净保费收入要等到三年之后才能确定下来，而保险费率则每年都必须是确定的，这就决定了劳合社应该采用固定再保险费率制。

（二）变动再保险费率

变动再保险费率是将再保险费与分出公司的业务数量和业务质量挂钩并进行调整的方法。在用变动再保险费率制收取再保险费时，分出公司要缴纳预付再保费，而预付再保费与最终实际支付的再保险费可能不一致，预付再保费存在调整的问题。

在超额赔款再保险合约中，分出公司期初对合同期间保费收入的估计预付给分入公司的保费是按合同约定的费率计算的，并规定有最低费率（minimum rate of premium）和最高费率（maximum rate of premium）。分出公司最终结算时所缴纳的再保险费不能低于按最低费率计算的保费，当然也不能高于按最高费率计算的保费，规定最低费率是确保再保险人在合同期内无赔款成本的保费收入，规定最高费率是为了将原保险人的再保险费负担控制在某一适当的程度内。总之，预付保费和最终实际支付的保费需要在最低保费和最高保费之间进行调整。

例 5-1 假定某超赔再保险合同规定的最低费率为 2%、最高费率为 7%、附加费率为 20/80。如果原保险人的净保费收入为 100 万元，最低预付再保险费为 16 000 元。

①如果发生赔款 10 000 元，则按赔款成本计算的再保险费率为

$$\frac{10\ 000}{1\ 000\ 000}\times\frac{80+20}{80}\times 100\% = 1.25\%$$

由于 1.25%低于规定的最低费率 2%，故最终的再保险费按 2%计收。其数额为

1 000 000×2%＝20 000（元）

即原始保险人应付再保险费 20 000 元，扣除已缴最低预付再保险费 16 000 元，原保险人还应缴纳 4 000 元调整再保险费。

②如果发生赔款 80 000 元，则按赔款成本计算的再保险费率为

$$\frac{80\ 000}{1\ 000\ 000}\times\frac{80+20}{80}\times 100\% = 10\%$$

由于 10%高于规定的最高费率 7%，故最终的再保险费按 7%计收。其数额为

1 000 000×7%＝70 000（元）

即原始保险人应付再保险费 70 000 元，扣除已缴最低预付再保险费 16 000 元，原保险人还应缴纳调整再保险费 54 000 元。

③如果发生赔款 40 000 元，则按赔款成本计算的再保险费率为

$$\frac{40\ 000}{1\ 000\ 000}\times\frac{80+20}{80}\times 100\% = 15\%$$

由于 15%介于最低费率与最高费率之间，故最终的再保险费按 5%计收。其数额为

1 000 000×5%＝50 000（元）

即原始保险人应付再保险费 50 000 元，扣除已缴最低预付再保险费 16 000 元，原保险人还应缴纳调整再保险费 34 000 元。

在实际操作中，再保险费率并不是用单独一个年度的赔款，而是以前几个年度的平均损失统计数字为计算基础。因此，变动费率的计算方法又有一年法、前三年（或五年）平均法、三年风险分散法和三年共同法等。

1. 一年法

一年法是指按原保险人当年承保业务范围内一个业务年度的净保费收入和超额赔款所求得的净费率，再加上附加再保险费率，作为当年度超额赔款再保险的费率。采用这种方法必须每年调整分保费率。在业务年度结束之前，要对净费率进行计算，供下一年度计算再保险费作为参考。

由于分出公司的净保费收入的数量和分入公司分摊赔款的数量在不同的年份波动很大，用这种方法计算出来的再保险费率很可能畸高畸低，对分入公司极为不利而对分出公司极为有利，或者对分出公司极为不利而对分入公司极为有利。为了减轻这种影响，使实际实行的费率较为合理与公正，在利用一年法计算超额赔款再保险费率时，通常在再保险合同中要规定最高费率和最低费率。

当根据当年分入公司分摊的赔款占分出公司全部净保费收入的比率确定的纯再保险费率加附加再保险费率来计算的超额赔款再保险费率位于最低费率与最高费率之间时，计算出来的费率就是实际执行的费率，分出公司要按这个费率向分入公司支付分保费；当根据当年分入公司分摊的赔款占分出公司全部净保费收入的比率确定的纯再保险费率加附加再保险费率来计算的超额赔款再保险费率超过最高费率时，分出公司只按合同中规定的最高费率向分入公司支付再保险费；当根据当年分入公司分摊的赔款占分出公司全部净保费收入的比率确定的纯再保险费率加附加再保险费率来计算的超额赔款再保险费率低于最低费率时，分出公司要按合同中规定的最低费率向分入公司支付分保费。由于再保险费率只能在本年度结束以后才能确定下来，而分入公司在合同生效后即承担其应分摊的赔款责任，所以在再保险合同生效之初分出公司应向分入公司支付最低预付保费，待本年度实际执行的费率确定下来之后再进行调整。假定在一个超额赔款再保险合同中规定的最高再保险费率为6%、最低再保险费率为2%，附加费为纯再保险费率的20/80，则分出公司应向分入公司支付的最低预付保费为30 000元。

如果分出公司当年的净保费收入为200 000元，分入公司当年分摊的赔款为24 000元，根据公式（5-3）得

$$纯再保险费率=\frac{分入公司净赔款额}{分出公司净保费收入额}\times 100\%=\frac{24\ 000}{2\ 000\ 000}\times 100\%=1.2\%$$

$$再保险费率=1.2\%\times\frac{100}{80}=1.5\%$$

或 $$再保险费率=1.2\%+1.2\%\times\frac{20}{80}=1.5\%$$

其中，

$$附加再保险费率=1.2\%\times\frac{20}{80}=0.3\%$$

这个比率低于再保险合同中规定的最低再保险费率。分出公司应按2%支付分保费，即200 000元×2%＝4 000元。在本年度结束后，分出公司应向分入公司追加支付保费为40 000元-3 000元＝1 000元，如果分出公司当年的净保费收入仍为200 000元，分入公司当年分摊的赔款为72 000元，则

$$纯再保险费率=\frac{72\ 000}{2\ 000\ 000}\times 100\%=3.6\%$$

$$再保险费率=3.6\%\times\frac{100}{80}=4.5\%$$

这个比率位于再保险合同中规定的最低再保险费率与最高再保险费率之间。分出公司应按这个比率支付分保费，即 200 000 元×4.5%＝90 000 元。在本年度结束后，分出公司应向分入公司追加支付保费为 90 000 元－3 000 元＝60 000 元。

如果分出公司当年的净保费收入仍为 2 000 000 元，分入公司当年分摊的赔款为 120 000 元，则

$$纯再保险费率=\frac{120\ 000}{2\ 000\ 000}\times 100\%=6\%$$

$$再保险费率=6\%\times\frac{100}{80}=7.5\%$$

这个比率高于再保险合同中规定的最高再保险费率。分出公司应按最高再保险费率支付分保费，即 2 000 000×6%＝120 000 元。在本年度结束后，分出公司应向分入公司追加的支付保费为 120 000－30 000＝ 90 000 元。可见，规定最高再保险费率是为了把分出公司的分保费负担控制在一个合适的范围内，维护分出公司的利益；规定最低再保险费率是为了使分入公司的分保费收入能够维持在一定的水平以上，维护分出公司的利益。

2. 前三年（或五年）平均法

这是按前三年（或五年）的纯再保险费率计算再保险费的方法，即根据三个年度（或五个年度）的净保费收入和超额赔款的总和求得的纯再保险费率，再加上附加再保险费率，作为当年度的超额赔款再保险费率。

假如前三年的净保费收入分别为 750 000 元、900 000 元和 1 400 000 元，三年发生的超额赔款分别为 3 700 元、23 000 元和 56 700 元。则按这三年的保费收入和赔款求得的纯再保险费率为：若附加率部分为 30/70，则再保险费为：2.73%（70＋30）/70＝3.9%；如果本年度净保费收入为 2 000 000 元，发生赔款 80 000 元，则本年度应缴再保险费为 780 000（2 000 000×3.9%）元。一般认为，按此方法计算再保险费率对分保接受人不利，故较少采用。按此方法计算所得的再保险费，实际上已无须调整，但再保险费率需要每年调整。

假定一分出公司前三年每年的净保费收入总额分别为 200 000 元、2 100 000 元和 2 200 000 元，分入公司前三年每年分摊的赔款金额分别为 24 000 元、72 000 元和 120 000 元，本年度分出公司的净保费收入总额为 2 500 000 元，分入公司分摊的赔款为 42 000 元，附加费为纯再保险费率的 20/80。按前三年平均法计算的再保险费率见表 5-3。

表 5-3　按前三年平均法计算的再保险费率

年度	分出公司净保费总额/元	分入公司分摊的赔款额/元	纯再保险费率/%	附加费占纯费率的比重/%	实际执行的再保险费率/%	分保费/元
第一年	200 000	24 000				
第二年	2 100 000	72 000				
第三年	2 200 000	120 000				
本年度	2 500 000	42 000			4.29	107 250
前两年与本年度	630 000	216 000	3.43	20/80		

由于实行的是前三年平均法，在计算纯再保险费率时，只需考虑前三年分出公司的净保费收入总和与分入公司分摊的赔款总和，而无须考虑当年分出公司的净保费收入和分入公司分摊的赔款。用根据前三年分出公司的净保费收入总和与分入公司分摊的赔款总和计算出来的纯再保险费率，加上附加费，即 $3.43\%\times\frac{80+20}{80}=4.29\%$（或 $3.43\%+3.43\%\times\frac{20}{80}=4.29\%$）就是当年实际执行的再保险费率；用4.29%乘以本年度分出公司的净保费收入 250 000 元，所得结果 107 250 元就是分出公司当年应付给分入公司的分保费。

由于本年度分出公司的净保费收入总额和分入公司分摊的赔款总额只能在本年度结束以后才能确定下来，而分入公司在合同生效后即承担其应分摊的赔款责任，所以在再保险合同生效之初分出公司应向分入公司支付最低预付保费，待本年度实际执行的费率确定下来之后再进行调整。如果分出公司应向分入公司支付的最低预付保费为 3 000 元，那么在本年度结束以后，分出公司应向分入公司追加支付保费为 107 250−3 000=77 250（元）。

3. 三年风险分散法

三年风险分散法是指按当年度与前两个业务年度的保险费和超额赔款的总和求得的纯再保险费率，加上附加再保险费率，作为当年度超额赔款再保险的费率。此方法与前三年平均法一样，再保险费无须调整。仍用上例的数据，三年风险分散法计算再保费的过程如表 5−4 所示。

表 5−4　按三年风险分散法计算的再保险费率

年度	分出公司净保费总额/元	分入公司分摊的赔款额/元	纯再保险费率/%	附加费占纯费率的比重/%	实际执行的再保险费率/%	分保费/元
第一年	200 000	24 000				
第二年	2 100 000	72 000				
第三年	2 200 000	120 000				
本年度	2 500 000	42 000			4.3	107 250
前两年与本年度	630 000	216 000	3.44	20/80		

由于实行的是三年风险分散法，在计算纯再保险费率时，只需考虑前两年（表中的第二、第三年）与本年度分出公司的净保费收入总和与分入公司分摊的赔款总和，而无须考虑第一年分出公司的净保费收入和分入公司分摊的赔款。用根据前两年与本年度分出公司的净保费收入总和与分入公司分摊的赔款总和计算出来的纯再保险费率，加上附加费率，即 $3.44\%\times\frac{80+20}{80}=4.3\%$（或 $3.44\%+3.44\%\times\frac{20}{80}=4.3\%$），就是当年实际执行的再保险费率。用 4.3%乘以本年度分出公司的净保费收入 2 500 000 元，所得结果 107 500 元就是分出公司当年应付给分入公司的分保费。如果分出公司应向分入公

司支付的最低预付保费为 30 000 元，那么在本年度结束以后，分出公司应向分入公司追加支付保费 77 500 元（107 500−3 000）。

4. 三年共同法

按照这种方法确定再保险费，其费率的计算与三年风险分散法极为相似。但计算所得的费率是作为这三个业务年度的共同费率，故常用于三年期再保险合同的共同保费计算，第二年按两年的平均数计算，第三年按照三年的平均数计算。采用这种方法，每年要预付再保险费，当这三个业务年度全部结束后，再做最后调整。

实行三年共同法时，利用同样的方法计算出来的超额赔款再保险费率，作为这三年共同执行的再保险费率；实行三年共同法时，利用同样的方法计算出来的超额赔款再保险费率，只是作为本年度实际执行的超额赔款再保险费率，见表 5−5。

表 5−5　按三年共同法计算的再保险费率

年度	分出公司净保费总额/元	分入公司分摊的赔款额/元	纯再保险费率/%	附加费占纯费率的比重/%	实际执行的再保险费率/%	分保费/元
第一年	200 000	24 000				
第二年	2 100 000	72 000			4. 3	90 300
第三年	2 200 000	120 000			4. 3	94 600
本年度	2 500 000	42 000			4. 3	107 500
前两年与本年度	6 800 000	234 000	3. 44	20/80		

在实行三年共同法时实际执行的再保险费率只有在最后一个业务年度结束后才能确定下来，而分入公司在每个业务年度都要承担其应分摊的赔款责任，所以在再保险合同生效的每一年分出公司都应向分入公司支付最低预付保费，待这三个业务制度共同执行的超额赔款再保险费率确定下来之后再进行调整。如果分出公司每年向分入公司支付的最低预付保费为 30 000 元，那么在最后一个业务年度结束以后，分出公司应向分入公司追加的支付保费为：

第一年（表中的第二年）：90 300−30 000＝ 60 300（元）

第二年（表中的第三年）：94 600−30 000＝64 600（元）

第三年（表中本年度）：107 500−30 000＝77 500（元）

三年共计：202 400 元。

有关超额赔款再保险费率厘定的基本理念应该是长期、大数、发生概率均等并以过去历史纪录的资料去主观推测估计，因此费率水平的高低理论上应该是数年内可以回收的结果，外加一些应有的预期利润，这是再保人的期待，也是保险公司对再保费率应有的基本理念。在这种理念下，如何有效、合理地去运用不同的费率厘定方法是所追求的最终目的。一般而言，为使实际实行的费率较为合理与公正，在利用一年法计算超额赔款再保险费率时，通常在再保险合同中要规定最高再保险费率和最低再保险费率；前三年平均法在计算纯再保险费率时，只需考虑前三年分出公司的净保费收入总和与分入公司分摊的赔款总和，而无须考虑当年分出公司的净保费收入和分入公司分摊的赔款；实行的是三年风险分散法，在计算纯再保险费率时，只需考虑前两年与本年度分出公司的净保费收入总和与分入公司分摊的赔款总和，而无须考虑第一年分出公司的净保费收入和分入公司分摊的赔款；实行三年共同法时，利用同样的方法计算出来的超额赔款再保险费率，作为这三年共同执行的再保险费率；实行三年风险分散法时，利用同样的方法计算出来的超额赔款再保险费率，只是作为本年度实际执行的超额赔款再保险费率，然后从中做一个自行的判断和选择。

三、超额再保险其他费率厘定方法

超额赔款再保险的费率厘定方法除上述基本方法外，还有赔款成本法（burning cost method）、风险暴露法（exposure rating method）和柏拉图法（pareto rating method）三种。

赔款成本法是以过去（最好 5 年以上）同一个业务的赔款经验为基础，包括一些已经变动或即将改变的因素需要去修正，并加以考量及模拟未来实际可能的状况当成保费成本。风险暴露法是指参考其他相似但损失经验较完整的业务或整个市场大数法则下的经验，以较完整经验所研拟出来风险暴露的模型图、表来补充目前资料的不足及当作参考资料。柏拉图是意大利的一个社会经济学家，他所研究分析的方法在近三四十年来恰好成为非比例再保险一个很好的公式，所以亦称柏拉图法。

思考题

1. 阐述超额赔款再保险费率的构成。
2. 什么是纯再保险费率？它是如何厘定的？
3. 什么是固定再保险费率？什么是变动再保险费率？
4. 举例说明什么是一年法。
5. 举例说明什么是三年风险分散法。

第六章　创新型再保险业务

创新是再保险行业持续发展的重要推动力。随着风险的不断增加以及风险管理机制的日趋成熟，传统再保险难以满足多样化风险管理的要求，创新性风险转移技术（alternative risk transfer，ART）应运而生并受到关注，创新型再保险业务逐渐成为保险和再保险市场的重要内容。本章主要介绍财务再保险、保险风险证券化和自保公司等创新型再保险业务，并探讨其在中国的发展。

第一节　财务再保险

一、财务再保险的发展历史

财务再保险的雏形则可以追溯到劳合社的“转滚法”再保险费记账方式。20 世纪 60 年代末期，劳合社市场内的一些辛迪加使用“转滚法”记账产生所谓的滚转保单，也称之为基金型保单或银行型保单。在该类保单中，辛迪加可以从再保险人那里收到所有支付的保费，而且包括这些保费按照约定的利率（或者保险人投资所得）产生的利润。当辛迪加在好的年份有了承保利润时，部分利润会作为再保费支付给再保险人。保费和利息以及投资收入按年转滚，并放入一支基金，只要辛迪加需要就返还给他们。起初劳合社使用的财务再保险是有名无实的再保险业务，主要目的是少缴税款。因而，此类保单颇受争议，但由于劳合社市场一向高度自律，当时的监管机构较少干涉，此类保单在劳合社中十分盛行，最终在 1982 年 10 月爆发了世界关注的 Peter Cameron-Webb（PCW）案件。早在 1980 年，当时的英国税务部门就开始着手调查“转滚法”再保险费记账方式，劳合社在 1985 年与其达成总体解决方案，对劳合社一次性征收高达 4 000 万英镑的税款。

现代财务再保险起源于 20 世纪 70 年代的美国非寿险市场。当时，美国相继遭受多起巨灾，传统财产保险市场蒙受巨额损失，加之责任保险相关的诉讼案件增多且持续时间长导致美国责任保险市场赔付额加大，这些保险公司希望能够从再保险人处获得财务上的帮助来美化财务报表。于是，与传统再保险在安排方式上具有较大差异的财务再保险方式产生了，并受到保险市场和风险管理的青睐。自 20 世纪 90 年代开始，寿险公司发现财务再保险能够提高其偿付能力，帮助他们解决有关风险与资本的问题，财务再保险也开始在寿险领域中广泛运用。

二、财务再保险的概念

当下，关于财务再保险合同性质的认定、财务再保险是否与有限风险再保险的概念等同诸多问题仍存在争议，因而财务再保险并未形成普遍的定义。本书援引中国精算师资格考试高级教程中提到的财务再保险的概念，即“财务再保险是指保险人与再保险人约定，保险人支付再保险费给再保险人，再保险人为保险人提供财务融通，并对保险人因风险所致损失，负担赔偿责任的行为”。

与传统再保险一样，财务再保险也是为保险公司提供转移风险的工具，只是传统再保险的目的是以分摊承保风险为主，而财务再保险除了分担承保风险之外，还可以承担财务风险。财务风险包括信用风险、资产风险、利率风险和时间风险等。通过财务再保险的安排，保险公司一方面将负债分出，另一方面未来利润将得以提前实现。需要注意的是，多数国家的保险监管机构认为，若财务再保险不具有转移承保风险的功能，就只能视为平衡资产负债表的一种手段。

三、财务再保险的主要特征

（一）财务再保险可承保时间风险与投资风险

财务再保险除了转移传统再保险中的可保风险之外，还能够经双方协商约定在再保险合同中对资产风险、利率风险和时间风险等一种风险或几种风险的转移。通常，由于货币具有时间价值，从而长期性的财务再保险合同中往往设有预定利率，将货币的时间价值作为合同定价的一个重要因素。为了实现利润最大化和保证再保险合同中预定的货币时间价值，再保险人往往将保险费用于各种形式的投资。若实际投资收益小于预定利率，再保险人将遭受财务损失。

（二）财务再保险人承担有限责任

通常，财务再保险合同中以百分比或固定金额的形式规定一个最大责任限额作为在保险责任的上限，或者以“损失区间条款”规定再保险人责任限额以上的一定比率由原保险人自行承担。这个对再保险人责任的限制是财务再保险一个非常突出的特征，因而它常常被称作“有限风险再保险”。有限责任使得再保险人能够合理预期合同期内的责任，避免巨额损失对其经营管理造成过重负担，而且该方式下的有限风险转移对再保险人资本的要求也不会像在传统再保险方式下那样高。此外，对于再保险人来说，财务再保险也限制了再保险人的风险，一般财务再保险合同要设定一个再保险人所承担累计责任风险的上限，并赋予再保险人在一定的条件下终止合同的权利。

（三）财务再保险多是长期性业务

财务再保险一般为三年期，有的甚至达到五年或十年。与传统再保险在大范围内集聚大量同质风险和分散风险的机制不同，财务再保险的运行机制主要是利用时间跨度从纵向上来分散风险，在长期内均衡保险事故损失，减少保险事故发生时间和损失程度的不确定性对保险人的影响。这种再保险方式着眼于原保险人的长期需求，为原保险人提供相对稳定的再保险保障，使原保险人的业务收入与支出在多年内得以平衡，实现科学的现金流量管理；同时，也保证了再保险人在长期内获得持续的再保险业务收入，有利于财务再保险业务双方长期的协作伙伴关系更加持续和稳定。

（四）原保险人与再保险人之间有利润分摊

财务再保险合同在佣金条款或其他相关条款中，常常规定支付给原保险人的佣金或与再保险业务的赔付率挂钩，或按照再保险人收入再保险费与投资收入之和与最终赔付之间差额的一定比例来确定。因此，原保险人支付的财务再保险费在很大程度上依赖于原保险人自身业务的损失经验，财务再保险业务中多年累积利润的很大比例最终被返还给原保险人。尤其是对于优良业务，即便实际损失经验比预期小，保险人也不会因业务的分出而丧失大部分承保利润。传统再保险合同基本没有利润分摊机制，保险人优良风险的分出只能在以后年度获得调整的优惠保费。原保险人从优良业务中获得的盈利会因传统再保险的安排而减少，易引发逆选择和道德风险。

总而言之，在传统再保险安排中，直接保险公司把部分保费转交给再保险公司，同时再保险公司将支付直接保险公司一定的分保佣金，以补偿直接保险公司开拓业务的费用。而在财务再保险合同中，再保险公司可以通过大幅提高佣金支出，提前把该业务的利润支付给保险公司，使之盈利提前。财务再保险与传统再保险的比较见表6-1。

表6-1　财务再保险与传统再保险的比较

类型	传统再保险	财务再保险
承保范围	可保风险	可保风险、时间风险、投资风险和利率风险等
对待风险态度	优质风险与劣质风险同等对待	优质风险与劣质风险区别对待
功能	侧重风险转移	侧重盈余补贴及其平衡利润
合同期限	多为一年期	多为多年期
承保风险期间	承担未来责任	承担未来责任和过去责任
合同内容	相对标准化的条款	一般为定制化条款
再保险费计算	关注承保风险	综合考虑风险溢价和投资收益
风险分散原理	大数法则	时间价值原理

四、财务再保险的类型

财务再保险在财产保险市场与人寿保险市场均有应用，但因会计制度、保险监管制度和资本市场发展程度等存在差异，不同国家财务再保险类型的称呼和表现形式不尽相同。以下对几种常见的财务再保险类型进行具体介绍：

（一）有限成数合约

有限成数合约是最早的财务再保险类型，是美国保险会计的产物。它通常被设计用来缓解再保险分出人的财务压力，是财产保险市场上一种典型的财务再保险安排方式。

一般来说，大部分国家和地区的保险会计制度规定保险合同初期费用需要在签发保单的会计年度作为当期费用列支，但是当期收取的保费不能全部计入当期收入，由此容易造成盈余干涸。而通过有限成数合约，再保险分出人可以将部分或全部未到期保费转移给再保险接受人，同时获得再保险接受人支付的相应手续费，且这笔手续费在财务报表上可当作当期收入，从而提高了再保险分出人的法定盈余。再保险接受人则以收到的分保费和其投资收入来承担未来的赔付责任。有限成数合约与传统成数再保险不同的是，再保险分出人转移一定比例的未到期保费给再保险接受人，但在事故发生时，再保险接受人所给付的赔款并不一定等于该比例。

例 6-1　一家小型经营非寿险的保险公司在 2021 年年初拥有 1 000 万美元的盈余，承保了 2 000 万美元保费的保单，费用率为 30%（取得保单花费了 600 万美元），赔付率为 70%，保费收入在 2 年才能实现。按照法定的会计要求，保单的取得费用必须在第一年全部计入成本，这造成了原保险人承保业务的亏损。其财务报表见表 6-2。

表 6-2　原保险公司财务报表　　单位：千美元

项目	2021 年	2022 年
保费收入	20 000	—
未到期保费	10 000	—
已到期保费	10 000	10 000
赔款支出	7 000	7 000
保单取得费用	6 000	—
法定利润	-3 000	3 000
盈余	7 000	10 000

2021 年亏损 300 万美元，致使年初盈余 1 000 万美元减少为 700 万美元。假设 2022 年未接受新保单业务，2021 年未到期保费 1 000 万美元在 2022 年到期实现收入，2022 年实现利润 300 万美元，致使盈余恢复为 1 000 万美元。

假如保险人采取了有限成数合约，向再保险人分出未到期保费 1 000 万美元给再保险人，得到 30%的手续费，再保险人承担未来的赔付责任。那么，再保险人和原保险人的报表分别如表 6-3、表 6-4 所示。

表 6-3　再保险人财务报表　　单位：千美元

项目	2021 年	2022 年
保费收入	10 000	—
未到期保费	10 000	—
已到期保费	—	10 000
赔款支出	—	7 000
保单取得费用	3 000	—
法定利润	-3 000	3 000

表 6-4　原保险人财务报表　　单位：千美元

项目	2021 年	2022 年
保费收入	20 000	—
未到期保费	0	0
已到期保费	10 000	0
赔款支出	7 000	0
保单取得费用	3 000	0
法定利润	0	0
盈余	10 000	10 000

（二）时间和距离合约

所谓时间与距离合约，是再保险分出人在合约生效时支付保费给再保险接受人，再保险接受人承诺在未来特定时间支付固定金额给再保险分出人。该支付时间与金额都已确定，并在合同中载明。至于再保险分出人支付的上述保险费，不是根据其过去的损失经验，而是以再保险接受人未来每次给付再保险分出人金额的现值以及其预期的投资收益计算。因此，在时间和距离合约中，再保险接受人承担的是投资风险，而不是承保风险；或者说再保险分出人不承担投资风险，但再保险分出人要承担未来再保险接受人失去偿付能力的信用风险，即承担再保险接受人未来可能发生的清算风险。

时间和距离合约是由劳合社市场发展而来的，最初是为了满足再保险分出人现金流量需要所采取的一种再保险方式，是赔款责任转移再保险的前身。由于时间和距离合约并未转移可保风险，多数国家的保险监管机构认为其不属于再保险。

（三）赔款责任转移合约

赔款责任转移合约是将再保险合约生效以前的已发生报案但尚未结案的赔案转移给再保险接受人，即再保险接受人承担转移的未决赔案赔款责任以及相关的决算事宜。

再保险分出人所支付的再保险费近似等于所转移未决赔款准备金总额（也可以是部分金额）的净现值，另加再保险接受人的利润与费用。对再保险分出人而言，通过此类财务再保险可以转移资产负债表上的一些负债，提升保费收入/盈余的比率，提高保险公司的偿付能力，同时也可以缩短等待赔案自然终止所需的期待时间。对于再保险接受人而言，通过分入业务计提未决赔款责任准备金能够减少当前税金，并可以将现金收取的再保险费进行投资而获得投资收益。在这里，再保险接受人承担的风险主要是时间风险，即未决赔款实际赔付时间较预期赔付提前所产生的现金流不匹配的时间风险。赔款责任转移再保险适用于未决赔款责任的转移，对一些放弃经营的保险业务和期满的保险合同较为适用。

例 6-2　一原保险人在购买再保险之前的资产负债表和利润表分别如表 6-5、表 6-6 所示。

表 6-5　资产负债表　　单位：千美元

资产		负债	
现金与投资资产	100 000	未决赔款	400 000
其他资产	900 000	其他负债	450 000
		负债总额	850 000
		资本/盈余	150 000
总计	1 000 000	总计	1 000 000

表 6-6　利润表　　单位：千美元

已到期保费	500 000
提取未决赔款准备金	400 000
费用	150 000
承保业务利润	-50 000
投资收益	50 000
营业利润	0

原保险人转移了未决赔款 400 000 000 美元中的 100 000 000 美元给再保险人，再保险人在估算 100 000 000 美元中最大的损失额之后，再求原保险人支付 60 000 000 美元的保费给再保险人。因为再保险人计算得出，60 000 000 美元的投资收入将比预计的损失补偿支出得到更快，那么再保险人在赔款责任转移再保险中就能取得利润。在购买了赔款责任转移再保险后，原保险人的资产负债表和利润表发生改变，分别如表 6-7、表 6-8 所示。虽然资产总额减少，但资本与盈余增加了 40 000 000 元，营业利润也增加了 40 000 000 元。

表 6-7　资产负债表　　单位：千美元

资产		负债	
现金与投资资产	40 000	未决赔款	300 000
其他资产	900 000	其他负债	450 000
		负债总额	750 000
		资本/盈余	190 000
总计	940 000	总计	940 000

表 6-8　利润表　　单位：千美元

已到期保费	440 000
提取未决赔款准备金	300 000
费用	150 000
承保业务利润	-10 000
投资收益	50 000
营业利润	40 000

(四) 追溯累积合约

追溯累积合约又称不利发展损失合约，是再保险接受人对超过再保险分出人所计提的未决赔款准备金以上的损失提供的保障。其再保险费是依据承保风险性质、保险期间以及给付的赔款总额等按现值计算的金额。追溯累积合约的应用能够有效解决未来未知赔款（如长期性的责任保险赔案）对原保险人财务造成的潜在威胁。

追溯累积合约和赔款责任转移合约都是处理已发生赔款的未来给付问题，但两者的差异较大。赔款责任转移合约转移未决赔款准备金，追溯累积合约并不转移未决赔款准备金；赔款责任转移合约保障已发生和已报告的损失，追溯累积合约既保障已发生和已报告的损失，又保障已发生和未报告的损失，以及已发生损失但赔款准备金计提不足的部分。可知，追溯累积合约是赔款责任转移合约的扩大型，并有着更为显著的承保风险转移。追溯累积合约和赔款责任转移合约在实务中并不冲突。再保险分出人可以通过赔款责任转移合约转移已发生、已报案未决赔款准备金给再保险接受人，还可以另外安排追溯累积合约来转移预期超出已发生、已报案未决赔款准备金部分给再保险接受人。此外，追溯累积合约也适用于保险人拟以退出某一市场或某一险种业务经营的情形。

(五) 分散损失合约

分散损失合约，在美国又称前瞻累积超赔合约，用来承保再保险分出人未来的、累积的、超过自留风险责任的损失，主要目的是平衡和缓和再保险分出人在未来各会计年度的损失波动。分散损失合约旨在谋求损益的平稳化，一般都是长期的。

通常情况下，再保险分出人可以通过相关精算技术对于未来数年间的赔款总额在一定程度上进行准确预测，但却难以预估赔款支出在各年度的具体分布，故各年度赔款支出的波动将导致各年度损益的波动。分散损失合约一般预计数年间（如十年）的赔款总额，并将此赔款金额作为再保险责任额，再保险费则是再保险责任额按照保险期间等分后的金额（如再保险责任额的1/10）。再保险分出人每年支付固定的再保险费并存入一个“经验账户”，其所孳生利息归再保险分出人所有。若该年度内有赔款发生，再保险接受人负责赔付并由该经验账户支付。当该经验账户的余额为负数时，再保险分出人应自己补付再保险费；反之，根据事先约定的利润分摊条款将该经验账户的余额返还给再保险分出人。通过此种方式，再保险分出人以每年稳定的再保险费支出来减轻个别年度因巨额赔款对财务产生的影响。

分散损失合约实质上并没有保险责任的转移，而是属于预定赔款的不定期摊付，用于稳定再保险分出人各会计年度的损益。分散损失合约创造了一种不列入资产负债表的灵活的平衡储备，可以作为一种有效的节税手段。下面以例6-3对分散损失合约的应用加以说明。

例6-3 某产品责任保险分散损失合约如表6-9所示。

表 6-9　某产品责任保险分散损失合约结构

保险期间	10 年
年保费	200 万美元
每笔赔款限额	500 万美元
总限额	2 000 万美元
利润分摊	将超过部分的 90%返回给分出公司

如表 6-9 所示，一个分散损失合约通常要有一个或一个以上的下列特征：

（1）再保险接受人的赔款风险是有限制的（如例 6-3 中的每笔赔款限额 500 万美元及总限额 2 000 万美元）；

（2）合约一般是长期的，旨在缓和各年度间的损失波动；

（3）若赔款支出低于预期即经验账户余额为正数时，需根据利润分摊条款将应返还部分返还给再保险分出人。

五、财务再保险的作用

（一）资本融资

财务再保险作为重要的创新型风险转移技术工具。保险人可以将部分业务分出，再保险人则通过大额分保佣金支付，提前将业务未来几年的利润支付给保险公司，使得保险公司的未来利润能够在当期实现从而达到融资的目的。

（二）盈余补贴

财务再保险的主要功能是再保险人向原保险人提供资金或准备金，用来改善原保险人当年的收益和盈利状况，盈余增加的部分就称为盈余补贴。财务再保险中，如果该笔业务在未来的保险年度内赢得预期的足够利润，则再保险人从该利润中收回投资获取部分利润，而原保险人在未来的利润则相应减少。同时，当原保险人有较多获益时，将部分盈余交由再保险公司设立的专门账户为其管理。若未来出现较大亏损，则可以通过再保险公司管理此账户以弥补损失，避免原保险人因天灾等因素出现经营状况的剧烈波动，实现利润分配平稳。

（三）提高偿付能力

财务再保险不仅转移了承保风险，还转移了财务风险，是在一个长时间内通过资金运作进一步分散风险。实际上，这就是以原保险人的未来利润作为筹码，再保险公司以现金或非现金形式参与支持原保险人，从而改变原保险人资产负债表的结果，提高原保险人的偿付能力。

（四）合理避税

财务再保险常用于保险公司的合理避税计划。依据我国现行税法的规定，若纳税人发生年度亏损的，可以用下一纳税年度的所得弥补，下一纳税年度所得仍不足以弥补的，可逐年延续弥补但延续弥补期不得超过五年。当原保险人处于延期弥补的最后一两年时，通过应用财务再保险可以使账面产生盈余，进而继续抵消往年的亏损以实现有效节税的目的。此外，再保险人也可以向原保险人通过提供盈余补贴的形式减少自身账面盈余以达到合理避税。

（五）战略性规划管理

财务再保险可以用于实现保险公司的战略性规划管理。对于承保新业务的公司，原保险人通过财务再保险来获得再保险公司对新业务的财务上支持，提高公司的偿付和承保能力，协助其进入新市场，增加其业务量，并扩大收入来源。此外，公司也可以通过卖出或分出再保险来退出市场。财务再保险有助于降低股东的资本投入，同时提高资本回报率，进而达到帮助公司进行战略性规划管理的目的。

总而言之，财务再保险是一类集合风险转移和风险融资功能的复合型金融产品，有诸多积极作用，但所具有的融资功能也为其滥用创造了机会。有些保险公司基于规避监管、逃税等目的运用无风险转移、信息披露不足、风险转移不足等手段滥用财务再保险，引发诸多问题。财务再保险的滥用，一方面会影响财务报表的真实性进而损害相关利益，另一方面会影响保险监管效力导致风险隐藏与积累，还有可能破坏正常的税收制度。美国国际集团、法国安盛再保险公司、通用再保险公司等多家国际再保险公司都曾陷入滥用财务再保险的丑闻。

六、财务再保险在中国的发展

中国财务再保险的快速发展主要得益于利差损和新公司业务的迅速扩张，对提高保险公司的偿付能力有积极的作用。在我国寿险业的起步阶段，寿险的预定利率一直偏高。但是，1996 年 5 月—1998 年 12 月，随着国家连续七次对银行利率进行下调，寿险公司的利率风险显露，积累了巨额的利差损。这些巨额的利差损给保险公司背上了沉重的包袱，并进一步影响保险公司的深化改革及其改制上市。财务再保险的出现，为解决这些遗留的问题提供了新的思路。保险公司可以通过购买财务再保险来放弃这些不良业务，为公司深化改革、改制上市扫清道路。中国的保险业发展迅速，特别是一些新成立的中小型保险公司业务增长突出，但迅速扩张的业务极易给这些保险公司造成较严重的偿付能力不足的问题。虽然传统再保险可以在一定程度上解决偿付能力不足的问题，但是由于传统再保险对待优质风险和劣质风险一样，不能达到很好的风险分散，从而实施效果有限。财务再保险的应用特别是在优质风险业务中的应用，可以减少保险人因分出业务而丧失的承保利润。

（一）财务再保险在中国发展的现状

20 世纪末期，我国寿险公司发现财务再保险不仅适用于非寿险领域，也适用于解决寿险财务危机，于是开始探索我国的财务再保险业务。虽然我国再保险公司均可以开展财务再保险业务，但在实务操作中并不多见，只有平安、太平洋等几家大的保险公司有所涉略。中国平安寿险公司 2008 年的年报显示，基于稳定死差益的目的，中国平安寿险公司在这一年内将 47 个高业务价值的传统长期非分红产品的自留死亡风险保额全部分出给慕尼黑再保险公司，这一行为使得中国平安寿险公司在会计准则范围内的税前利润一次性增加了49亿元。尽管财务再保险具有有效管理资本、提高偿付能力以及降低税负的特点，财务再保险业务在我国保险市场中有所发展，但由于其存在较大的滥用风险以及监管不明确，其发展有所限制。目前，我国保险监管机构对于财务再保险持谨慎态度。

（二）制约财务再保险在我国发展的因素

1. 政策及监管不明确

对于财务再保险的发展来说，明确政策与监管细则十分重要。由于财务再保险异于传统再保险，因此不能将其视为一般的再保险合同。目前，我国既未有关于财务再保险定义的明确解释，也未有财务再保险的具体运作指引，同时相应的会计处理和税收政策基本空白，关于财务再保险的监管只是下发过一个征求意见稿。此外，针对财务再保险的监管也较为模糊，也只是下发过一个征求意见稿。随着财务再保险的发展以及多家国际保险公司因滥用财务再保险丑闻频发，我国亟须明确相关政策与监管法规。

2. 资本市场还不发达

财务再保险产品是与资本市场紧密相连的，其风险的转移和融资最终都要资本市场上的投资者参与承担。一个高效且成熟的资本市场是财务再保险发展的良好外部环境。目前，我国资本市场不够规范，金融市场开放程度还不够，各项运作机制有待于建立和完善。一些在发达国家已经相当成熟的金融工具和资本市场产品在我国资本市场上的普及度还较低，再保险公司在资本市场上的参与程度也不高。另外，较高程度的人民币国际化也是进行财务再保险运作及与资本市场相关联的保险产品交易的重要条件。

第二节 保险风险证券化

一、保险风险证券化的概念

保险风险证券化是以未来保险期间或再保险期间所产生的负债现金流量为标的，进行结构性重组之后转化为可交易证券的金融工具，将保险人或再保险人所承保的风险直接转移到资本市场上的过程。

1973年，美国学者罗伯特·戈西（Robert Goshay）和理查德·桑道（Richard Sandor）在《构建再保险期货市场的可行性研究》一文中首先提出保险风险证券化的概念，认为可以通过保险风险证券化或保险衍生产品将再保险风险转移至资本市场，以解决再保险市场承保能力不足的问题。这个概念的内涵发展至今并未出现质的变化。保险风险证券化属于一种金融风险管理工具，是再保险机制的重要创新，其实质是将保险风险管理机制从原有的风险“集聚—整合”模式拓展至风险“集聚—转移”模式。不管是传统保险还是传统再保险，基本上是风险进行重新集聚和整合的过程，且风险损失完全由保险市场和再保险市场自己承担，一般不与其他金融工具融合。但是，保险风险证券化并不关注风险集聚结果的可概率化，而是将风险集聚后以证券化的形式转移至风险关联度更低、容量更大的资本市场。它所转移的风险除了传统的可保风险外，还可以是保险业的不可保风险，从而拓展了保险服务的范畴。在形式上，保险风险证券化是特殊的再保险，因为再保险人为保险公司提供了再保险服务，再保险本身也是保险风险债券化非常重要的环节。

二、保险风险证券化的发展

1973 年，保险风险证券化的概念就已提出，但在当时并未引发多大反响。直至 1989—1993 年，国际再保险公司由于全球前所未有的巨灾事故导致损失惨重，保险公司资本急速减少，保险公司承保能力下降，导致巨灾风险难以分散。保险风险证券化的构想从而再次被提出，保险和资本的融合与发展促使保险风险证券化的真正出现。1992 年，美国芝加哥商品交易所推出的巨灾保险期货和期权开创了保险衍生产品的先河。但因为金融期货产品存在设计缺陷以及尚未成熟的金融期货市场，这种产品上市后不久就中止交易。1993 年，美国芝加哥商品交易所再次推出巨灾风险买权价差，但其上市后不到两年又停止。1995 年，美国芝加哥商品交易所又推出财产赔偿服务（PCS）巨灾期权，尽管在初期保险公司和保险学者专家并不看好，但是 PCS 在巨灾损失信息公布、合同损失设计方面表现较好，市场的总交易量也呈现明显增长。1997 年，百慕大商品交易所推出巨灾指数期权（guy carpenter catastrophe index options，GCCI）。这两类产品都是通过公开交易的标准化合同等资本市场证券化程序将巨灾风险转移至资本市场。1997 年，美国纽约设立了一个专门通过网络进行各种巨灾风险交换、非传统风险转移工具等买卖的巨灾风险交易所。1999 年，美国芝加哥商品交易所开始出售一种与气候有关的新兴期货与期权金融产品，可以保障一般企业规避气候急剧变化所造成的损失，或提供保险或再保险冲销因气候异常所导致的损失率升高，确保保险业务核保利润的稳定。2015 年，中国国内第一只以地震风险为保障对象的巨灾债券在境外市场的发行标志着中国开始保险巨灾证券化之路。随着金融风险管理技术的发展，保险风险证券化的思路和技术以及产品设计，已经从巨灾风险领域向其他传统保险领域深入，如健康保险证券化、寿险证券化、汽车保险证券化等，保险风险证券化产品在整个再保险交易量的比例也有所提升。

三、保险风险证券化产生的动因

（一）不断增长的巨灾风险保险需求与传统再保险机制之间的矛盾

巨灾风险保险曾在传统保险机制内得到一定发展，但受限于传统保险机制下风险的可概率化要求，以及巨灾往往是一种不确定性且难以被有效预见的影响，再保险市场经常在巨灾发生的时候出现市场无效的情况，保险供给严重不足。近年来，随着全球巨灾频发以及由此造成巨额损失的事件增多，巨灾保险需求随之不断增长，保险风险证券化提供了向资本市场转移风险的机制，使得传统上不可保的风险可以在保险市场承保。这在一定程度上缓解了不断增长的巨灾风险保险需求与传统再保险机制之间的矛盾，也丰富了保险风险管理的内涵。

（二）再保险承保周期的影响

保险市场周期是财产保险市场发展的普遍规律。一般来说，承保价格、承保规模会呈现周期性的交替变化。通常，承保周期的影响因素较为复杂，从而周期的时间和波幅程度并不是绝对稳定的，也就加大了保险机构预测成本和风险管理的难度。资本市场与保险市场承保周期之间的相关度较低，由此保险与资本市场的融合能够减轻对承保周期的影响、降低承保风险。

（三）获取资本溢价的内在要求

风险转移是保险机构获取资本溢价的内在要求。保险合同是典型格式合同，不透明度较高。保险公司要在资本市场上参与金融产品交易，获取资本溢价，必须以更透明、更公开的证券合约形式代替传统分保合约，才能被拥有高度流动性的资本市场认可。有研究表明，巨灾债券发展的动因主要是提供了一种有效率的融资方式，能够帮助保险机构降低权益类融资的税收成本，而且同时可以避免次级债券融资所导致的成本。

四、保险风险证券化与传统再保险的比较

（一）保险风险证券化与传统再保险的差异

保险风险证券化除了承保传统再保险可以承保的可保风险外，还可以转移不可保风险。由于保险风险证券化的风险转移市场为容量更大的资本市场，且风险承担者为投资者，它的风险承担能力就比较强。从产品性质分析，传统再保险的保险条款与费率一般较为固定，其运作形式与结构也相对简单，也没有基差风险。所谓基差风险是指保值工具与被保值商品之间价格波动不同步所带来的风险。基差即现货成交价格与交易所期货价格之间的差，其金额不是固定的。因而所提供的风险保障是确定的。而保险风险证券化产品通常是衍生工具，合同条款灵活且运作形式普遍复杂，加之基差风险的影响，所提供的风险保障虽然较为充分，但往往难以确定。保险风险证券化与传统再保险的比较见表 6-10。

表 6-10　保险风险证券化和传统再保险的比较

类型	传统再保险	保险风险证券化
承保范围	可保风险	可保风险与不可保风险
风险转移市场	保险市场	资本市场
风险承担者	分入公司/再保险人	投资者
风险承担能力	弱	强
产品性质	再保险合同	衍生工具
运作形式与结构	偏简单	偏复杂
保险条款与费率	偏固定	偏灵活
基差风险	无	有
受保险周期影响	大	小

(二) 保险风险证券化与传统再保险的联系

保险风险证券化和传统再保险之间是相互补充与相互贯通的。保险风险证券化和传统再保险各有优越性，又各有局限性，两者具有很强的互补性。传统再保险对保险公司提供的巨灾风险保障的有效性很高，尤其是对于中小型保险公司而言，只要确定了合适的自留额，就可以通过传统再保险安排有效化解剩余部分的巨灾风险。一旦遇到无法预料的大灾难，传统再保险市场往往由于承保能力有限，极易造成市场低迷并难以化解巨灾风险。保险证券化提供的风险保障通常是充分的，因而有助于解决传统再保险市场对巨灾类风险的无效问题，为保险风险提供了一种有效的转移途径，是传统再保险市场的重要补充。然而，保险风险证券化市场与经济周期的关联性更强，系统性风险对于保险证券化市场的影响远大于对于再保险市场的影响。例如，自 2008 年世界金融危机爆发后，再保险市场的价格基本稳定，保险风险证券化市场则出现了规模迅速萎缩的情况。同时，保险风险证券化还存在基差风险，导致风险保障的效果难以事先确定。为了保持保险市场的稳定性，传统再保险的风险转移功能是不可或缺的。这决定了保险风险证券化与传统再保险之间并不是一方压倒另一方，而是相互补充、相互借鉴和共同发展的关系。

五、保险风险证券化的产品类型

随着风险管理技术和资本市场的发展，保险风险证券化的产品呈现多种类型，以下就常见产品类型进行介绍。

(一) 巨灾保险期货

巨灾保险期货是以巨灾风险指数或巨灾损失率为交易标的的期货商品。它是由美国芝加哥商品交易所在 1992 年最先推出的，为保险风险转移至资本市场开启了实践先例。但是，由于金融期货产品设计缺陷和金融期货市场尚未成熟等因素，上市后不久即终止交易。究其失败的原因，主要有以下四个方面：一是美国保险服务办公室巨灾信息公开程度不足，期货市场上频繁出现信息不对称现象；二是期货市场上避险者多于投机者；三是保险业对巨灾保险期货产品的操作程序不熟悉，缺乏相应的金融知识；四是对投机者来说，损失幅度过于巨大，风险过于集中。

(二) 巨灾保险期权

保险公司在期权市场上通过缴纳期权费购买期权合同，等于购买了在未来一段时间内的一种价格选择权，即保险公司可以选择是按照市场价格进行交易，还是按照期权合同约定的执行价格进行交易。

(1) 美国芝加哥商品交易所于 1995 年引入巨灾期权价差产品，巨灾保险看涨期权是其中重要的一种，即 PCS 指数期权。该期权合约为一种欧式买入（看涨）期权，是根据财产索赔服务中心计算的 9 种 PCS 指数交易的只能到期执行的期权。每种指数代表 9 个地区中的某个地区在一定期间内由于巨灾事件导致的保险损失的估计值除以 1 亿美元所得的值。每一期权都规定有两个指数 a 和 b（$a<b$），记作 a/b。期权费以点数

报价，每点等于 200 美元。在合约到期日 T 点，PCS 买入期权的价值：

$$C(T, LT) = \min[\max(LT-a, 0), b-a]$$

其中，a 是合约约定的执行指数，b 是合约约定的封顶指数，LT 是 T 时点的 PCS 指数。

（2）百慕大商品交易所的巨灾期权，即 GCCI 巨灾风险指数期权。1997 年 11 月，百慕大商品交易所交易（BCOE）推出了类似芝加哥商品交易所交易 PCS 巨灾指数期权的 GCCI 巨灾指数期权。虽然基本的观念在这些期权中都是相同的，但是在 BCOE 期权的具体特性上还有一些不同：一是其致损事件以 GCCI 巨灾风险指数为基础，而且每季度更新。其编制非常详细，不仅有地区分类指数，还有按邮政编码区域编制的指数。二是有效的地理合约。三是三种不同类型的巨灾期权：单一损失，即在一个时期中的最大巨灾事件；中级损失，即第二大事件；聚合型巨灾。四是期权的风险期限是半年期。五是 BCOE 期权是“二元期权”，在期权到期日要么支付 0 美元。要么支付 5 000 美元，没有中间价值的可能。六是指数价值在每季度的间隔被决定（在风险期限结束后的第 1、第 4、第 7、第 10、第 13 个月），在上述每一季度间隔中，期权执行与否依赖于执行价格超过或低于指数价值多少而定。

（三）风险互换

巨灾风险互换限定于与对方进行巨灾风险暴露的交换。互换的目的是减少特定巨灾风险或通过增加巨灾风险来实现被保险风险组合的多样化。虽然金融互换（SWAP）有许多种形式，但在保险业中互换概念最近出现的一个实例是风险交换。纽约巨灾风险交易所是一种基于计算机交易的风险交换系统，允许用户交换其巨灾风险暴露。因此，用户能调整其风险分布形态。用来交易的有效风险可以在电子系统上“公告”，交易也能在电子系统中商议和完成。另外一个百慕大商品交易所，它是与百慕大股票交易所合资的。这家离岸交易所提供一种交换或购买风险的机制，并且向保险公司、经纪人和资本市场投资者开放。

（四）巨灾股票看跌期权

巨灾股票看跌期权是一种或有融资的形式。自保险公司签署协议后，一旦巨灾发生，保险公司有权按照事先约定的价格向投资者卖出股票（通常是优先股）。这允许保险公司在巨灾之后通过转换股票来支撑它的资产负债表。

（五）巨灾债券

巨灾债券是目前财产及伤亡保险证券化的主要方式。以债券发行的方式，将债券本金、利息的偿还与否和巨灾风险的发生与否相联系，即市场所称的巨灾债券。巨灾债券并非标准化合同，商品的内容与交易条件并不相同，且交易的进行通常为双方私下买卖。巨灾债券的一个核心概念是触发条件，即发生怎样的巨灾风险或风险程度如何时，投资者的收益将发生变化。根据债券发行时约定的条款，投资者可能会损失全部或者部分在剩余时间内应得的利息，还可能会损失部分本金。致损条件一般可以分为两大类：一类是一定级别的灾难，如一定强度的地震；另一类是一定的灾后赔付额。灾后赔付额又分为两种：一种是直接以发行债券的保险公司的赔付额为基础，另一种是以特定区域的行业赔付额为基础。

这里，存在两种风险类型：一种是基差风险。它是指公司的损失与决定证券化产品偿付的指数的距离。在指数以全部P/C（财产/意外事件）保险业的总损失为基础的情形中，基差风险反映了行业和公司在巨灾损失经历上的差别。从一家公司角度来看，如果它遭受巨灾的损失程度比整个行业要大，那么通过债券发行来减轻债务将不足以为它自身的损失提供套期保值。因此，当套期保值不精确时，基差风险就发生了。另一种是道德风险。它是指公司损失增加可能导致债务减轻，即公司的债务责任水平（本金和利息）的降低。因此，为了要从较低的融资费用中获利，公司可能存在不正当的动机来垫付它的损失。

根据所承担风险的不同，巨灾债券可以分为本金保护债券（只有债券利息存在风险，本金没有风险）、部分本金保护债券和本金不保护债券。对于相同的基差风险，也可以通过设立不同层次的致损条件来改变债券的风险程度，从而使巨灾债券的种类更加丰富，以满足不同风险偏好者的投资需求。

（六）应急资本

应急资本通过风险融资来解决资本需求，同样基于卖出期权的机制。应急资本工具使得买方有权在事先确定的事件发生时，在一个固定期限内以固定价格发行和出售的证券。这些证券可以是权益、债务或混合型证券。

（七）非巨灾风险证券化产品

目前，保险风险证券化产品仍以巨灾风险为主，但在其他领域，如寿险业已有成功的证券化产品。寿险业的证券化产品是基于寿险公司经营的业务，由公司已经签发或即将签发的保险合同为标的，将保险合同中包含的应收保费、预期盈余等未来才会发生的现金流量，经组合设计成简约、标准的证券发行销售。寿险（负债）证券主要有两种：一种是死亡/生存成本型保费证券，另一种是保单盈余/利润型证券。

六、保险风险证券化的作用

（一）提高承保和偿付能力

保险风险证券化在资本市场进行的证券化产品交易，搭建了保险市场与资本市场之间连接的桥梁，而资本市场资金作为支撑的保险风险证券化的保障能力是保险市场所远不能及的。保险公司可以利用资本市场为超额风险暴露融资，提高其承保能力。保险风险证券化还可以减轻保险公司过高的风险暴露的负担，改善保险公司的资产负债结构，提高保险公司的偿付能力。

（二）优化财务状况，提升信用等级

保险风险证券化拓宽了保险公司资金的来源渠道，使得保险公司能直接获得资本市场投资者的资金。由于实行风险隔离，特定目的再保险机构发行的保险风险证券化产品的风险与保险公司自身信用风险彻底隔离，并不受保险公司自身信用的影响，因而能够获得更高等级的信用评级，进而降低保险公司的融资成本。保险风险证券化产品的流动性、标准性、透明性也降低保险公司转移承保风险的成本。同时，由于近年来的巨灾损失经验和一些模型公司的有关巨灾风险的模型模拟结果表明，保险公司潜在的巨灾损失有增大的趋势，并且其损失幅度对保险公司偿付能力有着重要影响，评级机构因而更加关注保险公司是如何管理巨灾风险的。保险公司开展保险风险证券化顺应了评级公司对风险评估的新标准，将更有利于获得好的信用级别，从而为其业务经营和其他活动创造更好的条件。

（三）降低成本，加快理赔进程

保险风险证券化能以一个固定的价格为巨灾风险提供多年期的保障。长期的证券化产品，一方面减少了像传统再保险那样的价格周期波动的风险，另一方面通过分摊和不需要每年重新建立再保险合约而降低了管理费用。一些如承保费用等的固定成本，也可以被分摊到多个年份上去。另外，保险风险证券化还能同时为不同地区不同巨灾事故提供保障。同时，保险风险证券化能减少未来合约产生争议的可能性并加快索赔的进程。根据触发条件的不同，保险风险证券化产品对损失结算的反应速度也不同。一般来说，因为保险风险证券化产品都有非常清楚的触发条件，因此其对损失的判断和反应都是非常明确的，较之传统再保险可以极大地减少对合约产生争议的情况。

（四）减少信用风险，降低信息披露要求

保险公司在通过再保险转移风险时，再保险公司的信用风险无疑会增加保险公司转移风险的成本，并将影响风险转移的效率。保险风险证券化可以通过对产品结构的设计来最小化信用风险。比如赔偿型巨灾债券，通过破产隔离和真实销售等证券化技术的应用，彻底地消除了信用风险。其他证券化产品，也可以根据需要，通过科学、巧妙的产品设计，可以在一定程度上控制或最小化信用风险。保险风险证券化在产品发行前所需披露的信息根据触发条件的不同而不同。对于越来越多地被使用的非赔偿型触发条件，保险公司所需披露的信息已经变得非常少了。另外，与传统再保险合约比起来，对发生的索赔所需提供的证明材料也被最小化了。这种对信息要求的降低也将直接降低转移风险所需的成本。

（五）提高竞争力，促进再保险市场发展

保险风险证券化作为再保险的一种补充和替代方法，对传统再保险可以构成一种竞争的选择。在再保险价格上升时期，证券化具有明显的竞争优势，这种优势导致市场对再保险的需求降低，可以部分平抑再保险价格的过大波动。在再保险价格下降的时期，证券化产品的价格优势就不明显，导致证券化的需求降低。由于竞争的存在，竞争的压力将不断促使竞争双方不断改进产品设计和结构，降低产品发行成本，扩大产品保障范围、提高产品对冲风险的效率。

总而言之，保险风险证券化产品也是金融产品，不可避免地会受到各种风险的影响，如基差风险、道德风险以及流动性风险等。同时，由于保险风险证券化产品存在金融属性，还会受到技术、市场和法律等因素的影响。

七、保险风险证券化在中国的发展

（一）保险风险证券化的发展现状

我国是自然灾害的多发区域，每年因地震、洪水等自然灾害直接和间接造成的经济损失数以亿计，巨灾保险的需求极为强烈但我国再保险市场主体并不多，从而客观上需要我国保险业积极探索和发展保险风险证券化业务。实践中，我国在保险风险证券化方面的研究起步较晚。2003 年，在美国市场成功发行的巨灾债券是中国台湾中央再保险公司在巨灾保险风险证券化方面的有益尝试。台湾巨灾债券的成功发行为巨灾保险证券化提供了借鉴。2006 年，作为我国三大政策性银行的国家开发银行为融资曾发行巨灾债券，但因各方面的因素以失败告终。其后，我国的巨灾保险证券化的历程受阻，没有太大进展。2013 年 9 月，由于我国金融体制改革深化，加上国家政策的支持，为稳步推进改革试点，深圳、云南两地率先获批巨灾保险试点资格。自 2014 年 6 月起，深圳巨灾保险正式进入实施阶段。巨灾保险的试点为我国金融改革提供了方向和指导。由于我国处在两大地震带上，地震灾害频发，损失巨大，因此，2015 年 7 月，中国第一只在境外市场成功发行的巨灾债券是以国内地震风险为保障对象的。发行该债券的发行主体为专设在百慕大的中国再保险集团股份有限公司所属全资子公司中国财产再保险有限责任公司。此巨灾债券的境外成功发行经验，对我国国内巨灾保险风险证券化进程有明显推动作用，迈出了中国保险风险对接国际资本市场的第一步。

（二）制约保险风险证券化在中国发展的因素

1. 缺乏市场主体

保险风险证券化的设计和运作都需要大量有经验的参与者，如信用评级机构、风险评估机构、律师事务所、地质学家、精算师、财务专家等专业人士。但是，在我国保险风险证券化的发展未成熟，上述机构和人员在相应的理论与实践经验方面较为缺乏。

2. 缺乏必要的法律支持

保险风险证券化涉及证券、担保、保险、投资等领域，每一个领域都涉及不同的参与主体和不同的操作规范以及不同的权利与义务等问题，这些问题的存在需要有大量相关的法律法规的支持。如果没有完善的法律法规来协调相关主体之间复杂的法律关系、保障各个环节的良性运行，就可能导致证券化运作方式的失败，甚至引发更加严重的金融风险。目前，我国缺乏与保险风险证券化相配套的专门法律法规，而且，现行法律中还有一些规定与保险风险证券化运作方式不一致，这些都会成为我国发展保险风险证券化过程中的障碍。

3. 资本市场不够发达

保险风险证券化产品是创新的金融产品，需要很多金融衍生工具的支持，而金融衍生工具是在资本市场发展到相当程度的基础上才会出现的。虽然我国资本市场的发展已达到一定的水平，但需要进一步的发展。

第三节　自保公司

一、自保公司的概念

自保公司是指一些大型企业集团单独或与其他企业合资设立并承保母公司及其子公司风险的一种自我保险组织形式。根据母公司的需要，自保公司可以在多种组织形式中选择最适合的方案，协助母公司实现价值最大化的目标。自保公司的发展模式适用于经营规模庞大、资金雄厚且发展成熟的大型企业。这些企业通过设立自保公司，能够逐步加强企业内部的风险管理，拓宽企业的投保渠道，并直接进入再保险市场。

根据经营范围划分，自保公司可以分为仅承保母公司风险的专属保险公司和既承保母公司风险又承保其子公司风险的自保公司。根据投资方式划分，自保公司又可以分为单亲自保公司、多亲自保公司以及协会自保公司。其中，单亲自保公司通常由某个企业发起设立，承保该企业及其附属公司的风险；多亲自保公司通常由多家利益不相关企业共同控制和拥有，承保这些控制人和其附属企业的风险；协会自保公司则一般由专业组织、协会等机构组建。

二、自保公司的发展

现代保险业是从海上保险发展而来的。到19世纪中后期，除海上保险和火灾保险的险种外，自保公司也陆续出现。当时的企业雇主尝试建立的自营保险机构是自保公司发展的雏形。而真正意义上的自保公司成立于20世纪二三十年代，比较典型的是英国石油公司、帝国化工公司和尤尼来佛共同设立的自保公司，主要为自身风险开展保险业务。从20世纪70年代开始，由于自保公司具有可以更大程度满足投保公司保险需求、降低保险成本、获得税收抵扣、增加公司现金流等优势，自保公司进入快速发展阶段，全球自保公司的总保额、资产规模逐年扩大。美国是世界上自保公司最多的国家，其业务范围集中在医疗险、责任险、财产险和工伤险等方面。特别是到了疫情后期，美国经济逐渐恢复、非寿险市场面临竞争带来的盈利压力，自保公司由于其独特优势日益普及，美国排名前500位的大公司90%左右拥有自己的自保公司。在欧洲，自保公司主要经营财产损失险，较大的公司基本上都拥有自保公司。亚洲的自保公司发展远远落后于欧美，起步较晚但发展后劲十足。目前，在亚洲市场范围内，共有四个自保公司注册地，分别是中国内地、中国香港、新加坡以及马来西亚。新加坡仍然是在亚洲区内拥有自保公司注册数量最多的地区。截至2020年年底，按注册地划分，全球自保公司（不包括单元自保公司）数量为6 304家，其中北美3 270家、加勒比地区（包括百慕大群岛）2 031家、欧洲787家、亚太地区186家、非洲和中东地区30家。

三、自保公司产生的动因

自保公司的产生具有内在动力。20世纪中叶，一些大公司的出现标志着企业规模日益扩大且成分日趋复杂，相应地其风险数量增多且程度加深。自保公司能够聚集一些企业的资金，逐步增加自保基金，进而提高风险损失补偿能力。

（一）企业降低风险管理成本的需求

建立自保公司既可以像运用内部意外损失基金一样经济，而且可以享受税收方面的优惠，因此可以为企业的风险处理节省费用。自保公司的业务主要来源于企业集团的内部，这就节省了保险人展业的费用，也不必考虑保险人的利润。在传统保险市场上，保险业务的开展是通过保险代理人或保险经纪人来进行的，保险公司必须向这些人支付一定的佣金，这部分佣金可能占总保费的5%～30%，而保费则由作为投保人的企业支付。企业集团建立自保公司就不必支付这些费用。同时，自保公司还可以将集中起来的基金进行投资来获得投资收益。此外，按当时英美等国的规定，企业付给自保公司的保险费和准备金是可以免税的，不像建立企业意外损失补偿基金那样有纳税的要求。

（二）离岸避税港的特殊诱惑

原则上，自保公司可以在世界任何一个地区注册成立，但一般相对集中于那些监管较为宽松、税负更低的国家（地区），如离岸避税港。这是因为，离岸避税港通常是设在那些较小的不发达国家（地区），其所征公司税的税率比其母公司所在国普遍要低得多，如此税率的差异和推迟纳税对母公司来说具有极大诱惑。加之这些地区的保险监管相对宽松，甚至能根据不断变化的需要及时调整政策来促进自保公司发展。自20世纪60年代晚期以来，在百慕大、开曼群岛、格恩西岛、英属维京群岛等避税港注册的自保公司数量大幅增长。据统计，有90%的自保公司是设在离岸避税港的，其中1/3的自保公司聚集在百慕大。

四、自保公司的作用

（一）扩大承保范围，增加承保弹性

在一些高危高风险行业，传统商业保险出于经营成本的考虑，往往不承保此类风险或是设置较为严格苛刻的条件进行承保。自保公司的经营比较灵活，能够运用多样化的承保政策尽量满足母公司的风险保障需求，承保传统保险市场不保的风险。此外，自保公司还可以在符合监管要求的条件下，与母公司对保单条款的解释、缴付保费时间以及理赔处理等方面进行有效协商，制定更为合理的承保方案。此外，自保公司对履行某些强制保险条例来说也会具有一定便利性。自保公司是获得批准的保险人，若母公司需投保某些强制保险项目时，可以不通过向保险公司投保而采用自保公司承保的方式解决。

（二）降低保险成本，增加利润

自保公司设立的主要目的是满足母公司及其子公司的保险保障需求。商业保险的保费除了纯保费外，还包括佣金、管理费用等附加费用。自保公司的保费相对来说较少，从而可以节约相关的经纪佣金及管理费用。母公司通过降低保险成本，能够弥补现金流短缺。自保公司也有助于解决逆向选择与道德风险等问题，增加母公司与保险公司的谈判筹码，扭转其在传统保险市场中的不利地位。此外，自保公司还可以直接参与再保险市场来避免提高超额风险的管理成本。

（三）获取税收优惠，减轻纳税负担

自保公司可以帮助母公司获得相关税收优惠。一般情况下，自保公司的利润收入无须纳入母公司的税收所得，而母公司支付给自保公司的保费可以减税，其他责任准备金、保证金等项目也可以享受税收优惠。若自保公司在离岸避税港设立，那么母公司还能够享有降低税率、减免附加税、延期纳税等诸多便利。

（四）加强风险控制，增强企业的防灾防损意识

在传统商业保险中，企业将风险转移至保险公司后通常会减小对自身的风险管控力度，倾向于被动接受保险公司的风险管理措施。但是，自保公司是大型企业根据自身情况而专门设置的，具有风险自担、损失自负的特性，其经营效益直接影响到母公司的整体收益。母公司基于自身利益会分析风险损失的存在原因，最大限度地降低损失成本，加强风险控制，增强企业的防灾防损意识。自保公司也可以利用专业人才和管理技术，为母公司及其所属组织开展各种预防工作，从而更有效地控制风险损失。

五、自保公司的弊端

自保公司具有诸多优势，既可以使母公司及其子公司获得传统商业保险市场无法提供的保障以及更佳的承保条件，又能够降低保险成本、获得税收优惠、增加利润，还可以更好地处理理赔，提供风险管理能力。当然，自保公司也存在下列不可忽视的缺陷，同时不能完全替代传统保险公司。

（一）组织规模不大且业务受限

较之传统保险公司，自保公司的规模通常不大，组织机构也较为简单。自保公司尽管可以通过接收外来业务来扩大营业范围，但大部分承保的业务还是主要来自自保公司的母公司及其子公司，从而风险单位有限。同时，自保公司多数承保传统保险市场难以获得有效保障的风险，一定程度上致使这类风险过于集聚，损失频率提高，损失幅度也会较大。

（二）财务基础薄弱且初期经营困难

自保公司在成立初期的资金支出通常较大。公司在筹建到设立的各个环节都需要大量投入，各类费用和款项也需及时到位，加之偿付能力、理赔准备金等监管要求的限制，导致自保公司在经营初期的财务状况一般较差，出现亏损的概率较大进而直接影响股东公司的利润收益。此外，自保公司的资本金也较小，这将在一定程度上影响业务的发展和财务的稳定性。

（三）对专业型人才的需求较高

自保公司业务的复杂性和多样性决定了自保公司对人才的素质要求较高，通常需

要具有专业性与技术性的复合自保人才，否则有可能影响公司业务的开展与理赔工作的推进。自保公司的员工既要熟知被保企业的经营业务、管理模式以及潜在风险，又要懂得保险方面的专业知识，还要强化自保公司的内部监管，并防控经营风险，同时能够有效评估、分散以及转移风险。

（四）公司设立的主要目的易被忽视

自保公司设立的目的通常多样化，如获得税收优惠、风险融资、增加利润等。满足母公司无法从传统保险市场获得的保险保障需求则是最为重要的目的之一。然而，一些大型企业会将成立自保公司作为谋取利润的手段，利用其税收优惠政策来追求资金积累和投资收益，导致自保公司的职责本末倒置，削弱了成立自保公司来降低股东公司风险并进行风险融资的作用。自保公司若过分关注经营收益，通常也会忽视风险管理、承保理赔等职能，增加经营风险，最终有可能对偿付能力和损失理赔产生不利影响。

六、自保公司在中国的发展

（一）自保公司在中国的发展历程

一般来说，石油石化、铁路运输、航运、发电、装备制造等领域所面临的风险具有集中度高、类型独特和转移难等特点，传统的保险与再保险技术难以有效管理。由此，这类具有了解母公司风险状况、支持母公司提升本质安全的内在动力，能够针对母公司量体裁衣地提供风险保障方案和更好地理赔服务的自保公司在我国开始起步并发展。我国自保行业的发展可以分为成立自保基金、国内大型企业在香港成立自保公司、多家企业入股成立保险公司和国内自保公司正式成立四个阶段。1984 年，国务院批准中国石油化工集团公司成立运行“安全生产保证基金”，这是国内企业首次尝试运用风险自留的方式来进行风险管理。其后成立的自保基金则是自保公司的发展雏形。除此之外，我国的自保基金还有铁路保价、邮政保价和车辆安全统筹基金等。2000 年 8 月，中国海洋石油总公司在香港注册成立中海油保险有限公司，初始注册资本为 12 亿港元。该公司的成立标志着我国开始实质性探索自保公司的设立。进入 21 世纪后，各成熟领域的大型集团公司开始入股共筹保险公司。如多家大型电力企业共同成立了英大泰和财产股份有限公司，主要为电力行业提供保险服务。2012 年 10 月，中国保监会正式批准成立国内第一家自保公司，即中石油专属财产保险股份有限公司，由中石油天然气集团主要控股。而后，由中国石油化工集团全额控股的自保公司——中石化保险有限公司获批复授权开展境外自保业务，这标志着我国自保公司的发展进入了全新的阶段。

（二）中国自保公司发展的现状

目前，自保行业在我国的发展仍处于起步阶段。不管是自保公司的数量，还是保费规模等，较之传统商业保险而言都存在较大差距。截至 2021 年，中国有 8 家自保公司（见表 6-11），按照成立的时间分别为中海石油保险有限公司（2000 年）、中石化保险有限公司（2013 年）、中石油专属财产保险股份有限公司（2013 年）、中广核保险有限公司（2014 年）、中国铁路财产保险自保有限公司（2015 年）、中远海运财产保险自保有限公司（2017 年）、广东能源财产保险自保有限公司（2017 年）以及上海电气保险有限公司（2019 年）。在这 8 家公司中，4 家的注册地位于中国内地，4 家的注册地位于中国香港。同时，从各母公司的背景分析，这些自保公司的母公司均为国有大型企业，所属行业包括能源企业或交通、航运、装备制造等。

表 6-11　中国自保公司概况

自保公司	成立时间	注册地	注册资本	母公司	所属行业
中石油专属财产保险股份有限公司	2013 年 12 月	克拉玛依	50 亿元	中国石油天然气集团有限公司	能源
中国铁路财产保险自保有限公司	2015 年 2 月	北京	20 亿元	中国铁路总公司	交通运输
中远海运财产保险自保有限公司	2017 年 1 月	上海	20 亿元	中国远洋海运集团有限公司	航运
广东能源财产保险自保有限公司	2017 年 11 月	广州	5 亿元	广东省能源集团有限公司	能源
中海石油保险有限公司	2000 年 8 月香港注册 2002 年 2 月中国内地获批	中国香港	12 亿港元	中国海洋石油总公司	能源
中石化保险有限公司	2013 年 10 月	中国香港	3 亿港元	中国石油化工集团公司	能源
中广核保险有限公司	2015 年 3 月	中国香港	6 亿港元	中国广核集团	能源
上海电气保险有限公司	2019 年 2 月	中国香港	—	上海电气集团股份有限公司	装备制造

资料来源：根据各公司网站数据整理。

尽管中国自保公司的保费规模和体量相对较小，但是在经营水平、盈利能力方面的表现却较好。2019 年，注册地位于中国内地的 4 家自保公司实现的保费收入约占当年财险市场份额的 0.2%，净利润约占财险行业净利润总量的 1%。2013 年，最早成立的中石油专属财产保险股份有限公司自成立至今就保持了长期持续盈利的态势。同样，注册地位于香港的 4 家自保公司的盈利能力也十分突出。2014 年成立的中石化保险有限公司的盈利能力在香港财险公司中亦位于前列。

（三）中国自保公司发展的特点

1. 母公司均为国有大型企业且设立门槛较高

中国自保公司设立门槛较高。按照现行监管政策，成立自保公司除了需要满足传统商业保险公司的要求以外，还需要母公司资产总额不低于 1 000 亿元。而欧美市场均没有类似规定。中国现有的 8 家自保公司母公司均为大型国有企业。

2. 监管标准严格且类型单一

中国自保公司监管标准严格，类型也基本为单亲自保公司，具有较强的政策性特点，并要求母公司具有稳定的保险保障需求。中国的自保公司通常定位于母公司风险管理的平台和工具，这样其业务一般紧密围绕集团公司的业务和风险管理需求展开，会将服务母公司的风险管理作为核心经营目的。目前，中国的自保公司业务和风险经营具有稳健和连续的特点，还未开始市场化承接集团外部风险业务。

3. 盈利能力较强且市场潜力巨大

国内保险企业盈利状况普遍承压，而中国的自保公司却实现长期稳定的盈利。其主要原因是自保公司和承保的风险同属一个集团体系，自保公司更为理解和认识母公司的风险，同时母公司会实施统一的风险安排也致使自保公司的风险服务更加契合集团需求。此外，在渠道和管理费用方面，保费支出也较商业保险公司更低。自保公司是中国保险市场的重要参与者。随着中国保险市场不断发展、企业风险保障需求不断增加，自保市场有着较大的发展潜力。

（四）中国自保公司发展的制约因素

1. 相关法律法规不完善

完善的自保行业法律法规是促进自保公司发展的重要前提。2013 年公布的《关于自保公司监管有关问题的通知》是目前我国自保公司的暂行监管办法，也是我国第一部有关自保公司的行业条例。2015 年公布的《关于进一步完善自保公司监管有关问题的通知》，初步形成了具有中国特色的自保公司监管制度框架。虽然这些文件对自保公司的定义、设立条件、申请办理的程序、保险经营范围以及监管进行了相关的规定，但内容过于简短且条文规定缺乏详细解释。同时，该文件只是行业内部自律条例，执行起来存在一定的困难。

2. 风险管控制度不健全

自保公司可承保的风险单位有限，通常无法有效利用大数法则，只能依靠历史数据来推测风险发生概率，这对母公司的风险管理技术提出了挑战。长期以来，我国企业的风险管理存在诸多问题，如大中型企业仍以国有企业为主体而国有企业的治理水平不高、内部风险监控机制缺乏等。这些都对自保公司的发展产生了不利影响。

3. 自保市场发展不完善

受国内企业规模的限制，自保市场及自保公司的规模也有限且缺乏足够多的独立风险单位。国外自保公司发展经验表明，企业规模是自保公司发展的一个重要条件。企业集团规模越大越有可能设立合理的风险自留，而风险自留的合理程度又会关系到自保公司是否具有足够的资金实力来应对各类风险。若风险自留不合理，一旦风险损失过大就会严重影响自保公司财务管理及资金流的运行。同时，较低的自保公司也会降低风险分散的安全性，并影响自身承保能力与风险管理技术的创新。目前，我国一些大型企业集团在经营规模、财务实力和大型跨国国际企业相比还是存在一定差距。自保公司设立的最初目的一般是分散和降低风险，若受限于自身资金规模，将难以发挥其作用，最终会对母公司的长远发展前景产生不利影响。

4. 自保服务体系不完善

我国的自保公司发展还处于初期阶段，专业自保人才队伍相当缺乏。而自保公司及业务的健康运营离不开熟悉保险公司各业务环节并适时根据保险业动态来精确预测母公司风险状况以及合理选择风险控制手段的专业自保人才。专业人才匮乏成为阻碍我国自保公司发展的主要因素之一。此外，目前我国自保市场尚未形成统一，自保公司对需提供的保险服务类型、服务水平、服务形式等一系列问题还未有详细规定，自保服务体系并不完善。

思考题

1. 财务再保险和传统再保险有什么区别?
2. 保险风险证券化和传统再保险有什么区别?
3. 保险风险证券化主要有哪些产品类型?
4. 何为自保公司? 其成因是什么? 自保公司有何积极作用?
5. 创新型再保险业务在中国发展的趋势如何?

第七章　再保险安排和规划

再保险安排和规划是分出公司根据自己的业务与财务状况，运用再保险技术及再保险合约，对有关风险或责任进行管理的一种再保险设计。再保险安排和规划是保险企业经营的重要环节，关系到保险企业的业务稳定和经营收益。本章主要介绍再保险安排的基本内容及再保险规划的步骤。

第一节　再保险安排

一、一般再保险安排

再保险安排是指分出公司与接受公司建立再保险关系的方式，即临时分保、合同分保和预约分保的建立。

（一）临时分保

临时分保又称选择性再保险、自愿再保险、临分业务，是指分出公司根据自己的业务需要，临时选择分保接受人，经分保双方协商达成协议，逐笔将有关风险或责任进行分保的方法。

1. 临时分保的特点

一是以一张保单或一个危险单位为基础。不论哪种保单办理临时再保险，都要以一张保单为基础，或者以一个危险单位为基础，如以一个工厂为危险单位安排火险临时分保。分保条件清楚，便于再保险接受人了解、掌握业务的具体情况，责任不易累积。二是适应性较强。保险人随意安排，再保险人自由接受，在临时再保险业务成交前，双方均不受任何义务的约束，临时再保险关系中的双方对每笔再保险业务的分出和分入都有自由选择的权利。它不仅适用于高风险的业务，诸如石油勘探责任险、航空险、地震、洪水以及战争险，而且为超过合同限额以及合同除外的业务安排也提供了分散风险的渠道。另外，对于新开办的、数量少、业务不稳定或规律性较难掌握的业务也创造了责任分担的条件。三是手续烦琐，时间性较强。有时再保险分出公司往往要联系数家再保险分入公司，将业务安排妥当后，才能承保原保险业务。分出公司往往会处于不利的竞争地位，需逐笔业务与分保接受人联系洽分或续转。若因工作疏忽或分保条件的吸引力较差而未及时洽分完毕，一旦发生巨灾，分出公司就要承担相应后果。

2. 临时分保的适用范围

（1）刚开办的新险种或新业务。保险公司刚开办的新险种或新业务往往由于业务量不多、保险费较少，尚不具备较稳定的合同再保险的条件，所以，要用临时分保的方式安排再保险。

（2）不属于合同承保范围的业务。经营分保业务的保险公司，一般要组织安排不同种类的分保合同，而各分保合同都会规定严格的承保范围，合同规定的除外业务，比如有的货物运输合同列明现钞险除外，保险公司若有此类业务，就须另行安排临时再保险。

（3）超合同限额业务。分保合同承保能力都有一定的限制，即规定一个限额。当有较大保额业务超过合同规定的限额时可以运用临时再保险，以增强其承保能力。

（4）不愿放入合约分保的业务。保险人将一些成绩不稳或质量较差的业务、本可放入合同的业务另行安排临时分保，将所承担的责任转让出去。

（二）合同分保

合同分保是指由分出公司与分入公司订立分保合同，在一定时期内对某类业务进行缔约人之间的约束性的再保险安排方法。这是国际再保险市场上普遍采用的分保方法。合同分保双方的分保关系固定，可以保证原保险人及时转移风险责任，有利于稳定经营，再保险人也可以比较均衡地得到数量多、风险较为分散的整批分保业务。

1. 合同分保的特点

一是约束性。再保险合同一经签订，不论标的品质如何，保险人都应按合同约定向再保险人分保，既不得多分也不得少分，更不必通知再保险人，再保险人对其承保范围内的业务亦没有挑选的余地，均须接受，不得拒绝。二是险种单一性。合同再保险的承保范围一般仅限于某一险种，如水险分保合同、火险分保合同、航空险分保合同、建筑工程一切险分保合同等。将不同险种的业务混在一起安排再保险的合同为一揽子分保合同，它是基于另外一种分保情况设计的。三是稳定性。合同再保险中的业务通常较多，少则几十笔，多则上万笔，保险费较多，有的能应付多个全损。即使个别保险标的发生全部赔偿，对整个合同来说往往无足轻重、业务较稳定，这是大数法则的典型例子。

2. 合同分保与临时分保的比较

合同分保是按照业务年度安排，而临时分保则是逐笔安排的。合同分保涉及的是一定时期内的一宗或一类业务，缔约人之间的再保险关系是有约束力的，协议过程要比临时分保复杂得多。合同分保与临时分保的比较见表 7-1。

表 7-1 合同分保与临时分保的比较

合同分保	临时分保
约束性，再保险人必须接受规定的业务	临时性，再保险人可以接受或拒绝
大量风险	单个风险（与保单一致）

表7-1(续)

合同分保	临时分保
不必详细告知风险的细节，除非是特殊业务，或按合同规定提供报表	必须告知风险的细节情况
时间和经济成本相对较低	时间和经济成本均较高
合同事先安排，保险人承保的业务将自动得到分保保障	每一种风险必须单独安排，没有市场承诺的分保保障

（三）预约分保

预约分保是一种介于临时分保和合同分保之间的再保险，既有临时分保的特征，又有合同分保的特征。预约分保规定，对于约定的业务，原保险人可以自由决定是否分出，而原保险人一经决定分出，再保险人就必须接受。也就是说，对于合同约定的业务，原保险人有选择是否分出业务的权利，而再保险人没有选择是否分出业务的权利，在这一点上具有合同的强制性。

1. 预约分保的特点

与合同分保相比，预约分保的业务量一般较少，业务稳定性较差，而且对分保接受人来说又具有强制性，所以，这种分保方式通常不太受再保险人欢迎。预约分保具有以下四个特点：一是可选择性大。预约再保险分出公司可以自由决定是否办理分保，这样有利于分出公司对超过合同限额的业务自动安排分保。但对分保接受公司来说没有挑选的余地，犹如接受分保合同一样。二是手续简单。预约分保比临时分保手续简单，节省时间。三是复杂性。接受公司对预约分保的业务质量不易掌握。由于分出公司可以任意选择将其预约合同范围内的业务分给接受公司，而接受公司无法有选择地接受，对分出业务的质量很难掌握，特别是那些由经纪人中介订立的预约合同业务，更难了解。四是预约分保业务的稳定性较差。分出公司可以自由决定是否分出业务，且往往是将稳定性好的业务自留、将稳定性较差的业务进行分保，以稳定自己的经营，获得较大收益。

2. 预约分保的适用范围

预约分保一般适用于火险和水险的比例再保险方式。分出公司如有大额业务，超过合同分保限额的保额就可以运用预约分保来安排。当一个保险公司对一类特殊的业务办理临时分保的次数增多时，往往会考虑采用预约分保。这有利于将某类超过自留或固定合同限额的业务自动列入预约再保险合同，而不必安排临时分保。虽然预约再保险合同的接受人不能逐笔审查列入合同的业务，但却可以得到更多的业务，增加保费收入，求得业务平衡。一般分出公司要向分保接受人提供放入合同的业务报表。

二、其他再保险安排

（一）互惠交换分保

互惠交换又称回头业务，是指两个分保公司之间根据平等互利的原则，将各自承做的分保业务，按保险责任和保费数量对等地进行互换。其目的是，在分散风险的同时保持双方保费的收入和盈余不致减少。这种交换业务一般是以自己较好的分保业务交换对方较好的分保业务，即保险金额较大、保险责任较低、稳定性强的业务对等交换。互惠交换适用于比例分保合同，一般应以交换双方保费的对等和盈余的对等为基础。

互惠交换分保的积极作用表现在以下四个方面：一是提高分保公司的净保险费收入。分保公司的保险费收入不仅包括自留的直接保险部分的保费，而且包括交换获得的回头业务部分的保费收入。二是避免总保险业务量的减少。保险公司可用交换的业务去弥补由于分出业务而减少的业务量，维持保险公司的总业务量，有时甚至是增加了业务量。三是有利于业务结构调整，进一步分散风险、稳定经营成果。保险公司接受回头业务，意味着吸收了外来业务，可以优化自身业务结构，且交换业务有时是跨地区、跨国界的，从而可以实现风险的跨地域空间的分散，消除了单独保险公司业务活动的局限性。四是降低了保险公司的费用开支。保险公司通过交换业务可以获得再保险业务，这样就无须为争取再保险业务而设置各种特别的服务设施，节省了由此所需的各项费用，降低了总费用开支。

此外，互惠交换业务甚至可以替代直接保险公司向国外拓展业务，保险公司由互惠分保获得其他国家的再保险回头业务，就可以减少在国外建立分支机构经营业务的必要，节省经营成本。特别是在法律和事实上限制外国保险公司进入国内市场的情况下，直接保险公司无法得到国外业务。至于互惠分保在防止再保险费外流，保护国内市场等方面的作用，尤其是在经济不景气或经济衰退时，更是保险发展所需要的。

互惠交换分保业务需要注意的是风险分散的地域性，同时要谨慎选择保险公司及交换的业务品质。互惠交换业务有效的风险分散方式是与海外的保险公司进行风险交换。如果所交换的业务同属于一个地区时，就很容易发生责任累积，以至于风险过分集中。关于交换业务，高的保费收入就意味着大的损失可能，分保公司应该选择那些业务类型相对直接和能够产生稳定结果的业务，如成数分保和低层次溢额分保。至于保险公司的选择，必须注意其管理水平、财务状况、承保业务的地域分散情况和过去的承保结果等。

（二）集团分保

集团分保是指在再保险集团中，各成员公司按照所订协定，将业务的全部或一部分向再保险集团进行分保，集团再按照所商定的份额将业务分给各成员公司，并统一办理再保险。这实际上是构成集团的各个成员公司的比例再保险和业务交换的关系。

一般当保险公司面临以下四种情况时会采用集团分保的方式：一是承保一种意外的自然灾害，或者一种巨大风险需要相当大的承保能力，保险公司不可能独自承担；二是风险单位数量太少，不能运用大数法则；三是某些风险要求专业服务机构，而由一个单独的保险公司来提供保障是不经济的；四是涉及巨灾可能性的风险保障。

1. 集团分保的作用

集团分保可以开发新险种、提高对外竞争能力，帮助集团成员消化风险，同时可以降低成本、减少保费外流；集团分保具有再保险互惠机制：成员公司将承担的风险放入集团后，从集团中又分回若干成分。这样，成员公司既是原保险人又是再保险人，集团内的合同同时包含再保险和转分保的内容，这本身就是一种互惠机制，使各成员公司享受互惠业务。除此之外，集团分保可以扩大自留部分，自留保费也相应增加。由于集团分保的业务比较集中，费用可以降低，且通过集团积累的基金，可以增强应付巨灾的力量，有利于争取直接承保的业务。

2. 集团分保管理结构的运营

集团接受的业务，其金额并不是没有限制的，常常对每一危险要以最高额度限制，目的在于平分集团内的责任额，避免成员公司所负责任过大。集团内部将成员公司放入的业务，按其参与的成分分配。其主要有两个方法：一是原承保的成员公司参与分配，即将业务投入后，再分回原业务的一部分；二是除原承保的成员公司参与分配外，还有其他成员分配。前者的保费、赔款的计算、分摊、账单的编制等操作比较方便，但原承保公司已有自留责任，再予分回一部分，造成重复危险；后者虽可以免于重复承保责任，但其计算等工作较为复杂。

（三）转分保

转分保是指分保接受人参加再保险业务后，为了减少自身的承担责任，通过合同分保方式，将一部分或全部责任转分给其他再保险人。实际上，转分保是在原分保合同的基础上，重新组织安排的再保险合同，是对再保险业务的又一次分保。

1. 转分保的特点

对转分保分出公司来说，转分保合同的主要目的是分散风险，提高承保能力，同时还可以收取少量的转分手续费。转分手续费按转分保费的固定百分比率计算，通常为2.5%。再保险业务每转分一次，转分保分出公司就可以收取一次转分保手续费，而转分保的次数是没有限制的，转分业务转手的次数越多，其中支出的转分手续费也就越多，最终接受业务的人得到的分保费自然就越少。

2. 转分保的适用范围

专业再保险公司的分出业务均属于转分保性质。转分保多采用成数分保形式。由于在手续费方面多次收取，且容易责任累积，所以转分保合同往往被转分接受人冷落，除非业务质量非常好或与转分有特殊业务关系。

（四）法定分保

法定分保又称强制再保险，是指按照国家的法律法规，原保险人必须将其承保业务的一部分向国家再保险公司或由政府指定的再保险公司进行分保，即由国家法律规定强制实施。

关于法定分保的作用主要有以下三点：一是有利于保护本国保险业。通过法定分保对本国保险市场实施保护，即通过提高本国保险市场的承保能力，减少对外国公司的再保险依赖，控制分保费外流。法定再保险是世界各国通常的做法。新加坡、韩国、印度、埃及、伊拉克、阿尔及利亚、巴基斯坦、智利、阿根廷等国，都以法令规定国内保险承保的一项或全部保险业务按规定比例向指定的专业再保险公司办理再保险，即使日本、法国等发达国家也有类似法定分保的集团来控制再保险，保护本国保险业。二是加强对政府的监督管理，维护保单持有人的利益。通过法定分保，可以及时掌握保险公司经营状况，对其风险偿付能力进行监督，从而维护保单持有人的利益。三是法定分保有利于积聚资金，提高保险业的偿付能力。法定分保要求某种保险的全部业务必须按规定分出一部分，这就为所有经营此类业务的保险公司提供了最基本的再保险保障，以提高整个保险业的偿付能力。

第二节 再保险规划

再保险规划是保险公司运用各种再保险技术，将其所承担的风险或责任在国内和国际上的保险同行业之间进行转让与分散，实现承保能力的提高和业务经营成果的稳定。

一、再保险规划的目的

再保险规划主要有两个目的：一是提高承保能力，使自身能接受较高的承保额和较多的业务量；二是对于所承保的风险或责任要有合适的分保安排，避免风险集中或责任累积，尽可能分散风险，对于自留额部分要有足够的保障，从而稳定业务的经营成果。其工作内容主要包括合理制定自留额、选用合适的分保方式和合理核算费用，以实现最佳经济效益。

二、再保险规划的程序

（一）风险分析

1. 较大危险或损失的识别

在实务中，较大风险或损失是一个相对的概念，在不同的情况下有不同的理解。一是从保险标的上识别，较大危险或损失是指保险标的金额巨大，即巨额危险；二是从损失与保额的关系上来识别，较大危险或损失是指损失达到或超过保额的70%或80%；三是从分出公司对于承担风险的转让和分散上看，较大危险或损失应从所承保风险的结构和保费收入两个方面来识别与估量。

2. 中小危险的损失变动

对于分出公司来说，除了大的风险或损失，更多的是中小风险或损失，且中小风险单位的保额差距不大，一般一个或几个风险单位的损失不会影响分出公司业务经营的稳定。但是，风险的发生在各业务年度是不平衡的。由于风险的不确定性，各个业务年度的损失也处于上升或下降的变动过程中，某些年份如果大量中小风险单位发生损失，则可能使赔款额超过保费收入，导致业务经营发生较大的波动。因此，应注意针对中小风险的损失情况，选择合适的再保险方式。

3. 一次事故中的损失积累

保险公司一般以风险单位为基础承担责任。当保险事故发生时，损失的范围是不确定的，往往涉及多个风险单位，使一次保险事故损失的累积责任很大，如火灾洪水或地震将会造成大量风险单位或标的损失，赔款的积累是巨大的。因此，在制定再保险规划时，不仅要按每个风险单位安排再保险，还要考虑巨灾事故中一系列风险单位的再保险安排，以保障分出公司的累积责任。

4. 一个业务年度的损失积累

前三种情况基本上是按业务的种类来考虑再保险规划的问题。但在一个业务年度中，某种业务或各种业务的经营结果综合起来，有时所累积的赔款可能会超过总的保费收入。对于这种情况，分出公司在制定再保险规划时也应予以考虑，做妥善处理。

（二）自留额的确定

自留额是指分出公司自己所承担的责任限额。在比例分保方式中，自留额是按保额的一定成数或金额来确定的；在非比例分保方式中，自留额则是按赔款的一定数额来确定的。自留额的确定是再保险规划中十分重要的一环，自留额确定是否适当直接关系到分出公司的收益及经营稳定性。如果确定某种业务单一风险单位的自留额，仅从分出公司的业务和财务上考虑，主要有以下七个影响因素：

1. 资本额

自留额与公司的资本额呈正比例，保险公司的资本额越多，表明其财力越雄厚，业务承保能力和偿付能力就越强，相应地自留额越多；反之，则自留额越少。在实务中，从资本额的角度考虑，一般分出公司以两个或更长年度内资本所能承担的亏损来确定自留额。

例如，某分出公司拥有资本额 6 000 万元，对某种业务所能承担的亏损确定为资本的 10%即 600 万元。如以三个年度计算，则平均每年可承担的亏损为 200 万元，占资本额的 3.33%，这就是该分出公司根据自身财力所匡算的最高自负责任额或自留额。如果预测今后两年分出公司的经营结果无亏损，那么自留额可以相应地提高。

英国、德国、瑞士等国保险市场的资料表明，保险公司的主要业务如火险、水险等，对于每一危险单位的最高自留额一般为资本额的 0.5%~5%，可以认为不会影响业务经营的稳定性。这说明，在各个保险公司之间根据其自己的情况所确定的自留额有相当大的差距。相对来说，小的公司因其资本较少，其自留额占资本的百分比一般要高于大的公司，而其金额要少于大的公司。所以，在自留额的确定问题上很难说某个百分比是正确的，而只能说某个百分比对于某个保险是较为合适的。

2. 保费收入

保费量是反映业务规模的一个指标，保费量越大，说明保险的广度和覆盖面就越大。由于保险是建立在大数法则基础上的，保费量越大，风险覆盖面越广，保险公司经营的稳定性也就越强。由于这些原因，保险公司的保费量和自留额之间呈正比例关系。也就是说，保费量越大，自留额越高。这一规律也同样适用于分险种的自留额，不同的险种要根据该险种的实际经营情况来制定它的自留额，而保费量是其中的重要因素之一。

按西欧保险市场的资料，每一危险单位的自留额与年保费收入之间的比例保持在0.5%~5%比较适宜。例如，某分出保险公司拥有资本额3 000万元，计划年度保费收入7 500万元，按资本因素所确定的某种业务自留额100万元，则自留额占全年保费收入的1.33%，符合市场情况。

由于业务发展，保费收入增加，自留额可以相应提高。但是，为了保持业务经营的稳定性，不能按保费增长的同样比例调整自留额。上述资料表明，保费每增加50%自留额一般可调高20%，因此，在前例中，如保费增加50%计11 250万元，自留额调高20%计120万元，为资本3 000万元的4%仍保持在通常的幅度之内。

需要注意的是，保费收入增加并不意味着都要提高自留额，而应根据影响保费收入的不同情况加以区别对待。保费收入一般与保险金额、损失率和承保单位有关。如果保费收入增加仅仅是因为保险金额增大，则自留额的比例不但不能提高，反而应该予以适当地降低，因为保险金额越大，风险的密集程度就越高，一旦保险事故发生，损失也必然大；如果保费收入增加仅仅是因为损失率的提高，那么自留额也只能降低而不能提高；如果保费收入增加仅仅是因为承保单位的增加，那么就有利于自留额的提高，因为承保单位的增加，就意味着风险的分散。由此可见，保费分析对自留额的确定和再保险的规划是十分重要的。

3. 风险损失概率

风险损失概率的情况对自留额的确定具有重要的影响。保险公司都十分注重所经营的业务整体和各险种的赔付率情况。作为商业保险公司，盈利是经营的目标，而风险损失概率对盈亏的程度是至关重要的。一般情况下，保险公司会尽量将风险的损失概率低、效益好的险种的自留额保持在较高的水平，反过来将风险的损失概率高、效益不好的险种的自留额保持在较低的水平。在制定年度的某险种自留额时，保险公司一定会考虑上一年该险种的风险的损失概率情况，并结合前几年的赔付记录制定出一个符合自己实际情况并可以承受的自留额。

4. 保险费率

保险费率是根据大数法则和概率论制定的，如果分出公司制定的费率公平合理，那么分出公司的保费收入和赔偿责任之间就容易取得平衡，这时公司的自留额就可以提高。由于竞争或其他原因，分出公司有时对某些危险单位确定很低的费率。对于这些危险单位，分出公司的自留额应相应缩小，但分保接受人对是否接受该项业务往往持谨慎态度。

5. 保险金额

保险金额取决于所保危险是否集中或责任是否有累积，若所保危险集中或责任累积的可能性较大，则其保险金额就大。如对航天飞机和人造卫星等巨额标的的保险，由于其价值很高，风险十分集中，保险金额很高，分出公司对于这类危险单位的自留额应视保额的变化来确定，当保额增大时，自留额可以相应增加，当然也可以保持不变。

6. 赔款和费用

分出公司是通过收取保费建立保险基金，用于对遭受损失的被保险人予以补偿，所收取的保费收入应能抵付赔款和业务费用。当保费收入不足以抵付赔款和业务费用时，就要动用资本。即在确定自留额时，既要考虑保费的因素，也要考虑赔款和业务费用因素。

7. 经济周期

自留额受到经济周期的影响。一般来说，在高峰阶段，费率和保费量都处于较大水平，道德风险的可能性较小，自留额可相应保持较高水平；在衰退阶段，费率出现下降，保费量开始萎缩，道德风险的可能性增加，自留额应调低；在萧条阶段，费率处于较低水平，保费总收入比高峰阶段大幅减少，处于道德风险的多发期，自留额应尽可能保持低水平；在恢复阶段，费率开始回升，保费量逐渐增大，道德风险的可能性减少，自留额可适当调高。

不同险种受经济周期影响的程度有所不同，对不同的险种也要根据该险种的特征做出相应的调整。由于自留额的确定一般是一年一次，所以在考虑经济周期这一因素时，对经济周期内每一阶段的时间要有尽可能准确的判断，要尽量避免由于时间判断上的失误而造成确定自留额的错误。

（三）经营收益的匡算

分出公司在进行再保险规划时，对拟选用的再保险方式要进行经营收益匡算，通过比较权衡来判定再保险规划的合理性。下面通过举例对经营收益的匡算问题加以说明。

例 7-1 某分出公司火险业务的基本情况如下：

全年保费收入 100 万元；

费用开支占保费的 35%，计 35 万元；

赔款占保费的 50%，计 50 万元；

全年火险业务经营收益率为 15%，计 15 万元；

单一风险单位自留额占保费的 1%，计 1 万元；

所需承保能力为 50 万元，尚有余额 40 万元需办理分保。

成数、溢额和险位超额赔款三种再保险方式均可以运用于单一风险单位的再保险，现分别匡算如下：

1. 成数分保

在成数分保方式下，分出公司对每一风险单位的承保能力为 5 万元，分出公司自留 20%、自留额为 1 万元，分保接受公司承担 80%，计 4 万元，分保手续费的比例为 40%，则分出公司和接受公司全年的保费与收益分配如下：

全年保费分配：

分出公司 100×20%＝20（万元）

接受公司 100×80%＝80（万元）

全年收益分配：

分出公司 20 万元（保费）−35 万元（费用）−10 万元（赔款）+32 万元（再保险手续费）＝7 万元

接受公司 80 万元(再保险费)-32 万元(再保险手续费)-40 万元(赔款)= 8 万元

由于成数分保方式要将全部业务（包括保额在自留额以内的业务）按固定比例分给接受公司，并且按相同比例分配保费，再保险费支出较多，分出公司收益较少。经营收益的匡算如表 7-2 所示。

表 7-2　分出公司经营收益的匡算（成数分保）　　单位：元

项　目	借　方	贷　方
保费收入		1 000 000
费用开支（35%）	350 000	
付出分保费（1 000 000×80%）	800 000	
减：分保手续费（80 000×40%）	-320 000	830 000 170 000
赔款	500 000	
减：摊回赔款（500 000×80%）	-400 000	100 000
净收益		70 000

2. 溢额分保

在溢额分保方式下，分出公司对每一危险单位的自留额为 1 万元，分保额为自留额的 4 倍，计 4 万元，分保手续费为 35%。在这种分保方式下，10 万元以下的危险单位的业务全部由分出公司自己承担，自留保费收入可以增加。所以，在分出公司与接受公司之间对于全部业务匡算的经营收益 15 万元的分配是：分出公司获得 8 万元，较成数分保有所提高；接受公司获得 7 万元。经营收益的匡算见表 7-3。

表 7-3　分出公司经营收益的匡算（溢额分保）　　单位：元

项　目	借　方	贷　方
保费收入		1 000 000
费用开支（35%）	350 000	
付出再保险费	600 000	
减：分保手续费（60 000×35%）	-210 000	740 000 260 000
赔款	500 000	
减：摊回赔款	-32 000	180 000
净收益		80 000

3. 险位超赔分保

在险位超赔分保方式下，每一风险单位的自留额为 1 万元，接受公司责任限额为超过1万元以后的4万元，再保险费占保费的20%，计20万元。假定在50万元赔款中发生超额赔款10笔，共计15万元，即分出公司可获得摊回赔款15万元。在这种分保方式下，接受公司不支付再保险手续费。由于险位超赔分保是以赔款为基础分配责任，再保险费率不按原保险费率计算，而是由再保险双方按业务情况议定。如果业务质量好，费率可低一些，因而分出公司自留保费较多。经匡算，全年收益为15万元，其中分出公司获得10万元、接受公司获得5万元。分出公司经营收益的匡算如表7-4所示。

表7-4　分出公司经营收益的匡算（险位超赔分保）　　单位：元

项 目	借 方	贷 方
保费收入		1 000 000
费用开支（35%）	350 000	
付出再保险费（1 000 000×20%）	200 000	
减：分保佣金	0	550 000 450 000
赔款	500 000	
减摊回赔款	-150 000	350 000
净收益		100 000

以上三种分保方式经营收益的匡算结果表明，如果选用超赔分保，分出公司的收益较多。但是，险位超赔分保不能用于业务交换，没有回头业务保费收入，而且费率每年都可能变动，有较大的波动性。如选用成数或溢额分保，虽然收益较少一些，但却可以进行业务交换，获得回头业务保费收入和盈利机会，且有利于建立保险公司之间长期稳定的业务合同关系。所以，分出公司应该根据其经营方针和具体业务，权衡利弊，做出选择。

第三节　财产再保险规划

一、火险再保险规划

（一）火灾保险概述

火灾保险是一种传统的保险业务。火灾保险只是历史遗留下来的一个名称，因只承保陆上财产火灾风险而得名。在我国，火灾保险指企业财产保险和家庭财产保险，主要承保因火灾、雷击等造成的财产损失。在火灾再保险规划工作中，自留额和分保额的确定有别于其他财产保险。

（二）火险再保险自留额和分保额的确定

对于火险业务单一风险单位的分保安排，可以采用成数分保、溢额分保或险位超赔分保的方式。但不管采用何种分保方式，首先应确定自留额和分保额。在具体运用时，要考虑不同风险对象的特点来确定自留额和分保额。由于火灾保险的危险性质或程度，因财产占用性质、建筑材料与结构等因素而有较多差别，而且不同标的的保额差别较大，因此，火险分保安排一般采用溢额分保方式。关于火灾保险分保的自留额和分保额规定，可以分为以下两种情况：

1. 按保险金额和危险等级规定

单一危险单位一般按其危险性质或程度分为若干等级，按其保险金额和危险等级规定自留额和分保额。

第一，按保险金额规定。

有一工厂保额为 1 000 万元按保险金额确定自留额和安排分保时的情况，如表 7-5 所示。

表 7-5　按保险金额确定自留额和分保额

自留额/元	自留额百分率/%	溢额分保/元	百分率/%	临时分保/元	百分率/%	保险金额/元	百分率/%
200 000	2	800 000	8	9 000 000	90	10 000 000	100

第二，按危险等级规定。

如规定：一类危险单位的自留额为 10 万元，分保额为自留额的 4 倍即 40 万元，最高承保能力为 50 万元；二类危险单位的自留额为一类危险单位的 60% 即为 6 万元，分保额为自留额的 4 倍即 24 万元，最高承保能力为 30 万元；三类危险单位的自留额为一类危险单位自留额的 30% 即为 3 万元，分保额为自留额的 4 倍即 12 万元，最高承保能力为 15 万元，如表 7-6 所示。

表 7-6　按危险分类确定自留额和分保额

危险分类	百分率/%	自留额/元	分保额/元	承保能力/元
一类	100	100 000	400 000	500 000
二类	60	60 000	240 000	300 000
三类	30	30 000	120 000	150 000

2. 按最大可能损失规定

分出公司对承保大的工业或商业单位的火险保单有时包括若干地点，即使在同一地点，也可能划分为若干危险单位，并且保险金额很大，但这种标的一般不会在同一事故中遭受全部损失，因而分出公司对一个危险单位采用估计的最大可能损失而不是按保险金额作为自留额和分保额的基础。

例如，有一工厂保额为 1 000 万元，估计最大可能损失为保额的 10%，计 100 万元，按最大可能损失确定自留额和安排分保时的情况如表 7-7 所示。将表 7-5 按保险金额和表 7-7 按最大可能损失两种不同的基础所规定的自留额与安排分保时的情况进行比较，可以更清晰地理解按最大可能损失确定这种情况的内涵。

表 7-7　按最大可能损失确定自留额和分保额　　单位：元

自留额	百分率/%	溢额分保/元	百分率/%	最大可能损失/元	共计相当于保额/元	百分率/%	自留额/元
200 000	20	800 000	80	1 000 000	10 000 000	100	200 000

需要说明的是，采用按最大可能损失的方法仅仅与分出公司和接受公司之间的责任分配有关，而不影响对原保险合同投保人所承担的责任，即分出公司仍按保额和实际所发生的损失负责赔偿，同样分入公司也应按实际损失摊付赔款。如发生的实际损失是300万元，而不是所估计的100万元，则分出公司对保户应赔偿300万元，向接受公司摊回240万元，自己承担60万元。所以，采用这种方法，虽然分出公司在这笔业务中所占有的比例可以由2%增加为20%，但所承担的风险也相应地增加了。因此，为了防止分出公司对危险所造成的损失估计过低，在实际业务中，对最大损失的估定是有规定的，对接受公司所承担的责任也有所限制。对一些以最大可能损失为根据计算限额的合同，当估计偏差太大时，分出公司对超过部分要分摊一定的比例。

（三）火险业务再保险规划

火险业务再保险规划的制定一般包括以下两个部分：

1. 单一风险单位的责任

如果甲公司的火险再保险规划采用溢额分保方式，并以保险金额为基础安排自留额为20万元，同时组成第一溢额和第二溢额两个溢额合同，另外还有一个预约分保合同，承保能力为400万元，分配如表7-8所示。

表 7-8　甲公司的再保险安排　　单位：元

自留额	200 000
第一溢额（8线）	1 600 000
第二溢额（6线）	1 200 000
预约分保（5线）	1 000 000
总承保能力	4 000 000

2. 一次事故中的累积责任

如果发生一次巨灾事故涉及许多风险单位，会产生累积责任，这样就可以采用事故超赔分保方式予以保障，确定分出公司的自留额为溢额分保自留额的2倍，计40万元，所需最高分保责任额为400万元。对此，可以规划安排三层事故超赔分保合同：

第一层：超过40万元以后的60万元；

第二层：超过100万元以后的100万元；

第三层：超过200万元以后的200万元。

如果发生一次大的火灾事故，有甲、乙、丙三个风险单位发生部分损失，则它们的保额和赔款分摊情况分别如表7-9、表7-10、表7-11所示。

表 7-9　甲风险单位对保额和赔款的计算

项目	保额/元	百分率/%	赔款/元
自留额	200 000	13.33	99 975
第一溢额	1 300 000	86.67	650 025
总计	1 500 000	100	750 000

表 7-10　乙风险单位对保额和赔款的计算

项目	保额/元	百分率/%	赔款/元
自留额	200 000	6.66	133 200
第一溢额	1 600 000	53.34	1 066 800
第二溢额	1 200 000	40	800 000
总计	3 000 000	100	2 000 000

表 7-11　丙风险单位对保额和赔款的计算

项目	保额/元	百分率/%	赔款/元
自留额	200 000	4	180 000
第一溢额	1 600 000	32	1 440 000
第二溢额	1 200 000	24	1 080 000
预约分保	1 000 000	20	900 000
临时分保	1 000 000	20	900 000
总计	5 000 000	100	4 500 000

由于分出公司对于上述三个风险单位在溢额分保合同项下自留额的累积赔款为 413 175 元，超过了事故超赔分保合同项下的自负责任额 400 000 元，因此，事故超赔分保合同的分入公司应摊付超过的 13 175 元赔款。

在这次火灾事故中，甲风险单位的赔款为 750 000 元，乙风险单位的赔款为 2 000 000 元，丙风险单位的赔款为 4 500 000 元，总计 7 250 000 元。赔款的摊付情况如表 7-12 所示。

表 7-12　三个风险单位的赔款摊付情况

项目	赔款/元	百分率/%
第一溢额	3 156 825	43.55
第二溢额	1 880 000	25.93
预约分保	900 000	12.41
临时分保	900 000	12.41
事故超赔	13 175	0.18
自负责任	400 000	5.52
赔款总额	7 250 000	100

二、水险和航空险再保险规划

水险再保险一般分为货运险再保险和船舶再保险。货运险再保险规划是对于单一危险的再保险安排。一般是采用成数分保作为基础，以适合中小业务的需要；再结合溢额分保，以满足较大业务的需要。当所承保的责任超过合同的最高限额时，则再安排临时分保或预约分保。另外，对于港口和码头仓库无法预知的积累责任，一般安排事故超赔分保予以保障，对于特大责任可能还要分层设计。船舶险分保安排与货运险分保安排类似。不过，自留额的确定一般是以每艘船作为风险单位，根据船舶的种类（如海运或内河运输）、船龄（如 15 年以上和 5 年以下等）、等级（由船级社会确定）的规定不同而不一样，或者只按船舶的分类规定单一的自留额，至于船龄等因素可以在费率上进行调整。

（一）货运险再保险规划

货运险承保基本风险和特殊风险。基本风险是指货物在运输过程中所遭遇到的自然灾害和特殊风险。其中，自然灾害是指不以人们意志为转移的自然界力量所引起的灾害；特殊风险是指由于军事、政治、国家的政策法令以及行政措施等特殊原因引起的风险。货运险常见的特殊风险有交货不到、拒收、战争、罢工等。

货运险再保险规划是对货运险分保所做的规划。货运险再保险合同承保的风险通常只包括基本风险，通常可以将普通货物及贵重物品包括在内，但须采用特别条件予以分保。危险单位的确定方有：以每一保险单为基础和以每艘船的每个航次为基础，并可以根据船舶的种类、船龄和船级来确定。对于原保险人自留额的确定，一般以一艘船的一个航次作为一个危险单位，结合船舶种类、船龄、等级等因素来考虑。通常，货运险保险是采用预约保单承保，安排货运险再保险时须注意责任累积。

为增加净保费的收入，对成数再保险合同可以安排险位超额赔款再保险，以保障再保险双方当事人的利益，对港口和码头仓库无法预知的责任累积，可以安排超额赔款再保险。自留额一般分为两个危险单位，最高限额则视具体情况而定，并可以分层次安排。货运险的再保险规划主要包括两个部分：单一危险单位的责任，可以采用成数再保险和溢额再保险；一次事故中的累积责任，可以采用事故超赔再保险，以保障在港口和码头仓库的积累责任。

例如，成数合同的原承保能力为 50 万元，自留 20%计 10 万元，分出 80%计 40 万元。如果将承保能力提升为 100 万元，则可以对此安排超过 50 万元以后的 50 万元的险位超赔。

对于港口和码头仓库无法预知的责任累积，可以安排事故超赔保障，自留额一般视为两个风险单位，最高限额应视具体情况而定，并可以分层次安排。综上所述，货运险的再保险规划包括两个部分，现举例说明。

1. 单一风险单位的责任

例 7-5 假定对某一货运险安排了成数分保和溢额分保。成数合同的承保能力是 100 万元，自留 20%计 20 万元，分保 80%计 80 万元。并对成数分保安排了超过 50 万元以后的50万元的共同险位超赔分保，以保障分出公司和接受公司的责任。这样分出公司的净自负责任额为10万元，接受公司的净分保额为40万元。又在成数分保的基础上安排了溢额分保，承保能力为成数合同限额的2倍，计200万元，这样对货运险的承保能力为300万元。因此，对该批货物的分保安排是由三个分保合同组成的。其结构如下：

成数分保合同

自留额20%	200 000元	
分保额80%	800 000元	
		1 000 000元
溢额分保合同	2 000 000元	
		3 000 000元

共同险位超赔合同

超过50万元以后的50万元

2. 一次事故中的累积责任

假定采用事故超赔分保，以保障在港口和码头仓库的累积责任，自负责任额确定为成数合同净自留额的2倍，计20万元。所需最高限额为200万元，分为以下三个层次：

第一层：超过20万元以后的30万元；

第二层：超过50万元以后的50万元；

第三层：超过100万元以后的100万元。

例7-6 如有一艘船在航运中遇到风浪，所载保险货物遭受损失，保额为160万元，货损为100万元。按照分保规划，其分保和赔款分配如表7-13所示。

表7-13 分保和赔款分配

项目	成数分保合同	溢额分保合同
保险金额160万元	100万元（62.5%）	60万元（37.5%）
赔款金额100万元	62.5万元	37.5万元

由于成数合同项下的赔款62.5万元已经超过共同险位超赔合同自负责任50万元，则成数合同项下的净赔款为50万元，共同险位超赔合同项下的摊付赔款为12.5万元。对于成数合同项下的净赔款50万元，分出公司摊付20%，计10万元，接受公司摊付80%，计40万元。由于这次损失是船只在航运过程中遭受风浪造成的，没有涉及港口和码头仓库的累积责任，因而事故超赔分保合同项下没有摊付赔款。

这次货损的全部赔款100万元摊付结果如下：

分出公司自负赔款10万元

成数合同摊付赔款40万元

溢额合同摊付赔款37.5万元

共同险位超赔合同摊付赔款12.5万元

赔款总额为100万元

（二）船舶险再保险规划

船舶险再保险承保自然灾害和意外事故。船舶再保险具有在航行和建造中均可投保、战争风险需要特别承保、可以采用成数溢额混合再保险方式按照承保年度方式进行核算和账单编制、没有未满期业务的转入和转出等特点。影响自留额的因素主要有船舶的业务类型、吨位、检验机构和定级船龄、以往索赔记录。船舶险再保险规划对于单一风险单位责任的分保安排基本上与货运险相似，一般是以成数分保合同为基础的，并安排溢额分保以提高承保能力。

由于船舶险的保额在承保时可以掌握，同时也为了便于按船舶等级规定不同的自留额，因此也有以溢额分保为基础，并结合多层次的溢额分保以提高承保能力。如果这样安排仍不能满足，还可以安排预约分保或临时分保作为补充。分出公司对于自留额的确定一般是以每艘船作为一个风险单位，并可以根据船舶的种类、船龄、吨位和船级等规定不同的自留额；也可以按船舶的分类规定单一的自留额，对于船龄等因素，可在费率上进行调整。例 7-6 的具体情况如表 7-14、表 7-15 所示。

表 7-14　船舶险成数分保　　单位：万元

项目	承保能力	自留 20%	分出 80%
海运船只，钢壳	100	20	80
内河运输船只，钢壳	40	8	32

表 7-15　船舶险溢额分保　　单位：万元

项目	承保能力	自留额	分保额(4 线)
海运船只，钢壳，10 万吨位以上，船龄 15 年以下，等级 100A1	100	20	80
海运船只，钢壳，1 万吨位以下，船龄 15 年以上，等级 100A1	80	16	64
内河运输船只，钢壳	40	8	32

如果对某类货轮单一风险单位的责任采用分层溢额分保，每艘船的自留额确定为 20 万元，第一溢额为 5 线，计 100 万元；第二溢额为 4 线，计 80 万元；预约分保为 2 线，计 40 万元，总承保能力为 240 万元。现有一艘船需要 300 万元的承保能力。分保安排规划如下：

自留额	20 万元
第一溢额（5 线）	100 万元
第二溢额（4 线）	80 万元
预约分保（2 线）	40 万元
临时分保	60 万元
总保额	300 万元

分出公司对于船舶险的承保责任既有海上风险也有战争风险，既有船舶全损的可能也有船舶部分损失的可能，既有船舶的物质损失也有因碰撞引起的责任，既有共同海损分摊也有救助费用开支。由于其责任范围很广，因此，必须将这些责任纳入分保

安排，以获得保障。

船舶的非比例分保方式，一般应用于保障一次事故中的累积责任或一年中的累积责任。

（三）航空险再保险规划

航空险是一种以飞机以及与飞机有关的责任为保险标的，承保飞机在航行或运输中由于遭受自然灾害或意外事故造成的飞机本身损失、货物损失及旅客的人身伤亡依法应由被保险人承担的赔偿责任的保险。此外，保险人还负责因意外引起的飞机拆卸、重装与运输和清除残骸的费用。飞机战争、劫持险承保战争、劫持、敌对行为、武装冲突、飞机被扣留、没收或第三者恶意破坏等风险的保险。

航空险是综合性险种，风险集中、专业性强，多以机队的形式投保。飞机险涉及飞机自身损失和第三者责任。再保险安排基本采用临时再保险的方式，保障对象往往限于分出人所在国登记的飞机，多采用集团联盟的形式承保飞机损失、费用以及引起的被保险人对第三者或旅客应负的法律责任。

飞机机型不同使保险责任差别较大。国际分保市场将大型飞机分为三种机队：宽机身机队包括波音 747、波音 757、波音 767 及空中客车、DC-10 等，窄机身机队包括波音 707、波音 727 及三叉戟、伊尔等，混合型机队包括波音 737、DC-8、DC-9 等。航空险超赔分保的自留额可以根据不同种类的飞机，按其年保费收入的 1%左右掌握。如某航空公司宽机身机队，全年交付保险费 50 000 万元，每架飞机自留额为 500 万元，占全年保费的 1%最高赔偿额度是根据对飞机、第三者责任、旅客法定责任、货物法定责任的保额或赔偿限额来确定的。如飞机机身保额为 10 000 万元，第三者责任（每次事故）赔偿限额为 100 万元，旅客法定责任（事故）赔偿限额为 3 000 万元，货物法定责任（每次事故）赔偿限额为 400 万元，最高赔偿额度为 13 500 万元。据此，事故超赔分保可以分为以下四个层次：

第一层：超过 5 000 000 元以后的 5 000 000 元；

第二层：超过 10 000 000 元以后的 15 000 000 元；

第三层：超过 25 000 000 元以后的 35 000 000 元；

第四层：超过 60 000 000 元以后的 75 000 000 元。

航空再保险主要应用固定合同分保。但由于各种原因，安排临时分保的重要意义对航空保险比对其他险种更加重要，许多再保险人对那些航班机队宁愿采用临时分保。各个航线的发生或未发生的全损造成航空险业绩的巨大波动，需要依据长期的观察来分析航空险的以往记录。近几年，在国际市场安排航空险采用合同方式比较困难。大多数情况下，公司对于承保私人和工业辅助飞机，采用临时分保，定期航线一般也多在国际市场安排临时分保。

如果公司有可能承保一个航空业务总量，主要是来源于承保私人飞机、小规模工业辅助机队或民航机队，通常应用成数和溢额混合分保。承保限额对“机身”“第三者法定责任”“旅客法定责任”和“个人意外”等风险，按照特殊市场的要求分别制定，由分出人设想预期的自留额和分散责任限额。

如果分保人想避免机库、修理工厂或机场等危险单位的责任累积，可以买一个巨灾超赔保障，以保护可能在大火、飓风或任何其他事故发生时所造成的自留额的累积损失的责任。

三、汽车险和责任险再保险规划

（一）汽车险再保险规划

汽车保险是财产保险中的重要组成部分，属于综合性保险业务。世界各国的汽车保险均包括车辆损失险和第三者责任保险。汽车保险包含的范围广，且出险频率高，保险人承担的风险责任较大。因此，汽车保险的原保险人有必要通过再保险转移风险。

汽车保险的原保险人出立的保单大多是综合性保单，其保险责任一般包括三个方面：车辆损失及盗抢、对第三者的财产损失与人身伤亡责任以及保险车辆上驾驶员和乘客的人身意外伤亡。由于一次车辆事故的损失范围可能不仅限于车辆本身的损失和本车上人员的伤亡，往往还会造成第三者责任。因此，对于汽车险的再保险规划，可以按每次事故安排超赔分保，保障范围包括上述三项责任。由于汽车的损坏有保额的限制，所以在制定再保险规划时还需分层次安排分保。

汽车保险超赔分保的自留额一般是在年保费收入的1%以下，如全年汽车险的保费为1 000万元，自留额可确定为8万元，占保费的0.8%。最高赔偿限额根据对汽车、第三者责任和人身意外伤害的赔付责任来确定。如果汽车保险的车身保额10万元，第三者责任（每次事故）赔偿限额为50万元，人身意外伤害保额为20万元，则最高赔偿限额为80万元。据此，事故超赔分保可以分为以下三个层次：

第一层：超过8万元以后的12万元；

第二层：超过20万元以后的20万元；

第三层：超过40万元以后的40万元。

（二）责任险的再保险规划

责任险的种类较多，有公众责任险、雇主责任险、产品责任险和职业责任险等，所包括的责任大致有人身伤亡、物质损失和经济损失三个方面。责任险的特点是在一次事故中可能涉及多方面的责任。如有一工厂发生爆炸事故，可能同时涉及本厂的工作人员和公众的人身伤害以及财产损失。所以，在责任险再保险规划中，可以安排综合的责任险超赔分保，并按不同的种类分别规定自负责任额和分保额；也可以按责任险的不同种类分别采用比例或非比例方式安排分保，以适应业务经营的需要。为了保障分出公司全年全部业务自留部分的责任累积，还可以安排赔付率超赔分保。因此，责任险再保险规划包括以下两个部分：

1. 一次事故的责任

以公众责任险为例，自留额一般为保费的0.5%~5%，如全年保费为200万元，以保费的2.5%计算，则自留额为5万元。分保限额是根据保单的责任限额，即保额来确定的，这在保单中可以分项列明。如一次事故中人身伤亡为30万元，物质损失为10万元，其他经济损失为10万元，共计50万元。也可以将这50万元作为保单的综合单一责任限额而不分项列明项目。据此，可以安排成数分保或超赔分保如下：

第一，成数分保。

承保限额	50 万元
自留额 10%	5 万元
分保额 90%	45 万元

第二，超赔分保。

第一层：超过 5 万元以后的 5 万元；

第二层：超过 10 万元以后的 15 万元；

第三层：超过 25 万元以后的 25 万元。

2. 年度的累积责任

年度的累计责任可以采用赔付率超赔分保方式。假定分出公司的自负责任和接受公司的分保责任规定如下：

分出公司自负责任额：赔付率为净保费的 80%。

接受公司分保责任额：赔付率超过 80%以后至 120%，即超过 80%以后的 40%；并对接受公司的责任额有 90%的共同再保险规定。

例 7-7　假如全年净保费收入为 500 万元，赔款为 450 万元，占净保费的 90%，关于分出公司自负责任和接受公司的责任计算如下：

分出公司责任额 = 500×80% = 400（万元）

接受公司分保额 = 450−400 = 50（万元）

在 90%共同再保险条件下的 50 万元赔款中：

分出公司负责 50×10% = 5（万元）

接受公司负责 500×90% = 45（万元）

由于公众责任险包含的内容十分广泛，每一风险的潜在损失都是很难估计的，所以只能制定一张比较实用的限额表，直接承保公司对此类业务一般采用比例分保方式。目前，市场上对美国和加拿大承保的公众责任险的风险限制是很严格的，甚至某些产品的责任保险已被认为是不可保的，如石棉、烟草产品等。一般来说，一个承保公众责任险业务量较大的公司，也可以考虑安排一个超赔保障。

四、工程险再保险规划

工程险是一种财产保险和责任保险的综合保险。它分为两类：一类是保障不定期的持久的装置风险，主要包括机器损坏险、机器利润损失险、电子设备险以及锅炉险，这类保单通常每年续转；另一类是保障临时的非循环的风险，主要包括安工一切险和建工一切险的责任保险，其保障期只限于保证期、安装期或建筑期。

工程险的保险金额之间存在着不均衡的情况，其中“机器破损”“承保人的设备”和“电脑”的保险金额相对来说比较平衡；“安装一切险”和“建筑一切险”的保险金额却有着很大差别。因此，原保险人只能对一些被认为是正常的风险安排合同分保，而对那些极高的风险必须安排临时分保。

工程险的自留额是按工程的各种不同的危险等级来确定的。表 7-16 是瑞士再保险公司常用的自留额百分比表。

表 7-16　自留额百分比

险别	最高自留额
一、建工一切险	
第 1 类	
土木工程	
——水或其紧靠的邻近范围	
——矿区或类似区域	
长廊或隧道；码头、防波堤、水闸；公路、运河	
第 2 类	50%
在稳定的地基上（包括较低的地下水平）的土木工程	
水坝和拦河坝	
建筑变换包括支撑结构的重建	
第 3 类	
10 层以上的建筑及 2 层地下室	
工业建筑物如工棚、地窖、大容器、烟囱、仓库和诸如此类的建筑物（包括活动房屋、部件以及金属结构）	70%
建筑物改建但不改变支撑结构	
第 4 类	
10 层以下的建筑及地下室	
建筑物在本级内的改建但不改变支撑结构	100%
二、施工设备险（每一现场）	40%
三、安工一切险	
第 1 类	30%
机器	
第 2 类	30%
火力发电厂（蒸汽、煤气、柴油）	
化学和石油化学厂	
炼油厂	
化肥厂	
塑料厂	
矿井	
铝工艺	
基本金属开采、高炉、铸造	
轧钢厂	
合成纤维、合成橡胶	
第 3 类	70%
金属及电气设备制造	
水泥和玻璃工艺	
制糖厂	
第 4 类	100%
砖瓦工艺	
印刷所	
食物和饮料工业	
木材、皮革和纺织工业	

表7-16(续)

险别	最高自留额
四、机器损坏险	
第1类	30%
生产动力（蒸汽、煤气、柴油）	
地面矿井、采石场	
基本金属开采和轧钢厂	
化学和石油化工厂	
合成纤维、橡胶、其他合成品	
港口和建筑起重机	
第2类	60%
水力发电厂	
建筑业（水泥、石料、玻璃等）	
木材和木材锯木厂（胶合板、层压板）	
纸张和纸厂	
糖和食油厂	
铝工艺	
塑料加工	
第3类	100%
变电所和变压器组	
木制品精加工工业	
纸精加工和印刷工业	
皮革和纺织工业	
制药厂	
其他食品和饮料工业	
不能归于第1类和第2类的所有工厂	
单个机器：上述工厂限额的一半	
五、锅炉爆炸（单独限额）	30%
六、机器损坏利润损失	
补偿期：3个月	50%
6个月	37.50%
9个月	30%
12个月	25%
七、冷藏库因损坏造成的损失	30%
八、计算机	
物质损失（包括火灾损失）	50%
物质损失（不包括火灾损失）	100%
增加成本	25%
损失资料媒介	25%
对3个保障的累计自留额不超过	100%

第四节 人身再保险安排

一、人身再保险的特点

人身保险业务每一风险单位的保额不高，利用再保险以分散风险的重要性并不显著。但随着经济发展和人们收入水平的不断提高以及保险意识的增强，加之个人高额保险单和团体保险的日益增多，保险人的累积责任增大，再保险的重要性相对提高。

二、人身再保险的作用

人身保险业务在经营过程中，会因费率的高低、业务量的大小、保险金额的均等与否以及巨灾风险的发生等因素的变化而出现不稳定的局面。由于人身保险企业经营的特殊性，它与非人身保险企业承担的风险和财务管理方面有着显著的区别，通过再保险可以有效分散风险，减轻巨额风险对保险人的压力，保证保险业务健康稳定地发展。因而，人身再保险有着十分重要的作用。

（一）分散风险，增强财务实力

根据大数法则的要求，保险人在经营中必须做到保险标的在数量上尽可能多，每一危险单位的保险金额尽可能均衡。但在实际业务中，保险人承保的被保险人差别较大，每份保单的保险金额高低不等。原保险公司有时承保大量高额的保单，可能因经验波动或其他事件而遭遇大量高额索赔，尤其是小型公司或刚成立的公司承保的数量不够大，会导致原保险公司无力承担巨额赔款或对其偿付能力产生影响。从长远看，也会对原保险公司的财务收支造成不稳定的波动。但通过再保险，原保险公司可以将巨额风险转化为小额风险，分散给再保险公司，将死亡率波动的风险减至最低，有效地预测经验死亡率，增强公司的财务实力。

（二）提高业务经营能力

如果没有再保险安排，原保险公司基于自身的偿付能力和核保经验，在很多情况下无法接受保额过大或非标准体的保单。因为这样做，会影响其经营的稳定性，对保险公司来说是一种冒险行为，而对被保险人来说，将意味着可能得不到补偿或给付。但是，选择性承保必然会丧失许多得之不易的业务，减少业务量，而且还有可能会因为违背大数法则而增加经营风险。通过再保险安排，因为有了风险控制和再保险公司的核保帮助，原保险公司便可以承保一些原本不能接受的保单，从而提高业务经营能力，增加保费收入。另外，也能增强代理人员和保户对原保险公司承保能力的信心，从而提高公司在市场上的竞争能力。

（三）减轻新保单成本负担

人身保险公司在取得新保单的第一年所支出的费用（包括代理人的佣金、出单费用、核保费用等）及预留的责任准备金往往会超出当年所收保费。通过再保险，原保险公司可以将其中的一部分费用转给再保险公司承担，从而使其不至于因当年取得大量新保单而影响公司的盈亏。

（四）促进新险种的发展和新市场的开拓

人身保险公司在发展某一新险种或在某地区开拓新业务时，由于缺乏技术和经验，往往造成财务的波动或难以打开局面。通过再保险，就可以获得再保险公司的技术和经验，并将可能的财务风险转嫁出去，从而达到顺利开拓新险种或新市场的目的。

（五）获得核保援助和其他技术与经验

再保险公司一般都具有丰富的专业核保经验和知识以及其他人身保险专业的技术与经验。通过再保险合作，原保险公司不仅可以得到再保险公司对大额或非标准体保单的核保技术支持，而且可以获得精算、条款、业务管理等方面的技术支援和专业意见，对于原保险公司的整体经营及发展有极大的帮助和促进作用。另外，原保险公司还可以通过一些特定的再保险安排，达到增强自身财务实力、暂时提高盈余或减轻税务负担等目的。

三、人身再保险的方式

大多数人身保险采用比例分保方式。比例分保的计算基础有两种：一是按原始条件冉保险，由直接保险人分出一部分保险金额给冉保险人作为成交的基础，冉保险费率与原保险相同，再保险人按接受业务的比例提存责任准备金；二是以危险保险费为计算基础的再保险。这种计算方法仅适用于死亡险的再保险。使用这种方法，原保险人仅对净危险保额办理再保险。所谓净危险保额，是按保险金额扣除当年保单责任准备金后的余额。由于责任准备金逐年变化，净危险保额亦逐年变化。再保险人的给付责任为人身事件发生当年分保部分的净危险保额，再保险费是以净危险保额计算的危险保险费，再保险费的计算完全脱离原保险单的均衡保费制而采用自然保费制。由于每年净危险保额不同，费率也不同，故需要编制每一保险单的净危险保额表和再保险费率表，用以计算各年的净危险保额与再保险费。

例如，某保险人签发一份年龄为35岁、保险金额为50万元的终身寿险保单，自留额为10万元，分保额为40万元。当被保险人死亡时，再保险人对原保险人的给付金额，实际上并不是40万元，而是40万元以后的净危险保额。若被保险人在投保后第8年内死亡，再保险人给付金额为40万元减去第8年年末责任准备金后的净额。在原保险人分出40万元给再保险人时，其责任准备金由原保险人提存，故当被保险人死亡时，再保险人给付金额加上原保险人提存的责任准备金合并给付40万元。

人身保险对于单一风险单位的自留额，主要根据业务种类及其危险性质、保险公司的资本和业务量、保险金额等因素综合确定，并根据业务经营绩效及时调整。

（一）寿险业务再保险规划

寿险的典型特点是长期保障一个固定的保险金额，这决定了寿险再保险也必然是长期性的。不论是合同分保还是临时分保，承保期限与原保单都是一致的。即使再保险合同已经注销，对新业务不再承保，但已承保的业务仍需继续负责到合同自然终止。

一般而言，个人寿险的保额差别较大，而溢额再保险的优点在于，能依风险性质订立自留额，故对于那些个人寿险高额保单比较适用。对于团体寿险业务，当每一被保险人的保险金额均相当高，或原保险人预期盈余有沉重压力，需通过再保险协助财务时，可以采用成数再保险或成数与溢额混合再保险方式。对于新成立的保险公司或推行的新险种，因缺乏市场经验与资料，也可以采用成数保险方式。为了预防一次事故或一连串事故所造成的责任累计，特别是团体寿险业务，还需要再安排事故超额赔款再保险合同以加强保障。在再保险合同中，可以约定合同期内的累计赔款，通常为每次事故最高赔偿限额的1.5~2倍，累计赔偿用完，合同即告终止。有些再保险合同有恢复再保险金额的规定，即在合同中仅规定每一事故最高赔偿限额，当该额度用完时，可以免费或加费恢复再保险金额。现根据以上所述，对寿险业务再保险规划举例如下：

例7-8 某煤矿为500名矿工投保了团体定期寿险，每位矿工保险金额为10万元，总保额为5 000万元。原保险人与再保险人分别订立了成数再保险合同和事故超额赔款再保险合同，成数再保险合同对每一矿工的自留比例为40%计4万元，分出60%计6万元。超额赔款再保险合同自负责任额为成数再保险自留额的25倍，计100万元，分5个层次安排。该寿险再保险规划由两个再保险合同组成。其结构如下：

①成数再保险合同。

自留额（40%）40 000元。

②事故超额赔款再保险合同。

第一层：超过10 000元以后的1 500 000元；

第二层：超过250 000元以后的500 000元；

第三层：超过5 000 000元以后的5 000 000元；

第四层：超过10 000 000元以后的10 000 000元；

第五层：超过2 000 000元以后的20 00 000元。

（二）意外伤害险及健康险再保险规划

对于意外伤害险单一风险单位的责任，可以先安排成数分保合同，将各种意外险业务如人身意外险和旅客意外险等都包括在内，还可以再安排溢额分保。意外险业务常有无法预测的责任累积，如飞机、火车、汽车和船只等发生事故，可能同时有许多旅客受到人身伤害。为此，应再安排共同事故超赔分保，以保障分出公司和接受公司的利益。意外伤害险保单对被保险人医药费用、永久残废和死亡是分别列明赔付额的，因此单一风险单位的自留额和分保额也是按列明的赔付额而分项规定的。事故超赔分保的自留额一般是死亡赔付责任的3~5倍，最高限额是根据业务情况和对一次事故中可能达到的伤亡人数的估计来确定的。假定对于死亡的赔付是10万元，自留10%，分保90%一次事故中可能造成20人的伤亡。据此，意外伤害险的再保险规划由两个分保合同组成。其结构如表7-17所示。

表 7-17 意外伤害再保险规划 单位：万元

合同安排	项目	保额	自留额（10%）	分保额（90%）
成数合同	死亡	10	1	9
	永久残废	20	2	18
	医药费用	1	0.1	0.9
共同事故超赔合同	第一层：超过 40 万元以后的 60 万元，第二层：超过 100 万元以后的 100 万元			

第五节 巨灾再保险安排

在国际再保险业务中，巨灾风险已经成为一个受到普遍关注的问题。巨灾风险由各种因素所造成，除台风、洪水、地震等自然灾害外，还包括火灾、爆炸等意外事故。随着经济发展、人口增加、建筑密集、财产增值，使得巨灾风险累积趋于复杂，世界各地对巨灾保险和再保险保障需求的增加。由于巨灾风险常常涉及广大区域，随机性大，保险费率和自留额不能按常规处理，需要由政府财政、企业风险管理和保险公司联合在一起综合处理，形成必要的基金和补偿机制以及特殊的分散风险的再保险方式。下面分别说明地震风险、风暴风险以及核事故责任风险的再保险方式：

一、地震风险的再保险

地震是由于移动的地壳板块之间的摩擦所造成的。由于大量密集的人口以及财产处于靠近主要地震的断层地区，所以如果发生严重的地震，就会造成巨灾性的损失。表 7-18 是一家地震分析公司对有高风险的三大城市的地震损失的估计。

表 7-18 最严重的地震情况 单位：10 亿美元

城市	财产损失	营业中断损失	死亡人数/人	受伤人数/人	总损失
旧金山	125~170	30 ~35	3 000~8 000	8 000~18 000	175~225
洛杉矶	130~180	30 ~40	2 000~5 000	8 000~12 000	180~250
东京	900~1 200	350~550	40 000 ~60 000	80 000~100 000	1 500~2 100

资料来源：Harsh Shah, Causalty, damage estimates of great quakes revised upward, 1996.

由此可见，如果要对地震风险进行承保，对保险人来说，是尽最大可能广泛地在国际再保险市场上分散风险责任。由于地震风险的责任很大，因此在国际再保险市场上其分保的前提条件是，要有充分的保费和合理的分保条件，符合直接保险水平并能及时汇付保费；同时，每个再保险市场上的分保接受人都事先决定愿意接受的份额并加以控制，以避免遭受巨灾损失。对地震风险的分保方式主要有比例分保和非比例分保两种。

(一) 比例分保

在许多情况下，地震风险的超赔分保合同是以比例分保作为基础的。由于巨灾的性质，不宜单独组织比例分保合同，所以经常与火险业务结合在一起。

地震保险的保额不能超过火险的保额。只有当建筑物的房基也包括在保险责任内时，作为管理再保险业务责任的整体，地震保险的保额可以高于火险的保额。地震保险的分保费按承担风险的比例计算，即使在保单期内未发生损失，其盈余也不能视为利润，而应作为保证巨灾风险事故后果的准备金。在某些国家，地震保险准备金由法律规定并享受免税。地震保险准备金的价值应保持在发生巨灾事故时能立即兑现，因此不能投资于购置地震危险区的不动产。

(二) 非比例分保

这种分保方式通常与比例分保结合应用，以保障地震保险人可能的巨大损失累积。非比例分保合同年保费是根据巨灾的最大可能损失，以及分保人的自负责任和合同责任来计算的。其计算原理与直接保险的地震保费计算大致相似，要考虑以前的许多损失资料。

二、风暴风险的再保险

风暴是发生比较频繁的威胁人们经济生活的最重要的世界性自然灾害。近年来，在西欧连续发生的四次重大风暴，不仅标志灾害事故发生频率的增加，而且每次事故造成的保险损失和经济损失也日益增大。这四次灾害事故造成的损失分别为 34 亿美元、16 亿美元、45 亿美元和 100 亿美元。它给保险业带来了与地震相似的甚至更加广泛的影响——风暴灾害的巨大潜在累积责任，无疑要求巨额再保险的保障。

风暴风险的再保险安排既可以采用比例分保的形式，也可以采用非比例分保的形式。理论上，在比例分保合同中，风暴风险既可以包括在一般财产保险合同范围内承保，也可以分开承保，并且要求分保费与承保的风险等量。但在实际中，风暴风险的分保市场还缺乏基于良好承保原则的适当的风暴费率表，一般是把风暴包括在火险或财产险保单中并增加一个金额，这样就难以实现分保费同承保的风险等量。在这种情况下，就会在计算分保费时与原保费偏离：由签约双方协议确定分保费，或者降低分保手续费，或者对每次事故损失规定一个免赔额。在非比例分保合同中，无论是巨灾超赔保障还是赔付率超赔保障，对任何一次事故都有一个特定的限额，同时还必须有时间条款的限制。在德国、法国和英国，雹灾损失也包括在风暴项下，以规定的地区和时间结构来限制一次损失事故的组成。

风暴风险的再保险安排还必须注意以下两个方面的问题：

(一) 比例分保合同

(1) 必须应用适当的累积控制制度保证关于承担风暴责任的充分透明度；

(2) 在任何时候发现分保业务的原保费不足时，应计算合适的分保价格；

(3) 如果可行，针对每一个国家或地区确定分保序列或损失限额。

（二）非比例分保合同

（1）对承保风险范围保持充分的透明度；

（2）支付适当的分保费。

三、核事故责任风险的再保险

除了地震、风暴等自然巨灾之外，人为因素巨灾如公共责任风险、漏油、化学和原子巨灾，也会给人们带来严重的损失。以核事故造成的公众责任为例，美国三里岛与苏联切尔诺贝利核泄漏事故造成的财产和人身伤害损失惊人，原来各国签订的补偿公约数字根本不足赔付这些损失。据估计，核工厂主和政府的潜在责任，在法国、德国和比利时损失可达600亿美元，分摊到100个核工厂主，每个为6亿美元。这样高的风险责任，是任何保险人所无法承担的，必须要动用全世界的承保能力才能承担如此高额的风险。

目前，每个拥有核工业的国家一般采用以下两种方式来分散风险：一方面，通过组织该国的核保险集团，把全国所有承保这类业务的保险公司的承保能力集中起来，共同承保核风险业务；另一方面，把超过本国承保能力部分在国际上各国的核保险集团之间办理分保。如瑞典的12个核工厂要求有12亿美元的保障，除国内保险集团根据政府签订的公约规定自己负责承保之外，超过部分就向国际保险市场分保。一般来说，各国核保险集团同时经营分出业务和分入业务。由于风险较大，在核保险集团以外几乎不可能再找到其他分保接受人，因此原保险人在与分保接受人商谈保险责任时，必须考虑到是否可能得到各国核保险集团的分保支持，否则将独自承担巨额风险。

思考题

1. 简述临时分保、合同分保和预约分保的特点以及适用范围。
2. 制定再保险规划的步骤有哪些？
3. 火险业务的再保险规划应该如何制定？
4. 简述货运险和船舶险的分保安排分开规划的目的。
5. 分析再保险对人身保险稳定经营的意义。寿险分保规划如何进行？

第八章　再保险业务的经营管理

再保险业务的经营管理在转移风险、稳定经营、提高承保能力等方面发挥着不可替代的作用，是保险公司风险管理的重要手段，也是保险公司经营管理战略中的重要组成。保险公司应从公司发展战略层面确定再保险在公司经营中的地位，正确发挥再保险经营管理在风险管理、资本融通和技术传导方面的作用，通过合理分散风险，优化保险业务结构，实现其稳健经营和可持续发展。

第一节　再保险业务经营管理概述

再保险经营管理分为业务管理和财务管理两个方面。业务管理主要是确定自留额、再保险保障方式和范围规划，控制责任累积，安排分保和转分保；财务管理主要是对再保险费和扣存准备金的运用。

一、业务管理

再保险业务包括分出再保险和分入再保险，两者的性质不同，业务管理也不相同。分出再保险的业务管理工作，首先要做的是再保险规划，根据分出业务性质类型确定再保险方式和整个业务安排的结构，以便控制与分散风险；其次是选择再保险人，从国际市场上谨慎选择作为自己分出业务的接受公司或再保险人，主要是分析各保险公司的经营管理状况、人员素质、经营规模、偿付能力、当地政府对外汇管理状况及资产负债表，从而选择合适的再保险人作为自己的合作伙伴。

分入再保险的业务管理工作包括两个方面：一方面，是对分入业务质量进行严格审查和经济效益考核；另一方面，是避免责任累积，办理转分保。

二、财务管理

再保险的财务管理工作一般包括以下六项内容：

（一）减轻通货膨胀对再保险的影响

通货膨胀是一种货币经济现象，任何与货币打交道的行业都会受到不同程度的影响。再保险公司不生产物质产品，其业务经营的过程实质是筹资、使用和分配保险资金的过程。在财务管理上，通货膨胀对再保险的影响主要表现在两个方面：一方面，由于通货膨胀造成货币贬值，直接影响到保费收入贬值，造成实际保费价值降低；另一方面，由于通货膨胀、物价水平上涨，势必造成未来赔款金额的增加。通货膨胀在超额赔款再保险中的影响尤为明显，原保险人承担的损失赔偿额度是确定的，再保险人承担由通货膨胀导致的超出赔款额的增加部分，这对于再保险人是不利的。在实际的分保合同中，往往规定当通货膨胀超过一定的比例时，须对原保险人的自负额和再保险人的超额赔款责任进行相应的调整。因此，再保险人分出与分入业务时均需要考虑通货膨胀因素，事先规定相应的通货膨胀条款，以减轻通货膨胀带来的影响。

（二）各国货币之间的汇兑计算

目前，各国保险市场上的再保险业务呈现国际化发展趋势，再保险公司分出与分入业务涉及国际再保险市场，再保险集团部分业务遍布全球。由于各地所使用的货币不同，给超额赔款再保险的限额计算带来了困难。超额赔款再保险合同中往往要规定合同中使用某种货币，其他货币都要换算成该种货币进行计算。各国货币的汇率经常变动，再保险也经常需要对合同保额进行换算，并据以确定原保险人与再保险人的责任。汇率变动对于再保险公司业务有直接影响和间接影响两个方面。直接影响是指由于不同货币之间的汇率发生变动带来赔付金额的上涨；间接影响是指随着汇率的变动，再保险公司用再保险资金投资的外汇资产价值也会随之升值或者贬值。举例来说，如果再保险人赔款货币是人民币，而在再保险合同中约定双方的赔付金额是用美元计价的，那么一旦人民币发生贬值，原交付人民币就不能够偿付现行条件下的保险责任，需要更多的人民币来支付保险赔款，这就给再保险公司带来一定的损失；反之，在美元贬值的情况下，由于汇率的变动，再保险公司的偿付能力就会有所剩余，此时会给其带来一定的收益。

（三）再保险资金的投资与管理

1862 年，英国经济学家贝利提出了寿险业投资的五大原则：安全性、最高的实际收益率、部分资金投资于能迅速变现的证券、部分资金投资于不能迅速变现的证券、投资应有利于寿险业的发展。同样，再保险资金投资也需要遵循以上原则。在比例再保险中，为了避免保证金因通货膨胀、汇率变动等因素导致的货币贬值，一些再保险人在合同中规定原保险人可以代表再保险人对这些准备金进行各种运用，如购买证券等，所得收益由双方分享；也可以把资金存入银行，由银行代理运用资金，损益均由再保险人享受和负担。如在合同中未规定资金的运用条款，则原保险人仅支付规定的利息，再保险人既不能享有投资收益权，也不承担投资亏损的损失。有的国家则对准备金的投资方向有严格的规定，如只准投资政府债券等。

（四）财务审核与经营成果

再保险合同往往周期比较长，再保险费用的收取与赔款支出要延续很多年，经营成果很难在短时间内确定。在水险中，共同海损的核算与赔偿往往要历时几年之久，对会计统计的数字需要进行长期的核算和分析。与此同时，还要准确掌握未决赔款和已经发生尚未报案的赔款情况，便于再保险公司编制财务会计决算时有一个比较可靠的数据。只有这样，才能准确反映一个业务年度的经营成果。

(五) 统计分析

为了再保险业务更好地发展，及时了解财务和业务“健康状况”并查漏补缺，需要找出再保险业务发展过程中呈现出的规律和特点，这就要求把已经发生业务的财务资料、业务资料归纳整理，并通过相关统计技术进行统计分析，对再保险业务进行全面“体检”。

(六) 损益表的编制

再保险公司的盈利与损失主要体现在两个方面：一是业务上的损益。其主要表现在再保险费率是否合理、相关费用开支是否适当，如果此时有盈利还需要提存浮动准备金，将其作为各年度的会计调节。二是投资损益。这里的投资损益主要体现在再保险资金的投资与运用上，主要反映资金运用是否适当、投资结构与方向是否合理、投资技术及方法是否需要完善与改进。

第二节　分出再保险业务管理

一、分出再保险业务管理概述

为了提高再保险合约分保实务操作水平，促进保险公司提高合约业务的管理水平，加强风险管理和内部控制，促进再保险合约业务的健康协调可持续发展，分出再保险业务管理至关重要。作为原保险公司，为了业务经营稳定，分散过于集中的风险责任，都要以再保险方式将风险再次转嫁。分出业务（以下简称分出业务）是再保险经营的一个重要组成部分，其核心是保证企业的经济效益，宗旨是提高经济效益、降低企业费用成本、保证保险企业经营的稳定性。

分出业务管理的一个重要方面是正确识别承保业务的风险，客观评估累积责任，特别要防止巨灾事故的累积责任，避免可能因一次重大事故的出现而不利于保险企业的财务稳定。分出再保险是保险企业计划的基础，分出业务管理科学、合理，整个业务活动才能正常进行。分出再保险业务管理既包括人的行为管理，也包括保险企业的风险管理。因此，保险企业人员素质和承保风险的质量与技术，是分出再保险业务管理的两大重要因素。分出再保险业务管理水平直接影响保险公司的信誉和整体工作的有序性及公司效率的提高。

二、分出业务管理的内容和一般要求

分出业务管理的内容主要包括自留额确定、分保规划安排、分保业务操作流程、分保手续、分保业务账单编制及分保业务的统计与分析。分出业务管理既具有保险公司管理的一般特点，又具有自身的特殊性。分出业务管理的一般要求如下：

(一) 稳定经营、获取效益

科学的分出业务管理既是实现公司业务经营稳定的关键，也是实现预期最佳经济

效益的关键。保险是投保人将自己面临或承担的风险通过保费的支出向保险公司转嫁的一种方式，商业保险公司是专门经营风险的企业，遵循保险费收入与保险赔款和费用平衡的财务稳定原则。当承保业务的赔款和相关费用支出超过保险费收入时，保险公司就会亏损；反之，当承保业务的赔款与相关费用支出小于保险费收入时，保险公司就有盈利的可能。再保险是保证保险公司业务经营稳定的一个技术手段，其作用就是减少经营结果的波动，使保险业务的经营趋于稳定。

为了实现稳定经营和获取效益，需要对国内外再保险市场进行详细的调查研究。一方面，紧跟市场行情的变化，选择合适的分保经纪人与分出接受人；另一方面，需要对分出业务的结构情况进行详细分析，把高风险业务尽可能分保出去，把风险小、保费收入多的业务自留，调整自留额比例和合同分保与临时分保的比例，确定每年重点分出的险种，同时要收集国际市场的信息，及时反馈到国内承保市场，与直接承保部门沟通协调合作，使直接承保环节能直接参与到国际再保险市场中。

（二）管理现代化原则

现代化管理是指保险企业运用现代自然科学和社会科学的研究成果，使管理适应现代科学技术的发展水平。现代化管理符合现代化大生产的要求，保险企业的主要产品是保险服务，保险业发展进程中的全局性、战略性和前瞻性的重大理论和实际问题的研究需要现代化的管理手段职能，也称为保险管理现代化。管理现代化并非一个绝对的概念。在不同的历史和发展时期，管理现代化的内容和标准因各种因素而异。这里所指的保险管理现代化的主要内容包括保险管理思想现代化、保险管理手段现代化、保险管理组织机构系统化、保险管理方法科学化、管理人才专业化和知识化等。

保险管理现代化的根本目的是要取得最佳经济效益，而管理思想、管理手段、管理组织机构和管理方法等，都是实现这一根本目的的重要条件。因此，保险管理现代化是所有从事保险管理活动的组织和个人都必须遵循的一般原则。就分出保险管理而言，它主要是指保险管理思想现代化、保险管理手段现代化和保险管理方法科学化。

1. 保险管理思想现代化

管理思想是关于管理的观点、观念或理论体系，是人们对管理实践中种种社会关系及其矛盾活动自觉的和系统的反映。管理思想是在管理实践基础上逐渐形成发展起来的，它经历了从思想萌芽、思想形成到不断系统与深化的发展过程，是管理理论和实践地结合在人们头脑中的反映，对管理工作起指导作用，并且是随着历史的发展而不断发展进步的。一般来说，再保险分出业务工作的核心应着眼于公司的整体经济利益，用最少的分保费支出取得最大的保障，立足长远，站在全局的战略高度管理公司事务，达到稳定业务经营、提高公司对于直保业务的承保能力的目的。影响分出业务核心实现的因素有公司资本金的实力、承保风险的评估、分保技术力量及国际分保市场供求状况等。保险管理思想现代化还应该密切注意国际市场变化，吸取经验，不断完善充实自身的管理思想。

2. 保险管理手段现代化

通常，管理的手段有经济手段、计划手段、行政手段、法律手段和思想教育手段五种。保险管理手段现代化作为一种新型的现代化管理思想和管理方式，与传统管理思想和管理方式最本质的区别在于，它是一种以人为中心、以确立企业价值观为核心内容、追求创新与个性的现代管理新模式。对分出再保险业务的管理，必须综合考虑公司的自身情况，如公司资本金、公司现金流量、公司业务状况、公司承保技术、分保技术力量及国际分保市场的供求状况等。分出业务管理特别强调技术管理手段，即信息化管理在分出业务中的应用，尤其要注意对信息技术、网络技术的运用，如大数据、云计算、区块链等先进技术在再保险中的运用。

3. 保险管理方法科学化

广义上的现代化管理的方法包括两个方面的内容：一是应用科学管理方法，包括计划管理、劳动管理、组织管理、经营业务管理、市场与价格管理等行之有效的方法；二是运用管理科学的技术方法，如模拟法、统筹法、系统工程、价值工程等并运用于企业管理。分出业务管理方法涉及有关的法律、政策中的经营规则和管理规则。人们对于社会经济的管理，曾采用五种基本方法：权威管理、科学管理、人际关系管理、目标管理和社会责任管理。保险公司的特点决定了其效益具有两重性，不仅要着眼于公司自身的经营目标，也要考虑社会效益，因此社会责任管理方法更适合于保险企业。

（三）国际化经营

再保险是保险的保险，其本质是分散风险。再保险业务的国际性实现了在全球范围内分散业务风险、平滑巨灾等引起的经营业绩波动，分出分保工作是一个公司面向国际市场的重要方面，是公司形象在世界市场上的展示。分出业务管理必须坚持面向国际市场的原则。面向国际市场就是在维护本国、本公司利益不受侵害的前提下，要按照世界同业间遵循的原则办事，要尊重国际上经营再保险业的一般惯例。世界再保险市场是一个复杂变化的市场，其供求状况与国内的承保需求不完全吻合。当国际再保险市场处于卖方市场时，则要求承保人提高保险费率，并要求满足再保险人的一些特殊条款限制。与此相反，当国内保险市场各公司之间竞争加剧时，保险费率呈不断下降趋势，承保条件不断放宽。这样就会出现国内市场各家保险公司一方面出于扩展业务量的需要，另一方面由于承保风险单位的保额不断提高，对再保险的需求日益增加，于是产生再保险供求之间的矛盾。要解决这一矛盾，应注意协调国内各公司的利益关系，避免恶性竞争。

三、分出业务人员管理

再保险的基础是原保险，指保险人在原保险合同的基础上，通过签订分保合同，将其所承保的部分风险和责任向其他保险人进行保险的行为。再保险的产生，正是基于原保险人经营中分散风险的需要，通过相关部门最终实现风险的转移、赔款的摊回。分出业务部门人员由三部分组成：设计人员、推销人员和辅助人员。设计人员的主要工作是对保险业务进行组织与分析、条款的制定与修改，要求了解直接业务的做法和总体情况；推销人员的工作是在业务计划完成后，立即将条件提供给参加这项业务的公司，并尽量寻求资信好的大公司积极参与。大公司的资本雄厚、经营能力强，大公司的参与对保险市场的作用是十分重要的。

（一）分出业务设计人员

分出业务设计人员的主要工作是对业务进行组织分析、制定及修改条款。分出业务设计人员的基本任务是根据公司对业务的总体设计方案和再保险规划，对分出业务做出具体安排和设计构思。在公司总体规划的基础上，设计人员对某个险种设计的分保方式要与分出公司总体业务发展规划相适应，并应写出可行性报告。设计人员的工作程序如下：一是汇总各方面资料，准备各项数据的分析及编制统计表；二是拟定分出分保业务的条件及附加条款；三是准备回复接受人可能提出的问题。

对分出业务设计人员的技术要求是：熟悉直接业务的做法，了解直接业务的条款内容，对数字有较强的归纳和汇总能力，以及具有较强的文字、语言表达能力。

（二）分出业务推销人员

分出业务推销人员不同于直接业务的推销人员，相较于直接业务推销员，分出业务推销人员的专业性相对更强。分出业务推销人员的任务是在业务计划完成后，立即将条件提供给参加这项业务的公司，且尽量寻求资信好的大公司积极参与。推销人员是落实再保险计划的关键，要求其做到熟悉掌握所推销业务的全部情况，了解接受人的心理，了解国际再保险市场的承保能力及其分布。他们不仅要把业务推销出去，而且要确保将业务分保给资信可靠的公司。由于再保险推销的产品是不可预测的风险的转移，在协商分出业务时，推销人员一方面必须牢记最大诚信原则，实事求是地向接受人陈述风险的情况以供接受人判断选择；另一方面也要注意寻找资信好的推销对象。

（三）分出业务辅助人员

分出业务辅助人员的工作主要是配合、协助设计和推销人员处理再保险日常事务。在专业技术上，要求辅助人员了解业务性质与业务需要，具有对数字的敏感性及综合分析能力，还要熟练掌握现代化信息设备的使用和操作技能。

四、分出再保险业务的内部管理

分出再保险业务是在直接业务承保的基础上由分出部门负责办理的，分出业务的内部管理涉及分出部门的职责、分出部门与直接业务部门的关系、分出部门与财务部门的联系。分出业务的内部管理一般包括三个方面的内容：一是了解分出部门的职责，确定自留额和制定分保规划；二是协调分出部门和直接业务部门的关系，分清各自的责任；三是密切分出部门和财务部门之间的联系，以确保分出业务的效益。

（一）分出部门的职责

分出部门必须对其所要安排的分出业务有充分的了解，如直接业务的承保条件、费率的高低、风险的分布状况等。同时，还应了解同类业务在国际市场上的费率、承保条件以及分保情况。只有这样，才能根据业务的具体情况、分保市场的行情，以及本公司经营方针和自身的承保能力，确定自留额和制定分保规划。在此基础上，根据自留额、分保额、保费收入、赔款状况、分保费支出、分保手续费、利息及其他收益和费用开支等，对业务的经营结果进行测算，由此反过来检验分保规划的合理性及收益效果。

(二) 分出部门和直接业务部门的联系

如前所述，直接业务的承保和管理以及分保的安排不是在同一部门内进行的，而是分别在承保部门和分出部门进行的，直接业务的承保与管理由承保部门负责，分保安排由分出部门负责。由直接承保部门将承保条件通知分出部门。两个部门之间有密切的联系。直接业务是分保业务的基础，因此，分保部门对承保条件的审查应包括以下三个方面的内容：一是分保时应对外通知的项目是否填报完全、正确无误；二是承保的条件是否符合分保合同的规定；三是限额是否超过合同容量、是否有特约分保、是否需要办理临时分保。

正常情况下，超过合同限额的业务，应在承保之前联系分出部门，由分出部门向再保市场询价，并以再保市场的条件指导直接业务承保。对以上几点，在审核中，如果发现问题或不清楚之处，应及时与直接承保部门联系。除此之外，在分保安排过程中，还会经常遇到许多有关业务的具体问题。对此，分保部门应及时反馈给直接承保部门，因此，分保部门有时也会影响直接业务的承保。对于分保接受人所提出的有关风险的具体问题，如风险单位的划分、最大可能损失等，分出部门的答复应以承保部门提供的资料为依据。必要时，分出部门可以派人去现场进行勘查。为了协调好这两个部门之间的关系和厘清各自责任，可用一些书面协议规定，作为工作上的依据。在这些协议中，应明确规定什么样的业务应在起保前通知，何种业务应在起保后尽快通知，何种业务超过了多少数额应在什么时间以内通知分出部门，赔款超过了多少应在赔付前事先通知等。只有严格的内部管理，才能保证分保不出错漏，顺利分出并摊回赔款。有了这些协议，承保部门与分出部门都应按相应规定办事，如不按规定办事，就会造成差错和事故。因此，分出业务的管理制度必须十分严格。

(三) 分出部门和财务部门之间的联系

分保由分出部门安排完成之后，就应将合同摘要表、分保比例表以及账务的结算事项通知财务部门。合同条件如有变动，也应通知财务部门。一般情况下，合同账单是在编制账单期以后6周内发送，账单发送后的45天之内结付。临时分保账单一般在业务起保后就应当编制，同时应尽快结付。每当遇有向分保接受人分摊现金赔款后，分出部门应将摊回比例通知财务部门，在财务部门编制好账单之后通知会计部门办理结算。一般情况下，分保接受人应在收到现金赔款账单后的15天内给付。因此，会计部门应及时将各分保接受人对现金赔款的结付情况通报给分出部门，包括某些国家对外汇管理和限制的信息。分出部门在掌握和了解这些情况后，对存在问题的公司应及时采取措施，以防止本公司蒙受损失。综上所述，为了做好再保险的业务管理工作，承保部门、分出部门和财务部门之间要密切联系，协调配合。

五、分出业务的规划

再保险分出人根据公司自身业务发展和风险管理的需要，结合再保险市场的实际情况，针对某个或某类险种组建再保险合约。组建再保险合约时，分出人应重点考虑以下内容，初步拟订自身的分保需求。比例合约应重点考虑：合约框架，包括合约类型（如成数、溢额、成数溢额）、保障范围、除外责任、合约期限、自留额、合约限额、事故限额等；合约的主要条件和条款，包括再保险手续费、账务条款、错误与遗漏、合约报表、合约的修改与终止、未满期保费和未到期责任的处理（一般用于一次性结清制合约）、区域范围、司法管辖和仲裁等。非比例合约应重点考虑：合约框架，包括合约类型、保障范围、除外责任、合约期限、以保额或责任限额为基础的最大自留额、起赔点、最高保障责任限额、责任限额分层情况、责任恢复次数等；合约主要条件和条款，包括费率、保费分期及付款时间、事故超赔中每次事故的定义、区域范围、司法管辖和仲裁等内容。组建再保险合约时，分出人应针对合约准备相关的公司情况介绍、业务发展计划、核保原则、风控措施、承保理赔数据等信息，以便提供给接受人进行风险评估和承保。

六、分出业务管理的流程

分出业务管理的流程适用于合同分保和临时分保。分出业务管理的流程分为以下三个阶段：

（一）分保建议

当分出合同的条件确定、拟定了分保接受人的人选后，分出人应立即以最迅速、最准确的方式将分保条件发送给选定的接受公司或经纪公司。分出人提供的分保建议一般应尽量将接受人考虑接受比例所希望了解的情况详细列明。例如，非水险合同分出安排的建议应提供的资料包括分保条件、统计数字、大额赔款一览表和业务构成的详细资料、合同的承保范围及地区范围。在实际操作中，分出人在分保建议中应综合各种信息，在了解世界保险市场变化的基础上，提供尽可能翔实的资料，以适合于各种不同的接受人的需要。分出人提供的信息越详尽、资料的质量越高，越有利于接受人做出决定，大大缩短了分保安排的时间。分出人提出分保建议是要约的过程，接受人提出修改和改善的条件就是反要约。要约与反要约的过程就是双方公司交易商洽的过程。一旦交易商洽达到意思完全一致，要约和承诺法律要件达成后交易便成立。接受人愿意接受分保，应以最快的方式通知分出人，并最终以书面予以证实。如果分出人认为对方所提建议符合实际，分出人应该在权衡利弊之后进行修改，并以书面形式予以证实。

分出人在考虑接受人提出的反要约时，应该遵循以下原则：一是分出人的利益既要保障，也要兼顾接受人的利益；二是要遵守市场上的习惯做法；三是要认真对待首席承保人的意见和要求；四是要考虑和研究接受人普遍提出的具有共性的问题。在分保建议流程中，分出人处于主导地位，往往有很多的经纪公司和接受公司可供选择。在实际工作中，分出人应有一套比较完备的信息资料，包括国际市场接受人和劳合社承保人的承保业务种类、承保能力、经营近况、历史记录、习惯做法、与本公司的业务往来记录。通过信息资料库，查询适合分出业务的接受人。在选择分保接受人时，分出人应采取择优录用的原则，坚持与长期合作较好的公司交往，互惠互利，淘汰那些可用、可不用或者在国际市场上有争议的接受人。在选择接受人时，要注意以下四点：

1. 风险尽可能分散

大额保险不宜过于集中在一两个接受公司。从管理角度来看，分到一两家接受公司比分到很多接受人手中要容易管理。因此，分给一个或多个接受人，既要看分出人的需要，也要看分保接受人的实力与合作态度。如果分保接受人太分散，双方管理费用随之会增加。

2. 区域分布要尽量合理

分保接受人的所在地区不要集中，否则，一旦该地区发生重大损失事件，同一地区大规模赔付会直接影响接受人的偿付能力，则分出合同的补偿责任有可能会落空。

3. 直接和间接的分出比例要合理

直接分出业务是指分出人与接受人直接交往，而不需要中介人；间接分出业务是指分出人与接受人的业务往来要通过再保险中介人联络，这种方法适用于高额保险标的或者特定的市场范围。

一般情况下，直接分保比间接分保有利。另外，经纪人安排分保，有时也会影响分出人和接受人之间正常的、必要的接触和交流。但对某些具有特殊性的业务通过经纪人安排比较方便，其效果可能比直接分保要好，经纪人或中介人对某类业务的市场和技术很熟悉或拥有专门的人才。因此，在安排分出业务时，应针对不同的合同和不同的分出目的而决定采取直接或间接的分保方式。在一般情况下，较好的业务直接分出比例应大于间接分出比例。交换的合同也应直接分出而不宜间接分出，以求与交换的对方有一种良好的合作与默契。而高额保险标的合同或者需要到特定的市场去分保的合同可以安排间接分保。对分保人来说，通过经纪人安排分保并不增加费用，甚至还会减少分出费用、节省时间、手续简便。但需要注意的是，有时经纪人为了追求多分出一些业务，而忽视对接受人的资信审查，经纪人在经济业务中并不承担任何责任，经纪人的经营作风和信誉是分保安排时需要考虑的一个关键因素。

4. 争取良好的分保条件

良好的分保条件包括提高限额和分保佣金、加收盈余佣金等。在争取好的分保安排过程中，分保当时的国际保险市场业务的形势与之息息相关。如果整个国际市场蓬勃发展，保险业务呈上升趋势，分出人应及时提出一些对自己有利的分保条件。与之相反，在整个保险市场处于低谷时，分出人若提出有利于自己的分保条件显然是不明智的，即使分出人的业务质量很好也难以被接受。分保条件有时由接受人提出，如附加除外责任，旨在限制分出人的责任。例如，在财产险合同项下加上一个地震险除外条款。分出人对接受人提出的要求应认真、审慎地加以考虑，客观、合理地给予答复。

（二）完备手续

在合同续转和分出谈判结束后，分出人和接受人双方应尽快完备缔约手续。在一般情况下，续转结束后的第一个季度之内，分出人应将合同文本及摘要表或者修改条件的附件发送给接受人。每次发送时需签字的文件应一式两份或三份，接受人在审核无误的情况下及时地予以回答。合同文本及其组成部分是分出人和接受人之间签订的正式的、具有法律约束力的文件。一旦合同文本签订之后，双方的权利和义务就具有了法律依据。应该注意，合同文本的文字应规范、严谨、表达清楚，被双方接受并有利于第三者的理解。分保条的内容与合同文本内的内容具有互补性，即合同文本阐明原则和框架，分保条对合同的内容具体化并进行充实，合同签订后双方都必须遵守，不得单方修改和变动。如确有必要进行修改和变动的，必须事先提出，与对方协商达成一致后才能正式作为合同的组成部分。如果协商之后不能取得一致的意见，这种修改和变动就不能生效。其解决的方法只能是提议方放弃或等待下一个合同年度开始时再提出，直至被采纳，或者注销其在该合同中的分保部分。

（三）赔款处理

分出分保合同中规定，分出人有全权处理分保合同项下的一切赔款并迅速将赔款情况及赔款处理事项及时通知分保接受人。若赔款已经赔付，应及时地向接受人摊回所承担的比例赔款和费用。一般在分保合同中都明确规定通知的金额和通知的时限。当分出人接到直接承保部门的出险通知或赔款通知时，首先计算分保合同项下的接受人应承担的责任比例和金额，其次向接受人发送出险通知。分出人的出险通知应包括以下六项内容：

（1）合同名称及业务年度；

（2）保险标的名称及坐落地点；

（3）保单金额及分出比例；

（4）估计赔款金额及合同项下估计摊赔金额；

（5）赔款发生日期、地点；

（6）损失原因和是否委托检验人以及可能产生的费用。

在赔款处理过程中，分保接受人时常会提出参与赔案处理与合作，尤其是重大项目的赔款。近年来，由于国际再保险市场比较坚挺，接受人对条件审查较严格，对赔款的审核也很认真。对于接受人提出的质问和咨询，分出人应本着实事求是、合情合理的原则进行解释。当产生争议时，应本着友好协商的原则进行调解，如果调解无效，可以通过仲裁方式解决。

七、分出业务管理的手续

再保险分出业务可以分为临时分保、合同分保和预约分保。临时分保在操作上与合同分保的不同之处在于：合同分保是按年度安排分保的，而临时分保是根据业务需要，临时选择分保接受人，经协商达成协议，逐笔成交的分保方式；合同分保简单、省时、省费用，但是合同分保的协商过程要比临时分保复杂。

（一）临时分保的手续

1. 临时分保的安排

第一，选择分保接受人。

在临时分保安排中，分出公司确定要对某种或某笔业务办理临时分保后，分出部门首先应考虑的问题是向谁分保，哪些公司是该类风险最合适的接受人，并列出相应名单。好的分保接受人，主要指的是公司的资信好、技术能力强、对某种风险有接受兴趣、估计承保能力强以及同本公司的关系较为密切的接受人。这些情况不是临时收集资料就可以了解到的，而是要通过调查研究、经营经验积累、资料分析来掌握的。

一般来讲，分保合同不宜集中于一个分保接受人，以免完全受控于该接受人。而是应该采取择优录用的原则，选择一个好的首席接受人作为长期合作伙伴。此外，临时分保的特点决定了对方是否接受、接受多少都是事先不知道的。这使分出公司在接洽分保过程中处于无保障状态。因此，分保接受人的选择，是临时分保安排的重要一环。

第二，提供分保条件。

在拟定的分保接受人名单列出之后，分出部门便可以用最迅速有效的方式把分保条件提供给分保接受人，通知对方全部保险的细则、分保条件、相互承担的责任、义务和享受的权利。分保接受人则要根据具体情况，考察风险的性质和费率是否合理，决定自己是否接受，并以书面方式迅速地通知分出公司。一旦接受人提出的接受额度被确认后，双方的权利和义务便开始履行。除此之外，有时还要根据不同的险种提供一些其他的资料给承保人参考。例如，火险业务需要说明消防设施情况，地震、水灾等自然灾害记录，标的物的用途，附加条款内容等。

在实际分保实务中，并非所有的分保接受人都能在接到分保条件后立即明确表示接受与否，通常会有一个商谈与接洽的过程。例如，提出的许多分保条件中未列明某些项目或存在不够明确的项目，有的可能会提出分保佣金太高、是否可以降低等问题。分出部门则要根据本公司的实际情况做出决定。如果需要分出的风险按原条件能够分出去的话，当然可以不必改变条件；如果分保有一定困难或者受市场影响，分出部门也不必坚持分保条件一成不变。应该指出的是，原则上，分保条件一般来说对所有分保接受人都应是相同的，否则，必须要有合理的、能够向其他再保险人解释并被接受的理由。

2. 分保条和附约

第一，分保条。

分保条是指原保险人或再保险经纪人向选定的再保险人或保险人发出的，要求确认再保险主要条件及其承担份额的文件。作为原保险人应编制分保条。分保条应包括以下内容：一是分出人的姓名及地址；二是原被保险人的姓名及地址；三是保险期间；四是承保的险别；五是承保的责任范围；六是保险标的坐落地点（若是船舶，则其船员、开船日期需一并列明）；七是总保险金额；八是分保金额；九是保险费率；十是分保佣金；十一是经纪人佣金；十二是其他。在分保接受人表示承诺、双方达成分保协议后，分出人和接受人双方的权利和义务便开始生效。分保双方都应有书面凭证。为完备手续，在分保比例确定后，分出人应向接受人发送正式的分保条作为书面凭证，以确认分保的内容。分保条是临时再保险的契约，应一式两份或三份，并分别由分出公司和接受公司签字后，各执一份或两份为凭。临时分保条的格式如表 8-1 所示。

表 8-1 临时分保条

项目名称： 编号： 险别： 被保险人名称： 分出公司名称： 接受公司名称： 承保范围： 标的坐落地址： 保险期限： 保险金额： 保险费： 免赔额： 接受公司比例： 手续费： 备注：
分出公司签章 年 月 日 接受公司签章 年 月 日

第二，附约。

分保条中所列的为临时分保的常规项目，有特殊问题时需另加说明，如附加条款、折扣和盈余佣金等。对于大的风险项目，要说明消防设施、介绍周围环境和以往巨灾记录（如地震、洪水等），必要时还要附送图纸。这些都需要用附约的方式来完成。

分保条在双方签字后即被视为正式的、具有法律效力的文件，双方的权利和义务也据此履行。在分保条签字之后，如果有什么遗漏和需要更正的地方，或者中途原始承保条件有变动，一经发现，应立即通知接受人并以批单或附约的形式予以补充。批单、附约同分保条一样具有法律效力，是分保双方的法律依据。批单的格式如表 8-2 所示。

表 8-2　批单

标号：	原编号：
保单号：	
批单号：	
被保险人：	
保险期限：	
更改日期：	
更改内容：	
分出公司签章	年　月　日
接受公司签章	年　月　日

3. 赔款通知的发送

临时再保险业务发生赔款时，无论金额大小都必须立即通知接受人。除非双方有事先达成小额赔款不逐笔通知，待一定时间报告总额的协定（这种做法不常见，但可以节省手续费）。临时分保的赔款通知书的内容与合同项下的赔款通知书的内容大同小异，不同的是前者的实践性更强。计算赔款的公式是：总赔款-自留额-合同项下应摊数=临时分保接受人应摊数。

如果临时分保项下的业务发生赔款，必须立即通知分保接受人。在赔款确定后，分出人可以在给付保户的同时要求分保接受人摊付部分赔款。临时再保险合同中一般不订明赔款处理方法，但按国际市场的习惯，分出人可以全权决定赔款。只要支付的赔款是合理的，分保接受人应按照所达成协议的规定予以摊付。

对于分出公司为避免或减轻损失所支付的费用，即使合同中没有规定，或者所支付的费用与赔款合计超过了再保险金额，分保接受人仍应摊付这种合理的费用。但由于有些临时分保承保的是特殊风险，分保接受人对超过一定数额的赔款有参与处理的权利，应该按协议的规定处理。临时分保赔款通知的格式如表 8-3 所示。

表 8-3　临时分保赔款通知

关于××项目临时分保赔款通知
我们很抱歉地通知你们上述分保项目现发生如下赔款：
时间：
地点：
估计赔款金额：
分出人自留数：
纳入分保合同数：
临时分保接受人应摊数：
损失原因：
其他说明：

一般情况下，分出人的出险通知应包括以下七个方面的内容：一是合同名称及业务年度；二是保险标的名称及坐落地点；三是保单金额及分出比例；四是估赔金额及合同项下的估计摊赔金额；五是赔款发生日期、地点；六是损失原因；七是是否委托检验人以及可能产生的费用等。

遇有通融赔款时，习惯做法是接受人跟随分出人的决定，但近年来这一情况有所变化。需要特别注意的是，分出人在决定通融赔款前，需征得接受人的同意。

在损失通知书发送给接受人之后，分出人应不断地把赔款的进展情况报告给接受人。例如，估计金额的增加与减少、案子的处理等。在赔款处理完毕、赔案疑点确定之后，分出人可以向接受人索取现金赔付金额，可以用现金赔款单向接受人摊回。这点在临时分保合同中不需要特别规定，只要分出人向接受人发送现金赔款账单即可。

按习惯做法，分出人有权决定赔款，只要支付的赔款是合理的，分保接受人应按达成的赔款规定分摊赔款。若原保险合同发生争议进入诉讼，分出人在征得接受人的同意后，所发生的诉讼费用应由双方承担。

一般来说，临时再保险承担的风险，有时与原保单的责任不一致，接受人的责任以不超过原保单所保风险为限。一般情况下，如果接受人无异议，应在接到现金赔款通知 14 天之后支付赔款。现金赔款通知书的格式如表 8-4 所示。

表 8-4 现金赔款通知书

赔款项目名称：	
原临时分保编号：	编号：
	日期：
提及我们×月×日的关于上述赔案的出险通知书，现此案已结清。	
具体赔款如下：	
总赔款金额：	
分出公司自留额：	
临时分项项下金额：	
分保接受人应摊付金额：	
以上赔款已支付给原保户，请将你公司分保额下的金额汇入公司××银行××账户。	
	分出公司签章
	年 月 日

4. 临时分保的责任终止和续转

关于临时分保的有效期限，一般会在协议或分保条中加以表明。临时分保一般在到期时责任终止。根据原保单，临时分保的许多业务都是以 12 个月为一期。临时分保的续转通常都要经过重新协议并办理续转手续。但也有些临时分保，为了维护分出人在原保单续保时来不及办理续转手续时仍获再保险保障，在协议或分保条中订有自动续保条款，说明除非分出人在到期时发出不续保的通知，否则，临时分保应自动续转一年。在临时分保有效期限内发生的损失，如果在有效期届满后，损失仍在继续或扩大，临时分保接受人对这部分扩大的损失，仍应继续负责。

(二) 合同分保的手续

1. 合同分保的安排

第一，确定分保接受人。

合同分保的安排大致与临时分保相同。首先应确定向哪个市场安排、分出限额、由哪些经纪人安排哪些合同；其次，在市场选好后，用电传、电报或信件将分保条件及有关资料通知或送给接受人。

第二，分保安排方法。

合同分保的安排与临时分保的安排不同之处在于，合同分保是按年度安排分保的，而临时分保则要逐笔安排。因此，合同分保简单、省时、省费用，但合同分保的协商要比临时分保复杂得多。合同分保和临时分保一般都由分出公司在所在地或国外市场与分保接受人直接联系，但也有通过其代表机构或分保经纪人与国外市场进行联系的。

2. 分保条的编制和项目

合同分保的正式文件一般由分保条、合同文本及附约组成。分保条又称分保建议书，是指在分保协议过程中，由分出人编制提供给接受人的分保条件。分保接受人收到分保条后，首先应对所列项目和分保条件进行审核和考虑，其次应回复分出人是否接受，如以函电确认接受比例后，分保即成立，并在一定时期内，分出人发送正式合同文本给接受人签字。分保条的一般项目有分出人名称、合同名称、合同期限、承保范围、分保佣金、合同限额和自留额、保费和赔款、准备金、盈余佣金和现金赔款数额等。

3. 合同文本和附约的发送、签回和保管

再保险分出人与再保险接受人就分保条件完全达成一致，并收到再保险接受人意向承保份额的反馈后，根据合约总体情况，书面确认再保险接受人的最终承保份额，至此分保合同正式成立。合同文本是分出人和分保接受人之间具有法律效力的文件。一旦合同文本签订，双方的权利和义务就有了法律依据。在合同文本中，应把双方的权利和义务用双方都可以接受并有利于第三者理解的语言文字表达清楚。合同的内容和分保条的内容是相辅相成的，分保条是合同文本的基础和根据，合同是达成分保协议形成的正式法律契约。

分保条款、合同文本以及附约是完整的一套文件。合同文本主要是根据分保条的约定条件加上一些国际习惯通用的条文，如仲裁条款、检查条款、共命运条款、错误或遗漏条款以及盈余佣金计算方法等。合同和附约必须用挂号信寄送，一式两份，由双方各执一份。合同必须经双方签字并建立严格的保管制度，即使注销以后也要长期保管。

一般情况下，分出人根据各接受人的不同比例向接受人发送合同文本，接受人在收到合同文本后应及时签回。在文本签订之后，对已达成协议的规定，任何一方都没有理由改动。如有些条件需做改动的，可以在下一年度续转时提出，并以批单形式附在合同之后，作为合同的组成部分。

4. 再保险合约的日常管理

再保险合约一经签订，再保险分出人和接受人双方均应严格按照合约的约定履行各自的权利与义务，确保合约严谨规范运行。再保险合约分出人和接受人应建立再保险合约日常管理制度，确保日常事务的有序、有效和及时开展。再保险合约日常管理主要包括以下内容：一是正式合约文本、批单或附约的编制、签发和签回确认；二是分保账单的编制、签发和签回确认；三是分保余额结算；四是应收应付款管理；五是特别申报的发送与确认；六是赔案及现金赔款管理；七是报表报送；八是业务统计分析；九是档案管理。

再保险分出人应将再保险合约信息录入公司业务和其他相关系统，录入时间不应迟于合约业务确认后的 10 个工作日。除非再保险分出人与再保险接受人书面同意延期，否则双方应在再保险合约正式生效后的三个月内完成正式再保险合约的书面签署。再保险合约分出人和接受人应保存与业务相关的全部资料，业务各环节中涉及的资料均应保留清晰完整的记录，资料尽量以纸质或电子文档形式保存。电子邮件往来、电子介质文件应实行集中管理，安全保存，并有备份。再保险分出人发送特别申报或再保险接受人确认特别申报，均应严格按照合约的约定，避免随意性。

5. 赔款处理

再保险合约项下发生超过或可能超过合约约定的出险通知金额的损失时，再保险分出人应及时通知再保险接受人，并随时更新理赔进展。若再保险分出人支付部分赔款或结案后，按照合约约定向再保险接受人摊回现金赔款，再保险分出人应提供相关支持材料，包括但不限于被保险人的出险通知、直保保单、再保险分出人或第三方理算人编写的理算报告、赔款计算书、直接理赔费用相关发票、再保险分出人付款或被保险人收款凭证等。再保险接受人在处理赔案时，应遵循“共命运”原则（除非该赔款为通融赔付或合约中另有约定）。收到再保险分出人的现金赔款申请后，再保险接受人在赔案资料齐备并审核无异议后，按照合约约定及时确认赔案、签回现金赔款账单并安排结付。对存在追偿可能性的保险事故，再保险分出人应积极向责任方进行追偿，并及时将追偿情况告知再保险接受人。在追偿成功后，再保险分出人应将属于再保险接受人的追偿款按照合约约定及时返还再保险接受人。在合同项下的业务发生赔款，一般由分出人负责处理，如涉及分保接受人的责任，应迅速发送出险通知，并且，对于按合同规定可能要求分保人用现金赔付的大赔案，要随时告知赔款协商的情况、所估计损失的数字以及发生的费用，使分保接受人对现金赔款的摊付有所准备。出险通知书的格式如表 8 5 所示。

表 8-5　出险通知书

出险通知

关于合同

船损失出险通知（用于船、货两种合同）

我们抱歉地告知你们，最近我们收到了关于上述赔案的损失报告。现将详细情况通知你们，请记录，我们今后会把有关此案的进一步情况不断向你们报告。

船名：

船上所载货物：

航程：

航期：

表8-5(续)

船舶总保额（如是货险不用此项）：
货物总保额（如是船舶险不用此项）：
纳入上述分保合同的数额：
估计赔款金额：
合同项下估计摊赔金额：
你方分保项下应摊金额：
损失原因：

损失通知本是原保险人的义务，但如果损失发生频繁，逐一向各个再保险人通知，则原保险人的工作会很烦琐。因此，一般规定损失超过某一额度后，要立即通知再保险人。其他小额损失，原保险人不必一一通知，但仍要以月报表或季报表的形式通知再保险人。

通常，应用的火险溢额合同赔案通知条款如下：所有本合同项下可能的索赔金额相等或超过附表所规定的数字时，必须立即逐笔通知分保接受人，说明赔案的详细情况，估计损失数字。分出人还应对可能影响损失的费用发展情况告知分保接受人。并要在赔案给付前，尽可能地向分保接受人或其代表进行合理的咨询。

分保接受人有时要求分出人在处理赔案时与之进行合作，特别是在分出人是缺乏经验的新公司时。当然，对于这些分出人来说，在分保接受人的参与下，处理赔案会更加有利。另外，当赔案发生纠纷时，在采取法律行动前，也可以与接受人进行协商。关于对索赔案进行抗辩，分出人有权处理，所发生的诉讼费用，分保接受人应予以分摊。分保合同关于诉讼费的典型条款如下：如果分出人断定其所进行的活动对保险方（原保险人和再保险人）是有利的，则可以单独直接进行开始、继续抗辩、协议、结付、法律申诉以及起诉，或撤回申诉和对有关索赔采取一切行动。分保接受人须支付由此而产生的费用中他们应该分摊的比例。在每年终了，分出人应通知分保接受人关于未决赔款准备金的数字及递送一份未决赔款清单。未决赔款准备金的转移应分别列入账单中借贷方的有关项目。现金摊赔是再保险的一个突出优点。在合同分保中常常运用，即在一次赔款或在“某一定期间”内的赔款累积达到某一额度时，原保险人可以随时向再保险人请求以现金摊付赔款，以协助原保险人解决财务调度的困难。上述的“某一定期间”，应根据合同的账务期间来定，每月结付账务的期间为 1 个月，每季度结付的期间为 3 个月。

现金摊回的做法有两种：一种是在原保险人理赔后，从再保险人处摊回；另一种是在原保险人理赔前，先估计损失额，然后向再保险人摊回。一般在赔款额度巨大时，采取后者居多。合同一般规定，接受人在收到现金赔款通知后，应立即汇付；也有合同规定再保险人应于 10 天或两周内汇付的。具体汇付的期限，由双方商定后在合同中标明。

6. 再保险合约的批改和结清

在再保险合约签订后，如果需要对合约条件进行修改，如延长合约期限等，再保险分出人应根据合约约定取得再保险接受人的同意。例如，合约约定仅需取得首席再保险人的同意，则再保险分出人只需向首席再保险人提出书面申请，得到首席再保险人的书面确认后批改正式生效，再保险分出人应将批改内容尽快书面告知其他再保险接受人。如合约未约定仅需取得首席再保险人的同意，则再保险分出人需向所有再保险接受人提出书面申请，得到所有再保险接受人的书面确认后批改正式生效。再保险分出人与再保险接受人应在批改正式生效后尽快完成对正式合约批单的书面签署。再保险分出人与再保险接受人应在合约中明确约定合约的结清方式，并根据合约约定及时结清合约。在自然结清方式下，再保险分出人应在所有未到期责任结束后及时结清合约，也可以与再保险接受人协商一致提前结清合约。在协议结清方式下，再保险双方应制定公平合理的结清方案，特别是保费、未决赔款的结清比例应符合业务的实际情况。

7. 合同的注销

各种合同的期限在签订合同时已确定，其注销或终止方式也已明确，只需按规定办理即可，一般要注意特殊终止和注销的时间性。合同终了时，对于未了责任，包括未满期保费的转移和未决赔款的转移，均按议定的方式处理。

(三) 预约分保的手续

由于预约分保对于分出人具有临时分保的性质，对分入合同的业务，分出人应每月或每季度提供业务清单，列明每笔业务的保户、保额和保费项目，以及赔款清单，以便接受人了解所承担的责任和对赔款的审核处理。其他到期续转等手续，大致与比例合同分保相同。

第三节　分入再保险业务管理

分入业务与分出业务、直接业务相比，有以下几个显著的特点：一是信息占有量上的不对称性。经营分入业务的再保险人在信息方面只能在给予分保要约的简短信息基础上进行考察，通过获得的不完全信息的综合分析和权衡，开出自己的报价。二是经营成果上的不完全一致性。直接业务和分入业务的经营成果，既可能是同方向，也可能是不同方向，这与所采取的分保方式密切相关。三是价值取向不同。分入公司接受分入业务，直接目的是分享直接承保收益，即使直接承保利润率很低，承保人也期望能通过积累和运用分保费资金在弥补亏损的同时达到盈利的最终目的。

一、分入业务管理的概念和要求

(一) 分入业务管理的概念

分入再保险业务管理是指为了平衡风险、增加保费收入、争取盈利，对分入业务过程的计划、调节和控制，以及对分入保险业务的质量、分出人的资信情况进行调查审核。分入业务经营管理涉及面较广。其内容既包括承保前对分入业务的质量审核、分保建议的审查、分保分出人和分保经纪人资信情况的调查和研究，又包括对分入业务承保后的核算与考核、已接受业务的管理、已注销业务的未了责任及应收未收款项的管理。

承保前对分入业务质量的审核是再保险经营的重要环节，因为它是接受分入业务的依据和分保成交的决定性工作。分入业务质量审核的项目有三种：一是分入业务来源的国家或地区的政治、经济和有关法律环境状况；二是业务所在地区的市场行情和趋势、保险费率和佣金等情况；三是分出公司提供的有关该业务过去的经营资料。

审核上述内容的目的在于避免风险因素大、风险集中和潜在损失巨大的业务分入。在接受分入业务之前，对分出人提出的分保条件或建议，首先要认真分析和研究，其次要做出承保决定。具体审核的主要内容包括以下八项：一是分入业务种类、分保的方式方法、承保范围和地区；二是分出公司的自留额与分保限额；三是分保限额或责任限额与分保费之间的比率；四是支付分保费的保证条件；五是估计分入业务收益；六是保费准备金和赔款金；七是首席承保人的条件；八是其他内容。

对分保分出人和分保经纪人资信情况研究的内容包括以下五项：一是分出人的资金、财务力量；二是分出人在当地市场的地位和声誉；三是业务经营规模、分保策略；四是经营管理经验与业绩；五是其他内容。

通过上述审查、研究，分保接受人根据自身承保能力，确定承保限额，慎重接受分入业务。对资信情况欠佳的分出人或对分入人不利的分保条件应当拒绝；对资信情况好的分出人或条件较为优惠并有获利可能的分保应积极接受。同时，在与分出人协商并达成一致意见的基础上，选择较有利的分保方式。对分入业务承保以后，要加强对业务成绩的考核，严格检验接受业务的质量，核对和审查合同文本，编制摘要表，审查账单和结算情况，做好登记和业务统计、赔款处理、未决赔款和未了责任记录，并将有关资料存档，必须与分出公司和经纪公司核对账务和办理结算。

如果是通过经纪人办理结算，要特别注意账单寄送是否及时、有无截留保费支付以及准备金返还时间等情况。对开出的信用证要加强管理，要注意货币兑换损益、兑换率的应用，密切注意通货膨胀对分入业务赔款计算的影响。

（二）分入业务管理的一般要求

与直接保险业务的经营管理相比较，分入业务的经营管理更具特殊性、复杂性。因为分入业务的要约方是分出人，分保接受人处于相对被动的地位，所以分保接受人应经常总结业务经营中的经验与教训，加强管理，才能取得好的经济效益。若能遵循一些基本要求，往往可以获得较理想的效果，分入业务管理要确定是在业务当地还是在其他地方接受业务，充分了解市场和分出公司的各项情况，对确定接受业务的承保额度，一般要控制在资本额的1%左右。对经纪人要进行详细的审查，认真审核每一笔赔款是否属于承保范围、是否符合承保年度，制定和建立较为完备的业务统计制度，提存充足的准备金，对分入业务应有超额赔款的分保安排，对于易受巨灾袭击的地区性业务，要安排巨灾超额赔款的保障，对转分性质的分入业务应尽可能少接受或不接受，拒绝将承保权交由经纪公司或代理人，对代理人承办的分入业务应拒绝接受。

二、承保额的确定和应用

承保额是接受公司对于分出公司转让的风险或责任所能接受或承担的限额。由于分入再保险业务是间接承保，分保接受人对于承保风险的情况并不直接掌握，因此一般的承保额比直接业务的自留额要低。

分入业务来源于国际市场，各个市场都有一些特殊的做法，要求负责分入业务的承保人必须具备国际市场的必要知识和一定的业务水平与经验，要经过专业的训练，结合本公司既定的接受分入业务的方针和原则，逐笔审查分入业务的质量再确定承保额。

确定承保额所要考虑的因素很多，但基本的因素是资本金和保费收入。例如，某公司的资本金为 1 000 万元，年保费收入为 3 000 万元。如果确定每一风险单位的承保额为资本的 3%、保费的 1%，则每一风险单位的承保额以 30 万元为限。但对于不同的分保方式和业务种类，所考虑的因素是不同的。现根据分保方式并结合业务种类予以说明。

（一）比例合同的承保额

对于比例合同的承保额，应按险别分别确定。以财产险承保额的确定为例，可以从两个方面考虑：一方面是合同分保限额，另一方面是业务量，即保费和所估计的赔款额。其具体步骤是：先按规定的承保额分别计算出这两者的百分率，从而选择其中以较低的百分率对分保限额加以计算，再将所得的金额作为所接受的实际承保额。

例 8-1 接受公司对财产险比例合同的业务所规定的承保额为 30 万元，现由经纪公司介绍两笔财产险分保建议。对于所接受的实际承保额的计算如下：

第一笔，合同分保限额 500 万元，按规定的承保额 30 万元，占限额的 6%。估计保费为 200 万元，据分保建议中所提供的资料，赔付率估计可高达 150%。据此，估计赔款为 300 万元，承保额为 30 万元，占赔款额的 10%。据此，选择这两者中较低的百分率，即 6%，对分保限额 500 万元加以计算，计算出的金额为 30 万元，即实际承保额为 30 万元。

第二笔，合同分保限额 500 万元，按规定的承保额为 30 万元，也是占限额的 6%。估计保费为 300 万元，最高赔付率估计为 200%，故赔款额可以高达 600 万元，承保额为 30 万元，占赔款额的 5%。据此，选择这两者中较低的百分率，即 5%，对分保限额 500 万元加以计算，计算出的金额为 25 万元，即实际承保额为 25 万元。但这笔业务的赔付率过高，在实际工作中应拒绝接受。

根据上述例子，可以得出这样的结论：如果合同对于每个风险单位的分保限额较大而业务量即保费较小，则可以按分保限额来考虑接受的实际承保额；如果合同的分保限额较小而业务量较大，则应按业务量和所估计的赔款额来考虑所接受的实际承保额。

其他财产险业务，如货运险、船舶险、航空险、建工险及石油险等均可以参照这一办法来考虑承保额。对货运险还应考虑到港口和码头仓库的责任累积，承保额可以规定得低一些。对于人身意外险业务，应该按每艘船或每架班机可能的责任累积来考虑承保额。

（二）非比例合同的承保额

根据不同的超赔方式，非比例合同的承保额的确定方式略有差别。下面分别予以简单说明。

1. 险位超赔

关于财产险、水险、航空险和各种意外险的险位超赔，虽然合同的分保责任额是按每个风险单位或每次损失规定的，但所接受的承保额度的确定也应从两个方面考虑：一方面是按分保责任额，另一方面是以所估计的年度最高损失金额减去分保费后的可能亏损额。

例 8-2 某一财产险的险位超赔合同建议，分保责任额为超过 50 万元以后的 150 万元，按每次损失计算而无责任恢复限制，分保费为 100 万元，接受人所规定的承保额度是 30 万元。如上所述，对于所应接受的承保额度的确定有两种计算方法。

一种是按承保额度对分保责任额的百分率计算。本例分保责任限额为 150 万元，规定的承保额度为 30 万元，占限额的 20%。

另一种是按承保额度对可能亏损额的百分率计算。如果本例估计年度的最高损失为三个责任限额，计 450 万元，从中减去分保费 100 万元，所余 350 万元为可能亏损额。规定的承保额度为 30 万元，占亏损额的 8.5%。按分保责任额 150 万元的 8.5%计算，实际承保额为 12.75 万元。

虽然这种合同的分保责任额是按每个危险单位或每次损失规定的，但接受人应以合同作为一个整体或危险单位来考虑。因此，对该建议所要接受的承保额不应是责任额 150 万元的 20%（30 万元），而应是分保责任额的 8.5%（12.75 万元），后者较为合适。

2. 事故超赔

事故超赔一般分层次安排分保。接受公司为了承保的目的，可以将事故超赔分为三个层次，即低层、中层和高层，分别考虑和确定所要接受的承保额度。层次划分的一般界限如下：低层，是指预计有损失发生，但可能每年有一次赔付的层次；中层，仅在有较大的巨灾事故时才会有对损失的赔付，预计在 10~39 年的时间可能发生一次；高层，当在有严重的巨灾事故时才会有对损失的赔付，预计在 40 年或 40 年以上的时间内可能发生一次。根据对超赔层次的这种分类，如果接受公司对承保额度的规定一般为 30 万元、最高为 35 万元，则对各层次所能接受的承保额度的确定大致如下：低层应在 10 万~15 万元，一般为 10 万元。因为在 1 年中可能有两个或更多的全损发生，所以即使没有接受中层和高层，接受 30 万元也是不合适的。低层和中层同时接受，则共计承保额度应在 15 万~25 万元，一般为 20 万元。如果低层接受 10 万元，则中层接受所余的 10 万元。对于高层，在没有接受低层和中层的情况下，可接受 30 万元或 35 万元。如果所有层次都接受，累计承保额度最高不能超过 35 万元，一般为 30 万元。上述承保额度的一般原则，在实务中要与责任累积的因素联系起来考虑，如果认为有责任累积的可能，就对上述所确定的承保额度做适当降低的调整，以便所承担的责任在责任累积的限额以内。

3. 损失中止超赔或赔付率超赔

从接受公司的承保目的出发，对这种超赔可以分为两层，即低层和高层。对于低层，所接受的承保额度可以确定为10万元，低层和高层同时接受，则最高不超过30万元。由于赔付率超赔合同一般适用于农作物冰雹险和医疗事故险等，其赔付率的波动很大，因此，在实际工作中，特别是在当前国际市场赔付率普遍上升的情况下，对这种业务的接受应采取更加谨慎的态度。

（三）临时分保

临时分保所接受的承保额度的确定，分为两种情况：一种是按最大可能损失为10万元，另一种是按某个地点为30万元。由于临时分保业务的安排经常是在合同分保限额之外的部分责任，因此应考虑到与合同业务发生责任累积的可能性。

（四）规定最高接受限额

以上按分保的方式和业务种类对于所接受的承保额度的确定做了阐述。为了防止每个合同和每笔临时分保业务所承担的责任过大，还可以规定以分保责任额的10%作为最高的接受百分率。

三、分入再保险业务的承保

分入再保险业务的承保是对由分出公司或经由经纪公司所提供的分保建议进行审查，从而做出是否承保的判断。考虑这一问题包括对一般情况的考虑和对具体分保建议的考虑两个方面。

（一）对一般情况的考虑

通常，分保业务的承保要考虑的情况包括三个方面的内容：一是业务来源国家或地区的一般政治和经济形势，特别是有关通货和外汇管制方面的情况；二是业务的一般市场趋势，包括国际上和所在国或所在地区有关这种业务的费率与佣金等情况；三是提供分保建议的分出公司和经纪公司资信情况，包括其资本、业务情况和经营作风等。了解上述情况主要是依靠长期的、从各方面所收集的资料的积累，如报刊上有关保险市场的信息、出访和来访以及参加国际会议所得到的资料、对分出公司和经纪公司的年报的分析研究以及在日常业务工作中所掌握的情况，对于通过经纪人结算的分入业务，必须仔细核对原始资料的信息，从严掌握。

（二）对具体分保建议的考虑

对于具体的分保建议，主要考虑以下七个问题：

1. 业务种类、分保的方式方法及承保范围和地区

对于可能分入的业务，首先要分别业务种类，如财产险或意外险等；其次要看分出公司的安排方式，是临时分保还是合同分保，是比例分保还是非比例分保。要考虑的因素还有业务是否由家庭、商业和工业风险混合组成；是直接业务的分保还是分入

业务的转分保；责任范围是否包括利润损失险或地震险等；地区是仅限于分出公司所在国家或地区还是世界范围的。

2. 分出公司的自留额与分保额之间的关系

了解这一问题，是为了掌握分出公司对分保安排的意图和预期功效。例如，分出公司安排95%的成数分保合同，而自留额仅有5%，是比较小的。这说明，它对业务的经营缺乏信心，不是想从业务的承保方面谋求收益，而是将自己置于代理人的地位，打算以向接受公司收取佣金的方式得到利益，因而也很可能影响直接业务的承保质量。

3. 分出人对业务的承保经验和理赔经验

分保接受人应该了解分出人对各种业务或某一类特殊业务的承保经验，如果证明分出人对业务有足够的承保经验，那么在再保险合同协商时，对分出人也是有利的。同时，接受人还应该了解有关分出人过去5~10年的保费收入情况，因为这涉及分出人的成长情况。相较于其他信息，充分了解分出人的理赔经验对接受人来说显得更为重要，因为这直接影响一些再保险价格的确定，如非比例再保险中的保费划分、比例再保险分保佣金率的确定等。分保接受人仅仅了解某一笔业务有否发生损失是不够的，还必须了解其他的一些情况。例如，在非比例再保险中，原本在免赔额之下的赔偿金额，由于受通货膨胀的影响，或者法律法规的变化以及法院在处理补偿性索赔时的不同态度，会使得最后实际赔偿金额远远超过原来估计的金额。因此，分保接受人有必要获取与业务相关的所有理赔信息，或者至少是对那些赔偿金额超过再保险免赔额50%的理赔情况。

在责任险（也称长尾业务）中，由于索赔和理赔都需要一定的时间，接受人就有必要对每个承保年度的预期最终损失制订计划，这就需要一些统计损失数据。这些损失数据以某项业务的理赔为基础。在每年续约时，可以提供已经支付的赔款金额和未决赔款的金额。这些数据对确定再保险费率是很有价值的，同时接受人还可以借此充分了解分出人对赔款准备金留存的方式与技术。

4. 分出业务的除外责任

分出人除了要向接受人提供标准除外责任条款，如核风险或战争风险除外责任条款等之外，还应该提供那些不能承保的业务或风险的详细情况，以及不需要再保险保障的业务情况，以便分保接受人明确分出业务的风险情况。同时，接受人还可以有自己的除外责任条款，特别是当分出人对分出业务的种类或具体情况没有做出明确说明时。

5. 分保额与分保费之间的关系

掌握分保额与分保费的情况，分析这两者的相互关系，是审查分保建议的质量的关键因素，所以接受公司对此必须十分重视。

（1）在比例合同方面，分保额与分保费两者之间的相互关系大致有三种情况。由于情况的不同，对接受公司的承保结果也就有所不同。现分述如下：

第一种情况，分保费过分小于合同分保额。

例 8-3 分保额为100 000元，分保费20 000元是分保额的20%。如果接受10%，则承保额为10 000元，分保费收入为2 000元。由于保费过小，风险不够分散，如果有一个风险单位发生全损，就需要5年的时间才能得到偿还，而且还要在这5年时间内保持同样的保费水平，而再无赔款发生。

例8-3说明，如果分保费与分保额之间的关系是分保费过分小于分保额，这种合同是不平衡的。因为如果有一个风险单位的全损，就会造成严重的亏损。但正因为保费较小，所以如果不发生全损而赔付率较高以致有亏损，或者赔付率较低有收益，其金额均较小，对整个业务的影响不大。因此，对于这种情况，应着重从每个风险单位的分保额这方面考虑。

第二种情况，分保费过分大于合同分保额。

例8-4　分保额为35 000元，分保费为260 000元，分保费是分保限额的8倍。赔付率为130%，则赔款为338 000元，约为10个风险单位的全损。如果赔付率为10%，则承保额为3 500元，分保费为26 000元，赔款为33 800元，业务亏损计7 800元。由于保费较多而赔款金额较大，故对整个业务是有影响的。虽然分保费过分大于分保额，但不能认为分保费可以赔付几个全损而可能有较大的收益，而应注意到会产生严重的亏损。对于这种情况，应着重从分保费这一方面考虑。

第三种情况，分保费与合同分保额大致相当。

例8-5　合同分保额为100 000元，分保费为250 000元，是限额的2.5倍，赔付率为103%，即赔款为257 500元，亏损3%则为7 500元。如果赔付率为10%，责任为100 000元，保费为25 000元，赔款为25 750元，业务亏损750元。

例8-6　合同限额为1 000 000元，保费2 500 000元是限额的2.5倍，赔付率为103%，即赔款为2 575 000元，亏损为75 000元。如果赔付率为10%，责任为100 000元，保费为250 000元，赔款为257 500元，业务亏损为7 500元。

例8-5和例8-6的分保费与分保额、合同限额的比例关系是相同的，是较平衡的，所以其结果不论是收益还是损失，对整个业务的影响都是较大的。因此，在这种情况下，对于分保费和分保额两方面都应注意考察。

上述三种情况所举的例子，大多是财产险和海上货运险的成数合同与溢额合同的情况。一般来说，平衡的合同由于保费与限额大致相当，因而风险也比较分散，被认为是较好的业务。但对于不同的业务种类和分保方式，分保费与分保额之间保持怎样的比例关系才被认为是相当或平衡的，对这一问题很难给出统一的答案，应从保险市场和业务的实际情况出发，并结合接受公司自己的经验视其具体情况而定。

（2）在非比例合同方面，分保费与分保责任限额两者之间的关系，也可以分为三种情况。

第一种情况，合同责任限额较大，分保费较少。这种情况往往是由于损失率较低，因而分保费对限额的百分率也较低。

例8-7　分保责任限额为超过100万元以后的100万元。分保费5万元为限额的5%，无赔款记录。

例8-8　分保责任限额为超过200万元以后的300万元，分保费6.75万元为限额的2.25%，无赔款记录。

这一般是事故超赔合同，对责任恢复次数是有规定的。因此，对于这种合同的分保建议，应着重考虑分保责任限额和责任恢复的规定。

第二种情况，合同责任限额较小，分保费较多。这种情况往往是由于损失发生率高，因而分保费对限额的百分率也高。

例 8-9 分保责任限额为超过 2 万元以后的 5 万元，保费 5.5 万元为限额的 110%。但是，赔付率高达 310%，合计赔款为 17.05 万元。亏损 11.55 万元，亏损率为 210%。

例 8-10 分保责任限额为超过 1 万元以后的 3 万元，保费 3.6 万元为限额的 120%。赔付率为 80%，合计赔款为 2.88 万元。收益为 7 200 元，收益率为 20%。

这一般是险位超赔合同，对责任的恢复次数，有的是无限制的。因此，对于这种分保建议，应着重考虑分保费和责任恢复的规定。因为保费越大，赔款可能越多，从而造成的亏损越严重。

第三种情况，分保合同限额较大，分保费较多。这是由于损失发生率较高，因而分保费对限额的百分率也高。

例 8-11 保费责任限额为超过 50 万元以后的 50 万元，保费 10 万元为限额的 20%。赔付率为 130%，合计赔款为 13 万元。亏损 3 万元，亏损率为 30%。这一般是中间层次的合同，由于分保责任限额和分保费均较高，因此对分保费、分保责任限额以及恢复的规定均应注意考虑。

6. 分保条件

在考虑分保建议有关业务种类和承保范围，分出公司的自留额以及分保限额和分保费是否平衡后，应对分保条件进行细致的审查。对比例合同应审查的分保条件主要有分保佣金、盈余佣金、保费和赔款准备金以及未满期保费和未决赔款的转移等。由于各个保险市场情况的不同，这些条件在合同中的具体规定会有较大的不同。因此，应结合所掌握的市场情况，审查在分保建议中对这些条件的规定是否恰当，如分保手续等是否符合要求。如果是续转业务，应结合过去的经营成果考虑。如果合同是亏损的，应对分保手续进行调整。对非比例合同应审查的分保条件主要有分保费或费率、责任恢复的规定。分保费和责任恢复涉及接受公司的保费收入与责任的承担，应结合市场情况和在建议中所提供的资料。

7. 对分入业务收益的估算

在分保建议中，分出公司一般应提供有关该业务过去的赔款和经营成果的统计资料。如果建议中缺少这些资料，接受公司可以要求提供，以便对所建议的业务进行估算。对所提供的资料在审核时应注意以下三点：

（1）如对合同有分保安排，则所提供的数字应以未扣除分保前的毛保费和赔款为基础。

（2）要按所提供的业务的同样条件编制。如所建议的比例合同业务有未满期保费和未决赔款的转出和转入，则统计资料也应同样处理，以便进行比较。

（3）毛保费、分保佣金、已付赔款、赔付率和盈亏率等项目，应按业务年度进行统计，并至少要有五个业务年度的资料。

接受公司应根据建议中所提出的分保条件和资料。如果是续转业务，还应结合自己的统计数字，对所建议的业务进行估价并结合对其他因素的考虑。最后决定是否接受，如果接受，做出接受多少为宜的判断。

现分列几种情况举例说明如下：

例 8-12　火险第一溢额

自留额：每个危险单位最高为 600 万美元

分保限额：是自留额的 5 倍，共计 3 000 万美元，最大可能损失为 1 500 万美元

佣金和费用：分保佣金为 25%

税费：1%

经纪人佣金：2%

共计：28%

账单：季度账单，以已满期保费为基础。

资料：估计保费为 4 000 万美元，5 年平均已满期保费为 2 800 万美元，发生赔款为 2 000 万美元；赔付率平均为 71%、最高为 80%、最低为 60%。

评估：保费为 4 000 万美元，占限额 3 000 万美元的 133%，所以保费与限额的关系还是平衡的，合同的佣金和费用率为 28%。如果赔付率为 60%~70%，则尚有收益 2%~12%；如果赔付率为 80%，会亏损 8%。因此，可以考虑接受 1%，责任为 30 万美元，保费为 40 万美元，可能有收益 0.8 万~4.8 万美元，可能会发生亏损 3.2 万美元。

例 8-13　火险第一溢额

自留额：每个危险单位为 150 万美元

分保限额：是自留额的 5 倍，共计 750 万美元

佣金和费用：分保佣金为 37.5%（如赔付率等于或少于 35%，再增加 2.5%）

税费：4%

经纪人佣金：2.5%

共计：44%

保费准备金：40%

未满期保费转出：35%

未决赔款转出：90%

账单：季度账单，按毛保费计算。

资料：估计保费为 4 000 万美元，8 年平均已满期保费为 1 890 万美元，发生赔款为 1 500 万美元；赔付率平均为 79%、最高为 120%、最低为 30%。

评估：估计保费是分保限额的 5 倍，这表明有较多的保费收入，但也可能有较大的损失。该业务估计保费为 4 000 万美元，未满期保费转出为 35%，故已满期保费为 65%，共计 2 600 万美元。佣金和费用率占保费的 44%，共计 1 760 万美元，占已满期保费 2 600 万美元的 67%。因此，如赔付率占已满期保费的 35%，则与佣金和费用率 67%共计 102%，发生亏损 2%。在亏损的情况下，还要增加 2.5%的分保佣金是不合理的。如果赔付率为 79%，与佣金和费用率共计为 146%，将会亏损 46%。因此，只有在赔付率约为 30%的情况下才会有收益。

该业务的分保佣金为 37.5%，是较高的，实际上是减少了保费收入。分保佣金与税款和经纪人佣金共计 44%，加上扣存保费准备金 40%，共计 84%，则尚余 16%可以

用来支付赔款和分保接受公司的现金收入。

该业务质量较差，且分保佣金又较高，业务收益和现金运用的可能性较小，且有较大亏损的可能，故应拒绝接受。

例 8-14 火险成数合同

责任限额：每个危险单位 500 万美元，分出 27.5%，共计 137.5 万美元。

佣金及费用：临时分保佣金为 27.5%；赔付率等于或高于 70%时，佣金取最低值 20%；赔付率每减少 2%，佣金增加 1%；赔付率等于或低于 46%时，佣金取最高值 32%。

税款：1%

经纪人佣金：2.5%

账单：季度账单，按毛保费计算，两年结清。

资料：估计保费 600 万美元。据向分出公司询问了解，尚另有 27.5%的成数分保，则共计分出 55%，自留 45%，共计 225 万美元，但自留部分还有超赔保障，净自留额为 10 万美元。5 年平均毛保费为 1 660 万美元，发生赔款为 1 256 万美元，赔付率平均为 75%、最低为 62.5%、最高为 90%。

评估：估计保费与责任限额的关系为 120%，还是平衡的。但自留额过小，这可能由两种情况造成：一种是业务质量较差，另一种是资本的限制。分保佣金采取递增的办法，如赔付率为 70%，分保佣金为 20%，加上税款和经纪人佣金 3.5%，共计 93.5%，尚有收益。如赔付率达 80%，则会亏损。

因此，如果对分出公司的资金等情况有所了解，且分出公司资信较好，则可以考虑接受一些业务，否则应拒绝接受。

例 8-15 财产险险位超赔合同

责任限额：每个危险单位超过 50 万美元以后的 50 万美元，每次事故 150 万美元。

保费：费率 1%

最低保证保费 50 万美元，分 4 个季度预付。

减除额：15%

税款：1%

资料：估计已满期保费 6 500 万美元。据统计，7 年保费为 32 500 万美元，赔款为 210 万美元，赔付率为 0.64%，附加费用为 34/66，按此计算费率约为 0.95%。

最近 5 年的保费为 25 000 万美元，赔款为 113 万美元，赔付率为 0.524%，附加费用为 34/66，按此计算费率为 0.79%。

在这 7 年中，合同项下的平均赔款为 30 万元，最多的一年有两次赔付，共计 64 万美元；最少的一年有一次赔付共计 10 万美元；并且有一年是无赔付。

评估：按 7 年和 5 年的资料计算，费率分别为 0.95%和 0.79%，故费率 1%较合理。

估计保费为 6 500 万美元，按 1%的费率计算，分保费为 65 万美元，扣去减除额 15%，共计 9.75 万美元，尚有余额 55.25 万美元，可以赔付一次全损。

故如果赔付 100 万~150 万美元，相当于两次或三次的全损，在扣除分保费后，最多亏损 100 万美元；如果赔款为 30 万美元或从长期考虑是有收益的。

因此，可以接受 5%，则责任为 25 000 美元，保费按最低保证保费计算，为 25 350 美元，约与责任相等，可以赔付一次全损。

例 8-16　火险超赔合同

第一层

责任限额：每次损失或每次事故中超过 30 万美元以后的 70 万美元。

责任恢复：一次无加费，一次 100%加费（无经纪人手续费）。

保费：最低保证保费为 20 万美元，费率为 8.5%。

减除额：10%

第二层

责任限额：超过 100 万美元以后的 200 万美元。

保费：最低保证保费为 25 000 美元，费率为 1%。其他项目与第一层相同。

资料：估计保费为 310 万美元，最高自留额（不是最大可能损失）为 50 万美元。保额超过 30 万美元的地区约有 500 多个。据 5 年的统计资料，合同项下的赔款共计 90 万美元，平均每年为 18 万美元，一次赔付最高为 30 万美元、最低为 10 万美元。

评估：

第一层

平均赔款 18 万美元，如果加上附加费用 25/75，则平均每年赔付成本为 24 万元。估计保费为 310 万美元，按费率 8.5%计算，分保费为 26.35 万美元，占责任限额 70 万美元的 37%，且略高于赔付成本，因此费率是较合理的。

每个危险单位的最高自留额为 50 万美元，如果发生一个危险单位的全损，本合同项下的赔付是 20 万美元。又据为期 5 年的统计，最高赔付为 30 万美元，因此如将责任限额分析为超过 30 万美元以后的 30 万美元，分保费 24 万美元是责任限额 30 万美元的 80%，尚有超过 60 万美元以后的 40 万美元的责任，保费为所余的 2.35 万美元，为责任限额 40 万美元的 5.8%。据统计资料，该层次在过去 5 年中无赔款，可以作为巨灾性质，费率较为合理。

第二层

估计保费 310 万美元，按费率 1%计算，分保费有 3.1 万美元，占责任限额 200 万美元的 1.55%。本层次为巨灾超赔，是超过两个最高自留额以后的 4 个自留额。在分保费与责任限额的关系上，第一层较恰当，而第二层较低，且有赔付的可能。因此，对第一层可以接受 4%，责任为 2.8 万美元，分保费按最低保证费 20 万美元计算为 8 000 美元，按调整保费 26.3 万美元计算为 10 540 美元。对第二层可以不接受。

例 8-17　非水险超赔合同

第一层

责任限额：超过 125 万美元以后的 250 万美元，每次事故分出公司自留 5%。

地区：全世界，但美国和加拿大除外。

责任恢复：一次全部恢复，100%加费，仅按金额比例计算，而不考虑时间。

保费：最低保证保费 5 万美元，分 4 次交付，费率为 0.15%。

减除额：10%。

第二层

责任限额：超过375万美元以后的300万美元，每次事故分出公司自留5%。

保费：最低保证保费为2万美元，费率为0.06%。其他条件与第一层相同。

第三层

责任限额：超过675万美元以后的325万美元，每次事故分出公司自留5%。

保费：最低保证保费为1.2万美元，费率为0.04%，其他条件与第一层相同。

资料：估计保费有4 300万美元。每个危险单位最高自留额为100万美元。

评估：估计保费有4 300万美元，据此计算分保费以及与责任限额的关系如表8-6所示。

表8-6　分保费与责任限额的关系

层次	费率/%	分保费/万美元	责任额/万美元	百分率
1	0.15	64 500	2 500 000	2.58
2	0.06	25 800	3 000 000	0.86
3	0.04	17 200	3 250 000	0.54

从分保费与责任限额的关系来看，总的费率是偏低的。

第一层减除额是125万美元，仅占最高自留额100万美元的125%。因此，虽然过去的最大赔付是70万美元，占减除额的56%，但如果对各个地段的责任限额按70%估计最大可能损失，如地段2为175万美元，所以当有地震发生时，第一层有赔付的可能。地段5和地段6的责任限额共计900万美元，按70%估计最大可能损失为630万美元，第二层有赔付的可能。第三层的减除额为675万美元，是为了应对最大可能损失的估计有误或有巨大损失。由于整个合同的费率偏低，应拒绝接受，但对第三层因赔款的可能性较小，因此如费率能有所提高，可以考虑接受一些。

四、分入业务的手续

分保手续在分出公司与接受公司之间有密切的联系。分出公司是发出的一方，提出分保建议和编制账单；接受公司是接受的一方，负责对建议的审查和账单的登录等，在此基础上对分入业务进行管理。现对分入业务的手续进行介绍。

（一）对分保建议的审查和填制摘要表

当分入公司接到分出公司或经纪公司函电提供的分保建议并经审查后，如不同意，应以电复委婉拒绝，如果同意接受，应电告接受比例，并进行登记和填制摘要表。摘要表是对所接受业务的有关情况的摘录，如分出公司、业务种类、分保方式、责任限额、接受比例、估计保费和经纪公司等。其具体形式如表8-7所示。

表 8-7 分入合同摘要

编号： 国家： 接受日期：

<table>
<tr><td colspan="6">业务种类日期：从 到
注销：每年底 月前通知</td></tr>
<tr><td colspan="6">被保险人</td></tr>
<tr><td colspan="6">合同方式和名称：
地区：</td></tr>
<tr><td colspan="6">分保线数或比例
最高责任：
估计合同保费收入：</td></tr>
<tr><td colspan="2">手续费：
转分手续费：
费用：</td><td colspan="2">累进手续费：
赔付率：
临时手续费：</td><td colspan="2">纯益手续费：
分保接受人的费用：
亏损转入下期：</td></tr>
<tr><td colspan="2">账单：
未了责任转入：
保费：
赔款：</td><td colspan="2">现金赔款：
未了责任转出：
保费：
赔款：</td><td colspan="2">保费准备金：
赔款准备金：

利息：</td></tr>
<tr><td rowspan="2">接受比例</td><td colspan="2">最大责任</td><td colspan="2">估计保费收入</td><td></td></tr>
<tr><td>原币</td><td>美元</td><td>原币</td><td>美元</td><td></td></tr>
<tr><td>承保线数</td><td colspan="5"></td></tr>
<tr><td>签字线数</td><td colspan="5"></td></tr>
<tr><td colspan="2">经纪人：</td><td colspan="2">经纪人手续费：</td><td colspan="2">编号：</td></tr>
<tr><td colspan="4">续转新号码：</td><td colspan="2">原号码：</td></tr>
<tr><td colspan="6">说明和注意事项：</td></tr>
<tr><td colspan="4">经手人：</td><td colspan="2">复核人：</td></tr>
</table>

（二）分保条、合同文本和附约的审核、签署与管理

对于分出公司或经纪公司寄来的分保条、合同文本，接受公司要认真核对，签署后，一份自留归档，其余退还。当接到有关修改合同条文和承保条件等的函电，经审核后，应电复证实，并对摘要表的有关栏目进行更改和登录。对寄来的附约，经审核后一份自留，与合同一并归档备查，其余归还。

（三）现金赔款的处理

收到现金赔款通知后，应填制现金赔款审核单（如表 8-8 所示），并登录现金赔款登记簿，经审核批准后送会计部门给付。

表 8-8　分入合同业务现金赔款审核单

编号：			年　月　日
（1）分保经纪人名称：			
（2）分出公司名称：			
（3）险别：	合同名称：	业务年度：	我方接受比例：
（4）赔案内容摘要：			
（A）原保户名称：			
（B）保额：	分出公司自留额：	列入合同数额：	
（C）赔案发生日期及地点：			
（D）损失内容摘要：			
（E）合同应摊付赔款数额：			
（F）我方应摊付赔款数额：			
（5）我方应摊付赔款请即汇交：上述分保经纪人		上述分出公司	
（6）有关原始索赔文件：			
（7）注：			
批准：	复核：	制表：	

（四）信用证

关于未满期保费和未决赔款有要求提供信用证的，应填制申请表，并登录信用证登记簿，经核准后送会计部门办理信用证手续。

（五）到期续转和注销

接受公司为了争取主动，在合同到期前，在合同规定的期限内，向对方发出临时注销通知。如果经双方协商同意续转，可以将临时注销通知撤回。如果双方协商不同意续转，可以将临时注销通知作为正式通知，于是合同就告终止。分出公司为了有利于分出业务的安排，收到发来临时注销通知时，应电复证实。如果经洽商同意续转，由对方收回临时注销通知，合同继续有效。

（六）归档

关于上述分入业务的函电文件的归档有两种情况：一种是分散归档，即一部分由业务部门归档，如承接业务的函电、合同文本和出险通知等；另一部分由会计部门归档，如业务账单等。另一种是集中归档。特别是在已建立的业务信息系统，业务账单是由业务部门输入而无须送交会计部门的情况下，可以由业务部门按合同分别归档。分出公司和接受公司有时可能对分入业务发生争执甚至进行诉讼。在有必要查阅原始函电文件和核对有关业务数字的情况下，集中归档比分散归档较易查找，从而有利于搞清情况和解决问题。

五、分入业务的转分手续

经营再保险业务的公司，出于责任累积和保障的考虑，也要安排分保。因而，当转分保规划确定后，应与分出部门联系在国与国间进行分保安排，这就有必要对有转分保合同安排的分入业务履行一定的手续以便管理。

（一）关于责任累计与保障的问题

1. 控制累积责任

从多渠道接受分保业务，即使十分谨慎地决定接受限额，也可能会发生内在的、不可知的风险累积。对此，分保接受人应从以下四方面加以控制：一是检测容易累积的风险，二是系统地估计这种风险，三是相应决定自留额，四是安排转分保。

2. 转分保

转分保分为两种：一种称为“深层分保”或称“转分保本体”，由分保接受人转让给转分保接受人其所承担风险的一个比例，或者以原条文和条件签订转分保合同，通常使用溢额或成数方式；另一种称为“分保接受人的分保”或称“转分保”，做法类似于一般分保，主要是为了保障分保接受人所承受的累积责任风险的巨额责任，一般用超额赔款方式，与原分保本体无直接联系。对于国际分入的临分业务和超赔业务，特别是高层的超赔业务责任大、保费少，可以按承保能力的需要安排几个不同等级的成数转分保合同。例如，财产险每个风险单位的自留额为 30 万元，所需要的最高承保能力为 220 万元，则可以安排 4 个等级的成数合同。

第一级，承保能力为 1 个半自留额，金额为 45 万元；自留 66.66%，共计 30 万元；分出 33.33%，共计 15 万元。

第二级，承保能力为 2 个自留额，共计 60 万元；自留 50%，共计 30 万元；分出 50%，共计 30 万元。

第三级，承保能力为 3 个自留额，共计 90 万元；自留 33.33%，共计 30 万元；分出 66.66%，共计 60 万元。

第四级，承保能力为 4 个自留额，共计 120 万元；自留 25%，共计 30 万元；分出 75%，共计 90 万元。

当所接受的国际财产险业务在 30 万元以下时，可以全部自留；超过 30 万元，在 120 万元以内时，可以分别归入各个不同等级的成数合同。

对于国际财产险业务的责任累积，可以安排巨灾超赔保障，对每个风险单位的自留额一般确定为资本的 3%，如资本为 1 000 万元，自留额为 30 万元。巨灾超赔自留额一般不超过资本的 7.5%，共计 75 万元。但由于在一年内可能有若干次事故发生，以及可能通过转分保返回而又由分出公司自己承担一些责任，因此应低于 7.5%，可以确定为 50 万元。如果所需总的超赔保障为 2 000 万元，可以安排 3 层保障。

第一层，超过 50 万元以后的 150 万元，每次事故；

第二层，超过 200 万元以后的 300 万元，每次事故；

第三层，超过 500 万元以后的 1 500 万元，每次事故。

有些国家在保险业务的经营管理上，对保险公司有强制性的规定，必须向国有保险公司分保一定比例的业务。国有保险公司对这种分入业务的转分保可以组织分保集团，将一部分业务返还给保险公司，而将所超过的部分在国际上安排转分保。其目的是减少对外分保，从而节约外汇支付和发展本国的保险业。

（二）比例转分保合同手续

（1）对于有成数转分保合同安排的分入业务，在接受时即应进行登记和编制转分号，并在摘要表上注明。

（2）对于有溢额转分保合同安排的分入业务，应进行限额管理，当超过规定的限额时，要将放入溢额转分合同的业务进行登记和编制转分号，并在摘要表上注明。

（3）根据转分合同的规定，如每季度或每半年，按转分号汇集转分业务的资料，如保费、已付赔款和未决赔款等，编制转分业务报表送交分出部门，据以编送业务账单。

（二）非比例转分保合同手续

（1）对于在超赔合同范围内的重大赔案应进行登记，包括已付赔款和未决赔款。

（2）当汇总金额有可能超过起赔额或已超过起赔额时，应编制赔案报表送交分出部门，据以通知转分接受公司或编制赔款账单要求对方赔付。

第四节　再保险业务统计分析

统计分析是再保险业务管理的一项重要工作。统计分析是将实际发生的各类数字加以归纳和系统地整理，据以分析分出合同的业务趋势和成绩，总结所确定的自留额和制定的分保规划的执行情况，从而找出业务的发展规律，以便决策者更好地对业务发展进行研究和做出改进。

一、分出业务统计分析

分出人的统计资料构成分出分保建议的一个部分，也是内部工作的重要参考资料。分出人所提供的资料越充分，就越有利于接受人确定合同组织得是否合适。因此，世界各国的保险和再保险公司都重视保险的科学管理，力争提高服务质量。未来保险业的竞争不仅是业务方面的竞争，也是人才和管理方面的竞争，而统计工作就是管理的一个最主要的环节。

分出分保业务的统计分析，要以业务年度为基础分险别进行核算。由于各类再保险业务都有其自身的特点，责任延续时间也不同，有长期业务和短期业务的区别，如财产险基本在两三年后未了责任就可以结束，而责任险则要长得多，有的长达 10 年甚至 20 年，水险业务共同海损理算时间持续得很长。在办理分出业务时，为了正确核算和分析业务规律、改进工作、以合理的分保费求得最大的分保保障，必须建立良好的、完善的统计制度。

（一）分出分保合同的业务统计

分出分保合同的统计可以分为原始数据统计和参考数据统计两大类。

1. 原始数据统计

原始数据是以业务报表和合同账单作为基础而统计出来的。原始数据统计是供分出人自己记账、划分业务、确定保费和赔款摊分时使用的，其统计的项目有保费、分保佣金、赔款、经纪人佣金、准备金和余额等。原始数据统计一般使用原货币，使分出业务分析排除汇率的影响。

2. 参考数据统计

参考数据是分出分保统计人员根据各种资料及信息中的数字提炼出的与业务有关的统计分析数据。其实质是依据基础统计所提供的资料，按一定的分类或层次将其汇总，以反映全面的结果和各种业务的经营成果。参考数据统计应以某种货币为单位，如美元，并规定各种货币对美元的兑换率为记账汇率。

分出分保业务的统计分析的主要内容包括两个方面：一方面是业务损益；另一方面是分保费和赔款的现金流量、资金效益，即保险费运用的记载和分析。业务成绩主要根据账单数字，现金流量、效益则须依靠账务处理和统计分析。应该注意的是，分出分保业务的统计，单看每一年的合同账务是不够的，还必须考虑其他因素，特别要注意按各业务年度的承保结果的历史记录进行统计分析，不要把不同年度的收付数字混在一起。会计收付数字须按业务年度分列，业务统计不能将以前各年度的保费和赔款计入本年度的统计表中。例如，2020 年支付 2019 年的赔款，应列入 2019 年的业务统计项下。从表 8-9 中可以观察到业务成绩和资金运用的情况。

表 8-9　某公司船舶保险分保合同统计　　单位：元

业务年度	业务种类	第 9 个月	第 21 个月	第 31 个月	第 45 个月
2016	保费	32 526 324	40 063 170	38 951 598	39 709 049
	赔款	2 595 484	14 303 275	19 303 275	22 140 369
	未决赔款	26 191 483	13 330 888	9 694 378	1 568 259
	结果	3 739 357	12 445 530	9 953 945	16 000 421
2017	保费	37 435 958	44 877 218	46 054 918	
	赔款	2 110 699	20 299 581	26 848 604	
	未决赔款	30 187 350	14 608 301	8 247 246	
	结果	5 137 909	9 969 336	10 959 068	
2018	保费	41 090 405	48 850 174		
	赔款	4 771 308	20 037 054		
	未决赔款	29 724 444	17 390 281		
	结果	6 594 653	11 422 839		
2019	保费	42 381 560	47 982 863		
	赔款	4 654 281	23 182 258		
	未决赔款	31 658 899	16 820 000		
	结果	6 068 380	7 980 605		

表 8-10 是某公司超额赔款再保险合同中各类业务保费和赔款的收支情况统计表。其中，栏内的数据为各年中赔款支出和纯保费收入各占其总数的百分比。从表 8-10 中可以看出，火险和水险的保费及赔款在 3 年内基本结清，而意外险则至少在 5 年以后才能确定其大概成绩，而且还需很长时间才能处理结案的未决赔款。

表 8-10 某公司分类业务统计 单位:%

年序	火险		意外险		水险		航空险	
	赔款	纯保费收入	赔款	纯保费收入	赔款	纯保费收入	赔款	纯保费收入
1	29	66	5	50	6	28	6	19
2	62	34	7	37	37	60	31	63
3	9		13	7	29	11	15	18
4			16	2	13	1	18	
5			16	2	6		6	
6			12	2	2		11	
7			10		3		6	
8			8		1		3	
9			5		2		2	
10			3		1			
11			2					
12			1					
13			2					
总数	100	100	100	100	100	100	100	100

（二）分出合同的统计分析

分出业务的统计是实现管理目标的手段，而统计分析和使用才是真正的目的，这一点无论是对分出人还是对接受人都是一致的。例如，分出业务设计人员要了解财险合同中工业风险和商业风险的平均费率与各部分所占的比例以及自留额和分保限额的比例，统计人员就要把原始保单逐笔分类登记，在此基础上得出所需的数据。业务人员把这些数据加工整理后才能判断费率是否合理、两者之间的差距是否适当、自留额和分保额的保费是否足够与合算。通过对一系列问题进行分析研究，如果发现有不合理之处，就应研究调整措施。又如，做转分保统计时，还要注意转分的额度是否恰当，超赔保费支付的效益如何，转分保接受人对业务来源、转分业务透明度的反馈意见等。以上可以概括为统计分析对业务损益核算的主要内容和目的。统计分析的另一个重要作用体现在资金管理和运用方面，如对分保费和现金流量、资金效益（保险费和赔款的时间差）、分保费现金价值的记载和分项核算。业务成绩的统计分析主要是根据账单数字来进行的，会计考核、现金流量、资金运用效益核算则需要依靠财务管理和统计分析，它们构成再保险管理统计分析的整体目标，完整地反映分出再保险的经营成果。

（三）电子数据的处理

1. 电子数据处理在分出业务管理中的运用

电子数据处理给再保险业务管理带来了很大方便。随着分出分保方式的多样化、几种分保方式的结合使用以及巨灾分保要求的基础资料的繁多，传统手工操作难以应付繁杂的数字统计工作。电子数据处理为分保业务管理解决这一难题创造了条件。电子数据处理在分出分保业务中的运用主要包括以下四个方面的内容：一是考核和管理保险申请书，二是收集和存储原始资料，三是决定在每一风险（或索赔）中再保险的比例，四是向分保接受人传送资料。

例如，当接受一笔新业务或续转业务时，首先要查核是否要求再保险、所需保障的比例是什么，然后才可以通过电子数据处理得到资料。以溢额合同为例，必须得到以下个别业务的数据：确定许多张保单的风险累积，累积分析必须清晰地在保单中标明“同险号”，电子数据处理可以用代号和追溯地址，通过电脑终端审查保单是否有特定的累积风险的部分；在划分危险单位和计算累积风险后，计算分出人的自留额和合同分保的比例，确定是否需要使用临时分保。

在分出业务管理中，电子数据处理除满足分出业务自身要求外，同样可以用于向接受人提供必须了解的补充项目。例如，再保险部门为了估计风险而要求提供以下材料（确定限额表中规定自留额的资料）：一是累积保单的风险数字，二是临时分保比例以及分保接受人名单，三是对分保接受人风险评估所需要的基本资料。

2. 电子数据处理在分出业务管理中运用的趋势

计算机系统进入保险市场，有利于保险业管理服务质量的提高。目前，计算机已广泛应用于再保险建议和协商、账务结算、分保摊赔、财务和统计各个方面。计算机在分出分保管理中的应用主要体现在微观业务管理和宏观业务管理两个方面。

在微观业务管理方面，首先体现在一般意义上的办公自动化。作为服务性行业，微观业务管理分为内部和外部的文档管理两个方面。通过计算机实现内部单证和外部文档的收集、整理存储、查询、传送等全面自动化办公。例如，对于公司的保单内容可以通过电子邮件来接收、存贮并传送相关文件。其次，当分出保险业务方案宏观决策后，进行直接相关的微观实施。在账务统计方面，计算机可以实现保费、赔款的迅速分摊和统计，从而有可能实现对账务和统计工作更为准确的管理，加快出具账单的速度，适应分保市场对账单期和出账单期日益缩短的需要。最后，计算机广泛应用于划分风险单位。作为分出业务管理中技术性很强的基础工作，世界上大的专业再保险公司、经纪公司都有专用计算机系统分析风险单位。

在宏观业务管理方面，计算机系统可以在分出分保的业务规划和巨灾风险的监控两方面发挥重要作用。分出业务规划的根本目的是使分出公司以最经济的价格获得所需的再保险保障。在完整的保单和赔款资料的基础上提出各种不同自留额和限额的方案，运用计算机系统强大的计算能力迅速对保额、保费和赔款进行分摊加总，使我们可以在不同方案之间进行明确清晰的比较，在考虑市场等各种因素后提出正确的分保方案。

巨灾风险责任的监控管理水平与分出公司的财务稳定性密切相关。国际分保市场接受人越来越重视对巨灾责任的限制，分保条款中的合同巨灾责任限制（cession limits）和事故限制（event limits）也越来越普遍。因此，外部市场和内部管理两个方面都要求分出公司严格进行对诸如台风、洪水、地震等巨灾风险的监控。只有依靠计算机系统，才能对相关的数据进行搜集、整理、分析，并对巨灾的发生及可能造成的保险损失做出科学合理的估计，使我们对分出业务所承担的巨灾风险，在时间和空间的分布有清晰、客观的认识，并以此为基础做出相应的分保安排。

总之，电子数据处理在分出业务管理方面发挥着重要作用，并随着电子软件系统技术的开发和研制，分出业务管理的水平、业务成绩都将取得长足的进展，以适应保险市场竞争的需要、世界经济发展对分保业务的需要。电子数据处理在保险业务方面的应用是历史发展的必然趋势。

二、分入业务统计分析

分入业务统计不仅应反映一般的业务情况，而且要为业务的承保、管理和分析提供必要的资料，以达到改善经营管理和提高经济效益的目的。因此，分入业务的统计是经营管理方面的一个重要环节。从统计工作这一要求出发，分入业务统计制度的制定和建立应包括两个部分：一是基础统计。这是对每个合同和每笔业务的统计以及经营成果的计算。二是综合统计。这是指在上述统计的基础上，按业务年度、业务种类和分保方式的统计，或按其他的要求，如按国家和地区的统计。

（一）基础统计

基础统计的项目有保费、分保佣金、赔款、经纪人佣金、准备金和余额等。货币单位应按原货币，使业务不致受汇率变动的影响。资料来源是分出公司或经纪人送来的业务账单、现金赔款通知和出险通知等。其手续是依据这些资料所提供的数字在统计表格的有关项目内进行登录，在会计年度终了时将之加总，并按规定的汇率折算成统一的货币，如美元，以便汇总进行综合统计。

当合同的责任终了，账务结束时应依据这些统计资料计算合同的经营成果。由于业务性质的不同，关于经营成果的计算有两种方式：一种是结清方式，即所承担的责任截止业务年度结束就终止，而将未了责任结转入下一业务年度，如火险业务；另一种是自然满期方式，即所承担的责任延续至自然终了，而不受业务年度结束的限制，因而，采用这种方式的业务，如水险一般要延续 3 年或 5 年才能最后计算经营成果，而责任险一般要延续 7~10 年或更长一些。通过基础统计，对于分入业务的管理主要有以下九个方面的内容：

（1）如果分出公司未按合同的规定及时发出业务账单，接受公司应抓紧催询。

（2）接受公司对业务账单上的接受比例必须与摘要表上所注明的比例进行核对，如果有不符应立即查询。

（3）对于保费应与估计保费核对，如果有较大的差别，应向对方查询。如果保费过小，会影响收入；如果保费过大，虽可以增加收入，但质量较差的业务可能会造成较大的亏损。

（4）对于出险通知应进行登记和汇总，以便估计未决赔款，并在统计表格内登录。

（5）对于信用证的开出和调整应登记并在统计表格内登录。

（6）分出公司扣存的准备金是接受公司的资产，但是否已按规定退还，会计上如果没有按合同的分户记录是无法掌握的，因此，业务部门应加强对准备金退还的查核。

（7）接受公司对于由分出公司所提供的统计数字应与自己的统计资料进行核对，如果有较大的差别，应向对方了解。

（8）承保部门除了全面掌握分入业务经营成果、分析表 8-10 中的数字外，还应与会计部门密切联系，了解账务结算情况，注意支付是否及时。

（9）根据统计资料计算合同的经营成果。对于经营成绩良好、运营正常的合同应给予支持，并维持长期的互利的业务关系。

（二）综合统计

这是依据基础统计所提供的资料按一定的分类或层次将其汇总，以反映全面和各种业务的经营情况。基础统计的货币以原货币为单位，但为了便于汇总，综合统计应以某种货币为单位，如美元，并规定各种货币对美元的兑换率作为记账汇率。

综合统计的分类或层次有以下六种情况：

1. 按业务年度、业务种类和分保方式的统计

这是指按业务年度，而不是按会计年度，分别对业务种类和分保方式进行的统计。在业务分类方面，一般可以分为火险、水险、建工险、航空险和责任险等。在分保方式上，可以分为临时分保业务和合同分保业务。每一种分保方式内，又有比例业务和非比例业务之分。比例业务又可以分为成数和溢额分保业务，非比例业务又可以分为低层、中层和高层。交换分入业务，可以与其他分入业务分别统计，以便对业务情况的了解。

以火险业务为例，统计格式如表 8-11 所示。

表 8-11　火险业务统计

业务年度　　　　　　　　　　　　　　　　　　　制表日期：
　　　　　　　　　　　　　　　　　　　　　　　货币单位：

<table>
<tr><th colspan="3">分保方式方法</th><th>保费</th><th>佣金和费用</th><th>赔款</th><th>余额</th></tr>
<tr><td rowspan="3">临时分保</td><td colspan="2">比例</td><td></td><td></td><td></td><td></td></tr>
<tr><td colspan="2">非比例</td><td></td><td></td><td></td><td></td></tr>
<tr><td colspan="2">小计</td><td></td><td></td><td></td><td></td></tr>
<tr><td rowspan="3">合同分保</td><td>比例</td><td>成数
溢额</td><td></td><td></td><td></td><td></td></tr>
<tr><td>非
比
例</td><td>低层
中层
高层</td><td></td><td></td><td></td><td></td></tr>
<tr><td colspan="2">小计</td><td></td><td></td><td></td><td></td></tr>
<tr><td colspan="3">共计</td><td></td><td></td><td></td><td></td></tr>
</table>

2. 按合同经营成果的统计

这是根据基础统计方面的合同经营成果，按业务种类和方式的汇总统计，以便进一步了解业务盈亏的全面情况。其统计如表 8-12 所示。

表 8-12 火险比例合同经营成果汇总统计

会计年度：2016　　业务年度：2015　　单位：美元

盈亏额度		合同数	已满期保费	手续费及费用	发生赔款	余额	占满期保费/%
盈余额	5 000 以下	70	2 500 000	800 000	1 600 000	100 000	4
	5 000~10 000	18	1 300 000	416 000	780 000	104 000	8
	10 000 以上	2	200 000	64 000	110 000	2 600	13
	小计	90	4 000 000	1 280 000	2 490 000	230 000	5.75
亏损额	5 000 以下	6	500 000	160 000	370 000	−30 000	6
	5 000~10 000	3	400 000	128 000	300 000	−28 000	7
	10 000 以上	1	100 000	32 000	8 000	−12 000	12
	小计	10	1 000 000	320 000	750 000	−70 000	7
共计		100	5 000 000	1 600 000	3 240 000	160 000	3.2

对合同经营成果的统计，如使用计算机，统计指标应尽量细致；手工操作的只能酌情突出重点项目。

3. 按会计年度的统计

按会计年度进行的统计，反映公司资产、负债与偿付能力的情况。在基础统计方面，对各种业务情况是按业务年度统计的。按会计年度的统计是在会计年度终了时分别按业务种类，将各个业务年度情况进行汇总统计，以了解该会计年度各种业务的总体情况。现以某公司的责任险为例，其会计年度的统计如表 8-13 所示。

表 8-13 会计年度总统计

业务种类：责任险　　会计年度：2017　　单位：美元

项目	2011	2012	2013	2014	2015	2016	2017	合计
(1)保费	–	100	–	100	9 000	27 500	63 300	100 000
(2)手续费及费用	–	–	–	–	1 000	2 800	6 200	10 000
(3)发生未报赔款转入	30 700	6 000	7 700	16 300	21 000	28 100	–	109 000
(4)未决赔款转入	110 300	20 000	21 400	27 000	21 100	17 800	–	217 600
(5)汇价调整	−14 400	−2 400	−1 200	−1 000	−1 800	−3 600	–	−24 400
(6)共计准备金转入[(3)+(4)+(5)]	126 000	23 600	27 900	42 300	40 300	42 300	–	303 000
(7)已付赔款	1 800	4 300	2 200	4 700	3 000	5 400	1 400	39 000
(8)发生未报赔款转出	25 000	5 000	6 600	9 300	13 800	21 400		113 500
(9)未决赔款转出	83 000	16 800	17 900	26 600	31 400	40 700	22 800	239 200
(10)共计准备金转出[(8)+(9)]	108 000	21 800	24 500	35 900	45 200	62 100	55 200	352 700

表8-13(续)

项目	2011	2012	2013	2014	2015	2016	2017	合计
(11)发生赔款[(7)+(10)-(6)]	-16 800	2 500	-1 200	-1 700	7 900	25 200	56 600	72 500
(12)余额[(1)-(2)-(11)]	16 800	-2 400	1 200	1 800	100	-500	500	17 500

4. 按国家和地区的统计

这是区分国家或地区进行的统计，如美国、加拿大、英国、法国、德国、日本、新加坡、中国香港等，以便了解各地区业务发展趋势和机构设置情况。

5. 按经纪人的统计

这项统计是为了便于了解经纪人介绍分入业务情况。

6. 按分出公司的统计

这项统计是为了了解各个分出公司分出业务的情况。

以上是一般的分类方法，接受公司可以视其接受业务的实际情况，参考上述分类和统计表格，设计出合适的统计制度和统计表格。

思考题

1. 分出业务经营管理的一般原则及主要内容是什么？
2. 简述临时分保与合同分保的区别。
3. 在比例合同分保条件下应如何确定承保额？
4. 在确定承保额度时应明确什么准则？
5. 试结合实践谈谈分入业务对人的审核的重要性。

第九章　再保险市场

再保险市场是保险市场的重要组成部分，是直接保险市场的纵深发展。本章主要介绍再保险市场概述及其组织经营形式、再保险经纪人、世界主要的再保险市场、中国再保险市场发展状况。

第一节　再保险市场概述

一、再保险市场的定义及形成条件

再保险市场是再保险商品交换关系的总和或再保险商品供给与需求关系的总和，在再保险市场上，交易的对象是再保险人为原保险人所面临的保险风险提供的各种再保险保障。

再保险市场是一定历史条件下的产物。再保险市场的形成和培育需要具备一定的条件：一是比较稳定的政治局面；二是发达的保险市场；三是现代化的通信设备和信息网络；四是比较宽松的外汇制度；五是具有丰富的再保险理论知识和实践经验的专业人员；六是拥有相当数量的律师、会计师和精算师等中介服务机构等条件。

二、再保险市场的特点

再保险市场的特点主要有两个：一是国际性。再保险市场是国际保险市场的重要组成部分，具有广泛的国际性。在再保险市场上，保险人在国际保险市场上可以充分安排再保险业务，保障国内业务的稳定性。特别是国内和国际的重大贸易活动，如航空航天项目、核电站工程等都有巨大风险责任，往往需要借助再保险进行风险管理。二是合作性。再保险市场是国际保险市场不可缺少的重要组成部分，再保险市场的交易体现了保险人和再保险人的合作，在保险人与再保险人之间，双方的良好接触起决定性的作用。对于签订长期再保险合同的分出人往往在订约前或订约后，要对可能发生的技术、市场问题，与分保接受人进行磋商。所以，再保险交易在某种程度上也是一种合作经营。

三、再保险市场的分类与构成

按照再保险市场的区域范围划分，再保险市场分为国内再保险市场、区域性再保险市场和国际性再保险市场；按再保险责任确定基础不同划分，再保险市场分为比例再保险市场和非比例再保险市场。例如，伦敦的超额再保险市场是典型的非比例再保险市场，而德国的汽车再保险市场是典型的比例再保险市场。

一个完整的再保险市场，主要包括以下三个要素：一是再保险市场的卖方或供给方，再保险市场的供给方主要由专业再保险公司、兼业再保险业务的直接保险公司及区域性、国际性再保险集团等组成；二是具体的交易对象——各类再保险商品；三是为促成再保险交易提供辅助作用的保险中介方。

第二节　再保险组织经营形式

再保险组织经营形式主要有兼业再保险公司、专业再保险公司、再保险集团、自保公司和再保险中介公司。

一、兼业再保险公司

兼业再保险公司是兼营再保险业务的保险公司。保险公司兼营再保险业务是最早的再保险承保人组织形式，在再保险业务尚不发达的时候，通常都是由直接承保公司兼营。随着再保险业的不断发展，这类保险公司在经营直接保险业务的同时，偶尔接受再保险业务，但更多的是以互惠交换业务的方式获得再保险业务。这种互相交换业务，从经营再保险业务的角度而言，可以相互抵消分保费支付，节约外汇流出，对双方均有利。它们在再保险市场上，既是分出公司，也是接受公司。例如，1949 年中国人民保险公司成立，同时兼营再保险业务，此后成立的平安保险、太平洋保险相继开始经营商业分保业务。①

二、专业再保险公司

专业再保险公司是指专门经营再保险业务的再保险公司。它除了接受再保险业务外，不办理任何直接保险业务。专业再保险公司的形成主要是由于原保险公司兼营再保险业务经常有失去原保险业务的可能，对原保险公司来说不仅会丧失保险费，而且会丧失再保险佣金，如果分保接受人是专业再保险公司则不会有这样的事情发生。因为它不与原保险公司竞争业务，这样就为专业再保险公司发展创造了条件。早期的专业再保险公司有 1846 年的德国科隆再保险公司、1863 年的瑞士再保险公司、1880 年的慕尼黑再保险公司。

三、再保险集团

再保险集团由同一个国家或几个国家的许多保险公司联合组成，既有全球性的也有地区性的，如亚非再保险集团、亚非再保险航空险集团就属于地区性的再保险集团。再保险集团成立的原因是为了处理特殊性质的风险、承保巨额保险业务、避免同业的

① 史鑫蕊. 中国再保险市场的竞争态势及发展策略［J］. 保险研究，2012（3）：60-67.

竞争、开办新业务需要，如美国核保险集团、英国超额赔款集团、瑞士自然灾害保险集团均是为处理特殊性质风险而成立的。再保险集团运作模式是每一个成员公司将自己承保的业务全部或扣除自留额后，通过集团在成员公司之间分保，各成员公司既可按约定比例接受，也可根据业务性质，逐笔协商接受。再保险集团的主要优点包括简化再保险手续、节省管理费用、增强竞争能力、增加业务量等。

从 AM Best 对 2019 年主要全球再保险公司的统计数据看，在全球前 10 大再保险公司中，有 8 家采取的是集团化运作模式，它们分别是瑞士再保险、慕尼黑再保险、汉诺威再保险、法国再保险、伯克希尔哈撒韦持股公司、中国再保险、美国再保险和大西部金融持股公司。这 8 家再保险公司的毛保费收入合计 1 752 亿美元，占同期全球前 10 家公司的毛保费收入总和的 89%，占同期全球前 50 家再保险公司毛保费收入总和的 61%。这 8 家再保险公司的资本总额占同期前 10 家公司资本总额的 92%，占同期全球前 50 家再保险公司资本总额的 64%。由此可以看出，再保险保费收入和资本总额有向集团集中的趋势，再保险行业的未来发展更多的是由再保险集团主动、内生性地演化。

四、自保公司

自保公司是由非保险企业拥有或控制的保险公司。其主要目的是为母公司及其子公司的某些风险提供保险保障，同时也可以承保外界风险和接受分入业务。随着自保公司的发展，其含义也逐渐加入开放性，不仅为母公司提供保险，也为与母公司无隶属关系的企业提供保险。因此，有的自保公司由最初的作为企业内部的风险管理机制，逐步发展成为以利润为中心。20 世纪 60～80 年代，全世界的自保公司得到迅速发展，其中大部分成立于 20 世纪 70 年代末 80 年代初，有很多专属保险公司为享受免税优惠，在百慕大或开普曼等地注册。在美国，排名前 500 位的大公司 90%拥有自己的自保公司。如今自保公司已成为国际保险市场上的新兴力量。

2020 年以来，受新冠肺炎疫情的影响，全球自保公司的数量虽然略有下降，但各地区对成立自保公司的兴趣在上升。以欧洲为例，随着市场费率的上升，自保公司作为风险转移工具表现出更高的经济效益，因此更加受到企业的欢迎。截至 2020 年年底，按注册地划分，全球自保公司（不包括单元自保公司）数量为 6 304 家，其中北美 3 270 家、加勒比地区（包括百慕大群岛）2 031 家、欧洲 787 家、亚太地区 186 家、非洲和中东地区 30 家。①

五、再保险中介公司

作为保险中介的重要组成部分，再保险中介在再保险市场的发展中起到至关重要的作用，而再保险中介是由再保险经纪人来体现的。再保险中介人为分出公司提供再保险服务，包括：帮助分出公司确定其再保险需求；安排再保险规划满足其分保需求；寻找可以提供再保险需求的市场；代表分出入（保险人）谈判合同条款、确定承保范围以及提供其他创新型业务等。

① 邢鹂，王建波，吕良，等. 海外自保业发展对中国的启示［J］. 中国保险，2021（12）：32-36.

2021 年 6 月，英国研究机构 Insurance 公布了 2020 年全球保险中介 20 强。Insuramore 的统计数据显示，2020 年全球保险经纪业务总收入约为 1 177.36 亿美元，合人民币约 7 561.24 亿元，全球保险中介前 20 强合计占据世界中介市场 52.25%的份额，其中有 15 家来自美国、3 家来自英国、1 家来自爱尔兰、1 家来自中国，威达信、怡安[①]和韦莱韬悦[②]前三家占据全球 1/3 的保险经纪份额，其中怡安（AON）集团的主要业务集中在再保险、保险经纪和再保险经纪、人力资源咨询和管理咨询以及特殊类型保险承保等领域。7.5 亿美元收入的中国大童保险销售成为亚洲唯一上榜者，位居全球保险中介第 20 名。

第三节　再保险经纪人

再保险经纪人是促成再保险分出公司与接受公司建立再保险关系的中介人，再保险经纪人不同于直接保险经纪人，再保险经纪人不仅介绍再保险业务、提供保险信息，而且在再保险合同有效期间对再保险合同进行管理，继续为分保公司服务，如合同的续转、修改、终止等问题，并向再保险接受人及时提供账单并进行估算。再保险经纪人的发展已有 100 多年的历史。目前，在世界比较发达的保险和再保险市场估计有一半以上的再保险和超 90%的超额再保险业务是通过再保险经纪人安排的。

一、再保险经纪人的特点

（一）专业性

再保险经纪人是专业的保险顾问。再保险经纪人应该熟悉保险市场的情况，并有能力为客户提供保险法律方面的建议，对保险的管理技术比较专业，具有一定的技术咨询能力，能为分保公司争取较优惠的条件，并与众多的投保人、保险人和再保险人保持着广泛、经常的联系，以便及时获取有利的信息，为分保公司争取一笔又一笔的再保险交易。事实上，许多巨额的再保险业务都是通过再保险经纪人之手促成的。

（二）服务性

再保险经纪人能够为分出公司提供综合性服务。随着保险人对附加服务要求的不断增多，经纪人也必须建立必要的防护设施。评估所有再保险人的财务状况是否安全，是再保险中介人提供的服务内容之一，同时也是其本身的职责。分出公司在选择再保险人时，很大程度上依赖于再保险经纪人的判断能力。再保险经纪人的任务之一是如何有效地完成再保险的安排，为保险公司设计再保险方案是再保险安排的开始，经纪人经验丰富，对再保险市场有深入了解。何种再保险方案适合保险公司并且能被再保险市场接受是经纪人功能的最佳表现。伦敦再保险经纪人在这方面表现突出，除了经

① 2008 年，怡安（Aon）以 14 亿美元价格收购再保险经纪商英国奔福集团（Benfield Group Ltd）。

② 2020 年 2 月，怡安以 800 亿美元与韦莱韬悦合并，韦莱韬悦出任董事长、怡安出 CEO。

验丰富之外，还能得到劳合社及伦敦承保人协会市场的支持。

二、再保险经纪人的职能

再保险经纪人作为分出公司与接受公司建立再保险关系的中介人，其出发点是介绍再保险业务。再保险经纪人的职责主要包括以下三个方面的职能：

（一）介绍再保险业务

这是再保险经纪人的中心工作。由于有经纪人的介绍，全世界的保险公司之间增加了相互接触的机会，从而可以使分出公司增加分保对象，再保险公司得以扩展业务范围至全世界的各个保险市场。为了做好再保险业务的介绍工作，经纪人对于各国保险市场应非常清楚，并对各国占主导地位的保险公司情况十分熟悉。对于各种保险的业务内容、保险费率、赔款经验与承揽费用等也应比较了解。为此，经纪人应经常访问各国，经常与世界各国的主要公司进行实际接触，及时掌握和洞察各保险市场的变化与发展趋势。同时，对于各国有关再保险业务的法律及其修订情况也应充分了解。

（二）提供市场信息

再保险经纪人为了开展经纪业务，必然要掌握大量的保险市场的一手资料，在介绍再保险业务时，可以为分保公司选择一个恰当的再保险公司。此外，为再保险公司提供意见，作为接受业务签订合同的参考。

（三）敦促再保险合约厘定及履行

当再保险经纪人介绍双方发生再保险交易后，其工作并非即告完成，而是工作的开始。首先，在签订合同时，因为各国的法律与习惯不同，再保险当事人双方可能会对合同内容发生异议，这时经纪人要协助双方达成共识；其次，在合同签订后，经纪人要为双方传送账表、收取保费、处理赔款等，即承担再保险当事人双方委托办理的事务。

三、再保险经纪人的作用

再保险经纪人作为再保险当事人双方的中介人，主要作用表现在以下两个方面：

（一）促成再保险交易

再保险经纪人熟悉国际保险市场的行情，有专业知识和实务经验。因此，再保险经纪人不仅了解国际保险市场的再保险需求，也有能力帮助原保险公司安排再保险，促成再保险交易达成。由于专业经营再保险业务的公司很少设置分支机构，因而需要通过再保险经纪人来拓展业务。虽然再保险公司可以直接获得业务，但通过经纪人可以减少许多麻烦。

（二）缓解或调解冲突或摩擦

再保险业务的接洽协商并不能保证每一次都能达成一致的意见而签订合同。由于业务的复杂性和再保险人自身的一些困难，不接受分保业务的情形是不可避免的。在此情形下，如果是各保险公司直接洽商，很容易引起纠纷，导致双方不快，影响双方的关系。而通过再保险经纪人来办理，则当事人双方不必彼此当面协议。因而，无论接受与否，均不致有损双方的友谊。再保险经纪人对于当事人双方的利害关系有同等的了解程度，在接洽再保险业务以及更改再保险方式时，能够兼顾双方的利益，使双方乐于接受。因此，再保险经纪人不仅对再保险当事人双方有利，而且对再保险制度的改进与发展也大有裨益。在再保险赔款处理方面，往往由于当事人双方对合同内容的解释不一致而发生纠纷，于是要通过公断或诉讼来解决。在此情形下，再保险经纪人可以从中协调双方意见，站在中介人的立场上来解释有关内容，既可以使赔款得以迅速支付，又可以避免双方发生摩擦。

四、再保险经纪人的选择

虽然大部分再保险经纪人处理来自世界各地的各种业务和类型的合同，但有些经纪人只对某些地区或某项业务有经验，而有些则独揽某些国家或某些公司的再保险业务，从设计合同到安排再保险都由他们代理。有些大的经纪公司有几个附属公司或有专门的部门分管不同种类的业务。因此，为了安排好再保险，客观上有选择再保险经纪人的必要。

再保险经纪人要完成各项任务，充分发挥其作用，必须有一定的有效组织。英国经纪人规章规定，保险经纪人必须具有专业经营经纪人业务和履行职责的业务知识、经验和财务能力。有些保险经纪人的同业组织为了维持本组织的信誉，也实施内部监督，使其会员保持一定的业务水平和良好资信。

再保险经纪人在介绍再保险业务时以赚取佣金为目的，为了竞争业务，以加强服务作为招揽业务的重要方式，如负责介绍再保险公司的情况和再保险条件，提供业务资料，设计再保险文件，尽可能解答接受人提出的有关问题，如发生再保险赔款，由再保险经纪人收集赔款并按规定支付，等等。再保险经纪人对经手的再保险业务向再保险接受人收取手续费，一般合同及临时分保手续费为2.5%~5%，也有1.5%或3.5%甚至到7.5%的，超额赔款业务的再保险手续费较高，一般为10%。

有些大的经纪人代表分出人办理结算业务，包括收付手续，因而再保险经纪人经手的款项往往很大，稍有不慎，就会产生不良后果。再保险经纪人拖欠保费的情况时有发生，有些经纪人资信不佳，个别经纪人因经营不良而倒闭。在国际保险市场不景气的情况下，再保险人也有拖欠赔款的，再保险经纪人一般对这种拖欠不负责任。有些再保险经纪人从长远利益出发，或者再保险人拖欠金额不大，为了维护自己在保险人中的信誉，有时也愿意垫付赔款或清偿呆账。

五、再保险经纪人业务及流程

再保险经纪人在市场上安排再保险业务采取认购制。习惯做法是：代表分出公司的再保险经纪人，与首席再保险人交涉有关再保险事项和承保风险，并确定分保合同条款和首席再保险人承担风险责任的比例。首席再保险人一般承担最大的风险责任。再保险经纪人还要确保其他再保险人各尽其责，认购相应比例的再保险份额。在某些再保险市场上，如英国再保险市场，形成了很强的“牵头-跟随”体系，即由再保险行业中公认的一家信誉卓著的再保险人充当首席再保险人，其他再保险人则会在首席再保险人的带动下，纷纷选择适当的比例参加再保险认购。而在其他市场，如美国市场，每一个再保险人更倾向于独立评估风险，并决定是否参加某项再保险业务。

再保险人从再保险保费中，取出一部分给再保险中介人作为佣金。佣金随着比例分保合同或超额赔款分保合同的不同而变化。原保险人和再保险人在缴纳保费或给付保险金时，习惯上也通过再保险中介人来进行。

第四节　世界主要再保险市场

一、世界三大再保险市场

（一）欧洲再保险市场

欧洲再保险市场主要以分入业务为主，根据 EIOPA（欧洲保险和职业年金管理局）2019 年的数据，欧洲注册的保险公司共有 17 361 家，其中，英国有 830 多家各类保险公司，保险从业人员有 33.9 万人，占金融机构从业人员的 1/3；法国保险公司 500 多家、经纪公司 2 400 多家，寿险保费收入占 69.5%；德国保险公司有 700 多家，保险中介服务占重要比例，个人投保近 80%通过保险中介；瑞士保险公司有 131 家，保险经纪公司有 1 000 多家，海外业务占重要比例。在再保险公司方面，包括知名的慕尼黑再保险、瑞士再保险、法国再保险、劳合社等，其中德国通用科隆再保险集团是真正意义上第一家专营再保险业务的公司。

欧洲保险市场上最多的主要是专业再保险公司，特点是完全自由化（无法定分保）、商业化，竞争激烈，国际地位举足轻重。国际上最大的 20 家经营再保险业务的公司，欧洲市场就有 7 家。德国是欧洲最大的再保险市场，目前与世界上 120 个国家的 2 000 多个国外公司有联系，保费收入有 40%来自国外，对外扩展的最佳业务是工程保险的再保险。但受美国“9·11”事件等因素的影响，2003 年 8 月，标准普尔将慕尼黑再保险的评级连降 4 级，从 AA-级降到了 A+级。现在它的评级比竞争对手瑞士再保险和巴菲特的通用再保险降低了两个等级。欧洲第二大再保险中心是瑞士。瑞士再保险市场也是专业再保险公司占统治地位。除瑞士再保险外，还有排名世界第八位的苏黎世再保险集团和排名世界第十六位的丰泰集团。瑞士再保险市场建于 1864 年，公司的发展以国际业务为基础，以其高居首位的国外保险费收入和广泛的信息网络闻名于世。

2019 年，西欧寿险保费收入为 9 160 亿美元，下降 9.8%，宏观环境低迷、低利率以及即将到来的监管变化将给西欧市场带来巨大的挑战。西欧非寿险保费总体上略有增加。几个最大的欧洲市场支撑着业务增长，而意大利和西班牙等受危机影响则有所下降。中欧和东欧寿险保费的增速放缓至 0.1%，整个市场的寿险保费仅略有增长，部分市场快速扩张，但多数市场都出现滑坡。中欧和东欧寿险业的前景艰难，原因是经济环境疲软，而这可能会促使市场进一步整合。中欧和东欧的非寿险保费恢复增长，但各个市场的发展态势有所不同。除波兰外，其他市场今后的非寿险保费增长都将受到经济放缓的制约。

欧洲专业再保险公司一般都是资本实力十分雄厚、保险经验相当丰富的大公司。欧洲丰富的保险历史与技术经验能够支持再保险业的发展。2019 年，在非寿险再保险市场，再保险公司保费收入西欧占 36.2%；在寿险再保险市场，再保险公司保费收入西欧占 42.1%。在赔付方面，德国慕尼黑再保险公司赔付 2019 年日本阪神大地震 1 亿美元、中国亚太二号卫星发射失赔付 0.5 亿美元、美国“9・11”事件 9 亿美元；瑞士再保险公司赔付美国“9・11”事件 7.3 亿美元。

(二) 北美再保险市场

1. 纽约再保险市场

美国作为世界再保险最发达的国家之一，保险市场广阔，保费收入占全球保费收入的 40%左右，其再保险市场已越来越为人们所瞩目，其中最著名的是纽约再保险市场。纽约再保险市场经过 20 多年的快速发展，已跻身于世界再保险市场前列。

纽约再保险市场主要由国内和国外专业再保险公司组成，组织结构多种多样，再保险市场发展速度很快，业务来源广泛，已使其成为世界再保险市场的主要力量，且主要以分出业务为主。纽约再保险市场的再保险交易主要有三种方式：第一种是通过互惠交换业务；第二种是由专业再保险公司直接与分出公司交易；第三种是通过再保险经纪人交易。再保险市场的业务主要来源于北美洲、南美洲和伦敦市场。再保险市场在扩展再保险业务的问题上，美国再保险摒弃了欧洲再保险的传统做法，而是选择长久的立足点渗入再保险市场。

2. 百慕大再保险市场

百慕大群岛是北美大陆以东、北大西洋中的一组珊瑚岛群，面积 53 平方千米。终年温和湿润，气候宜人，是英国在北美洲的属地。岛上多火山岩熔，低丘起伏，最高海拔 73 米。经济以旅游业为主、捕鱼业和园艺业为辅。因没有所得税，所以百慕大是著名的国际“避税地”之一。

百慕大是国际保险公司和再保险公司设立新企业时的首选注册地。百慕大保险市场由自保市场发展而成，在过去的 20 年已发展成为全球著名的离岸金融中心。百慕大保险市场的毛保费年收入逾 180 亿美元，其中大约 150 亿美元为纯保费，市场总资产超过 760 亿美元，资本盈余超过 290 亿美元。百慕大在全球再保险市场的份额在 10 年内翻了一番，2013 年达到 8%左右。百慕大也是全球财产险和财产巨灾再保险承保中心。2013 年，全球财产巨灾业务的约 1/3 由百慕大市场承接。

百慕大也是全世界最大的自保公司注册地。作为发展专业自保行业的先驱，百慕大至今仍是最大的自保公司注册地，截至 2017 年共有逾 1 200 家注册的自保公司，数量较 2016 年增长 38%。一般而言，自保公司是由其被保险人全资拥有和控股的保险公司。股东风险不仅由自保公司承保，也享有自保公司的承保利润。由于保险集团的成立和架构、承保风险构成、风险与集团业务关联度等因素千差万别，百慕大的自保产品种类繁多。自保有大量优点，包括风险管理成本较低、能减少税负等。作为当地核心的保险业务之一，百慕大的自保行业受国际标准的有效监管。百慕大有完备的保险立法，一方面方便企业注册，另一方面则确保企业遵守严格的监管要求，如维持足以应对所有潜在理赔申请的充足的保险储备金。百慕大货币管理局（BMA），尤其是其保险处，不仅有维持稳定的监管制度，也为保险行业培育了一个发达的市场，其在两者之间取得的平衡能力受到好评。BMA 采取主动、协作的监督态度，这也是百慕大作为领先的保险业中心的主要魅力之一。

虽然百慕大多数自保公司是美国控股的实体，但近年来自亚洲的自保业务比例呈上升趋势。作为快速国际扩张后实施的全球风险管理政策的内容之一，不少大型中国国有企业建立了自保公司。鉴于百慕大自保行业的声誉和成熟度，该辖区是亚洲保险企业和投资者的极佳选择。

（三）亚洲再保险市场

全球保险业务重心将继续向亚洲转移。目前，中国的市场规模仍不到美国（14 690 亿美元）的 40%，也小于欧洲三大市场的总和（英国、德国和法国合计 8 360 亿美元）。瑞士再保险瑞再研究院预测，到 2029 年，整个亚太地区将占全球保费的 42%。中国现在和未来都将是这一发展进程的主要推动力，其在全球保费中所占的份额已从 1980 年的 0 上升到 2018 年的 11%，预测 10 年后其所占的份额将达到 20%，几乎与整个欧洲、中东和非洲发达地区的预计所占的份额相同。中国有望在 21 世纪 30 年代中期超越美国，成为全球最大的保险市场。

亚洲再保险市场主要由日本再保险市场、韩国再保险市场以及新加坡再保险市场和泰国再保险市场构成，

1. 日本再保险市场

日本再保险市场上的专业再保险公司很少，大部分是兼营再保险公司。日本保险法中没有法定分保的规定，国内风险主要采取共保或分保的方式解决，从日本市场流向国际市场的业务主要是高风险和巨灾风险。目前，日本再保险主要通过与国外再保险的互惠交换业务进入世界再保险市场。

日本再保险市场有两家专业再保险公司：一是东亚再保险公司，二是杰西再保险公司。东亚再保险公司主要承保非寿险再保险业务，杰西再保险公司仅承保国内地震再保险业务。

2. 韩国再保险市场

韩国保险业的历史很短，大部分保险公司成立于 20 世纪 50 年代。至 2009 年年末，韩国共有寿险公司 22 家，其中韩资公司 13 家、外资公司 9 家。保费收入最多的 3 家寿险公司分别为三星人寿、大韩人寿及教保人寿。2009 年，这 3 家寿险公司保费收入分别为 158 亿美元、84 亿美元和 79 亿美元

韩国经历 30 多年封闭后自 20 世纪 80 年代趋向自由化和国际化。政府十分注意对再保险的监督，规定全部在韩国的保险公司要分一部分业务给大韩再保险公司，同时要求当各公司在向外分保时，需要首先分给本国公司。本国公司自留额很高，和分入业务相抵消，使分保费纯流出缩小。目前，大韩再保险公司致力于在中国内地、中国

香港特区、中国台湾地区和菲律宾等地拓展业务联系，发展其在海外的再保险业务。

3. 新加坡再保险市场

新加坡是亚洲重要的金融和航运中心。2016 年，全球金融中心指数（GFCI）排名显示，新加坡在国际金融市场的竞争力仅次于伦敦和纽约，是全球排名第三位的金融中心。新加坡是国际再保险中心之一。由于其优越的地理位置、良好的政治司法和监管环境、优惠的税收政策、高效的运营服务，国际上许多直保和再保险公司将亚洲业务区域总部设立在新加坡，辐射亚太地区（包括南亚、东南亚、澳新、大中华区等）。

2009 年 3 月 17 日，新加坡金融管理局宣布全面开放保险业。可以说，新加坡再保险业的发展与政府的大力推动是分不开的。世界排名前 25 位的再保险公司中有 16 家将区域中心设在了新加坡。在再保险市场方面，新加坡设立了 31 家再保险公司和 29 家再保经纪公司。其中，世界排名前 25 大再保险公司中有 18 家在新加坡开设了分机构，世界排名前 10 大经纪公司中有 9 家在当地设有机构，劳合社辛迪加从 2004 年的 3 个增至 2014 年的 28 个。此外，共有 64 家自保公司在新加坡开设了分社机构。新加坡再保险公司本土财产再保险业务规模不大，且基本稳定，为 2. 8 亿新币左右。其中，占比最大的火险、车险分别为 31. 4% 和 16. 1%。总体而言，2005—2014 年，新加坡再保险人在本土市场上的赔付率平均为 43%。新加坡自然灾害风险程度低，大型工业项目不多，管理较为严格，赔付率基本保持在较低水平。新加坡再保险人在本土业务上总体盈利水平比较理想。

新加坡本土保险和再保险市场规模比较稳定。再保险公司的离岸业务呈现出不断增长的趋势。2005—2014 年，新加坡离岸再保险业务保持了平均 13% 的稳步增长的趋势。2014 年，新加坡离岸再保险毛保费为 42. 7 亿新币，是本土再保险毛保费 2. 74 亿新币的 15. 6 倍。新加坡的货运险、船舶险、财产险、意外险等占比分别为 4%、7. 2%、69. 6% 和 19. 3%。

新加坡是东南亚保险市场的枢纽，对东南亚、南亚、东北亚、大洋洲再保险业务都具有一定的辐射能力。从 2013 年新加坡离岸再保险业务各地区占比看，排名靠前的分别为东南亚地区（泰国、菲律宾、印度尼西亚）、东北亚市场（中国、韩国、日本）、南亚市场（印度）、澳大利亚市场，占比分别为 22%、36%、11% 及 15%。

新加坡再保险公司本土市场份额最大的前 10 位分别是新加坡再保险公司、ACR、SCOR、瑞士再保险公司、慕尼黑再保险公司、大韩再保险公司、东亚再、伯克利再、Everest Re、安联再保险公司，保费分别为 6 751 万、4 854 万、4 571 万、3 426 万、2 795 万、1 068 万、834 万、522 万、422 万和 402 万新币，总的市场占比为 90. 5%。新加坡再保险公司本土市场业务比较集中，前五大再保险公司占据市场 80% 的份额。

在本土市场上，亚洲六家再保险公司分别为 ACR、新加坡再保险公司、大韩再保险公司、东亚再保险公司、三星再保险公司、三井再保险公司，总的市场份额为 49. 7%，与欧美外资再保险公司势均力敌；在离岸再保险业务上，欧美外资公司则占据了很大优势她位。世界前 10 大再保险公司中亚洲仅占两席，分别为 ACR 和三星再保险公司。亚洲 6 家再保险公司在离岸业务上占比仅为 25. 6%。

4. 泰国再保险市场

泰国全称泰王国，位于东南亚中南半岛中部，西北、东北、东南分别与缅甸、老挝和柬埔寨接壤，南边狭长的半岛与马来西亚相连。泰国是东南亚国家联盟（以下简称“东盟”）的创始国之一。人口约6 700万人，其中75%为泰人、14%为华人，94%的人信仰佛教。泰国是中等收入国家，经济总量在东南亚仅次于印尼，但是人均GDP在东南亚居中游位置，排在新加坡、文莱和马来西亚之后。

2013年年底，泰国保险业由63家产险保险公司、24家人寿保险公司、5家混合保险公司和1家再保险公司组成。泰国再保险股份有限公司于1978年由75家保险公司共同出资成立。根据各家保险公司的约定，将各自每笔业务的5%给泰国再保险股份有限公司。具体做法是，综合保险（火险、水险和车险等）按每张保单以成数分保的方式分出，寿险按溢额方式分出。泰国再保险股份有限公司的组织结构也很简单，并有很高的效率，每个部门的总经理也是该公司的副总经理。2013年，泰国总保费收入为214.61亿美元，分别排名世界第29位和东盟第1位，保险深度为5.5%，分别排名世界第26位和东盟第2位，保险密度为310美元，分别排名世界第54位和东盟第3位。泰国寿险保费收入大约是产险保费收入的2倍。

泰国火险再保险集团于1986年开始运作，是各家保险公司在自愿的基础上组建的。分保集团规定，在向泰国再保险股份有限公司办理完5%的协议分保后，如果每张保单保险金额在3 000万~5 000万泰铢，需要办理对外分保时，则首先要向泰国火险再保险集团分出10%的成数之后，才可以对外分保。

亚洲再保险公司于1979年在泰国登记注册成立，是一家专业性再保险公司。其成员国有中国、泰国、韩国、菲律宾、不丹、印度、斯里兰卡、伊朗、阿富汗9个国家。各国均是由政府指定的国家保险公司（或再保险公司）出席并指派代表出任理事，一直以商业化方式经营。亚洲再保险公司的业务量虽然只在2 000万美元左右，但效益却很好。目前，该公司为发展业务正在提出增资扩股的方案。

二、全球十大知名再保险公司

欧洲是世界上经济最发达的地区，不论是保险企业还是再保险企业都是全球首屈一指的。世界上最顶尖的再保险公司全部在欧洲（见表9-1）。

表9-1　2020年全球再保险公司保费收入情况　　单位：百万美元

GROUP	Country	GWP	NWP	Runk
慕尼黑再保险公司（Munich Re）	DE	45 846	43 096	1
瑞士再保险公司（Swiss Re）	DH	36 579	34 293	2
汉诺威再保险公司（Hannover Re）	DE	30 421	26 232	3
法国再保险公司（SCOR）	FR	20 106	17 910	4
伯克希尔·哈撒韦-通用再保险公司（Berkshire Hathaway Inc）	US	19 195	19 195	5

表9-1(续)

GROUP	Country	GWP	NWP	Runk
中再集团（China Re）	CN	16 665	15 453	6
英国劳合社（Lloyd's）	UK	16 511	12 213	7
加拿大人寿再保险（Canada Life Re）	CA	14 552	14 497	8
美国再保险集团（RGA）	US	12 583	11 694	9
大韩再保险公司（Korean Re）	KR	7 777	5 432	10
艾弗（Everest Re）	BM	7 282	6 768	11
合伙（Partner Re）	BM	6 876	6 301	12
印度通用（General Insurance Corporation of India）	IN	6 481	5 773	13
复兴（Renaissance Re）	BM	5 806	4 096	14
安盛（AXA XL）	US	5 326	4 201	15

资料来源：Hannover Re https://www.hannover-re.com/。

（一）慕尼黑再保险公司

慕尼黑再保险公司创立于1880年，总部设在德国慕尼黑，2020年在美国《财富》杂志世界500强排行榜中位居第135名。2021年5月，慕尼黑再保险公司位列“2021福布斯全球企业2000强”第145位，在全世界150多个国家从事经营非人寿保险和人寿保险两类保险业务，并拥有60多家分支机构。慕尼黑总部及世界60多家再保险公司附属机构、分支机构、服务公司与代表处、联络处共有3 000多名职员。自慕尼黑再保险公司创办以来，向其商业伙伴提供必要的担保以及高水平的专业知识及优质服务，已成为公司经营获得成功和国际上享有声望的主要因素。

慕尼黑再保险公司自1956年起与中国市场建立业务联系，1997年在北京和上海分别成立了代表机构。之后，于2003年10月慕尼黑再保险公司北京分公司正式设立，成为较早拥有在华经营综合再保险业务营业执照的国际再保险人，同时也意味着慕尼黑再保险公司在这个前景广阔但又充满挑战的中国市场进入了崭新的历程。慕尼黑再保险公司以提供专业解决方案、统一协调的风险管理能力、出色的财务稳定性以及与客户建立密切的合作伙伴关系著称。慕尼黑再保险公司北京分公司通过与慕尼黑再保险公司和遍布亚洲的分公司的紧密联系为中国的保险公司提供综合服务，分享慕尼黑再保险公司130多年来积累的宝贵经验。

慕尼黑再保险公司与奥运会。2021年东京奥运会若取消，慕尼黑再保险公司将赔付5亿美元。受新冠肺炎疫情在全球范围内暴发的影响，2021年东京奥运会面临被取消的风险。一旦东京奥运会被取消，作为东道主的日本将面临万亿元人民币的损失。虽然从历史经验看奥运会被迫取消的概率很小，但是一旦奥运会因不可抗力因素（战争、自然灾害、传染病等）取消，将会给各方带来巨大的经济损失！正是出于这样的担忧，为了防范此类风险带来的巨额财政风险，2001年罗格就任国际奥委会主席后，就提出了控制财政风险的提议。根据国际奥组委的要求，奥运会必须引入保险机制分散风险。自2008年北京奥运会后，国际奥委会发言人曾表示，国际奥委会向慕尼黑再保险公司购买了保额高达41.5亿美元的保险，覆盖了温哥华冬奥会和伦敦奥运会。此后的2016年里约奥运会、2018年平昌冬奥会，慕尼黑再保险公司分别提供了2亿美元和2.5亿美元的保险保障。

（二）瑞士再保险公司

瑞士再保险公司于1863年成立，是瑞士最大的专业再保险公司，是仅次于慕尼黑再保险公司的第二大国际再保险公司，名列2020年美国《财富》杂志世界500强排行榜第233位。该公司现有职员3 000人，在世界各地的主要城市均设有分支机构，其中最主要的分支机构是在德国的Verieinte集团和Megdeurger集团以及Bavarian再保险公司。瑞士再保险公司的业务经营以基础保险业务为主，基础业务保费占总保费收入的50%，其中财产险和意外险保费占83%、寿险保费占17%。瑞士再保险公司毛保费的6%来自瑞士、41%来自德国、28%来自欧共体其他国家、15%来自北美、10%来自世界其他国家。2020年8月20日，水滴公司创始人兼CEO沈鹏对外宣布水滴公司完成了2.3亿美元的D轮融资，由瑞士再保险公司与腾讯公司联合投资。

瑞士再保险公司自1913年起服务亚洲市场，目前在亚太区员工人数约为1 900人。在北京、上海、香港、吉隆坡、东京、首尔、悉尼、新加坡、孟买、班加罗尔等地设有多个办事机构。自中国保险市场对外开放以来，瑞士再保险公司成为首批进入中国市场的外国再保险公司之一。瑞士再保险公司先后于1995年、1996年分别在北京和上海设立了代表处，并于2003年9月27日正式成立北京分公司，在全国开展了全面的产险、寿险再保险业务。

（三）汉诺威再保险公司

汉诺威再保险公司是成立于1966年从事运输保险和再保险的公司。2020年，该公司的总保费收入304亿美元，在世界排名第3位，公司经营的财产再保险、生命和健康再保险是自1990年以来的战略增长领域。标准普尔和AM Best分别授予汉诺威再保险公司第二最高信用等级AA+级和A+级。汉诺威再保险公司努力扩大作为一个全球领先的再保险公司的影响力，使盈利能力始终高于行业平均水平。

非寿险再保险的经营目标市场是北美和德国。其方式是中央承销结合当地的人才是非寿险在经营成功的关键，同时有着精干高效的基础设施扩大非寿险再保市场份额，评级较高，确保有吸引力的新业务的经营。

在生命和健康再保险经营上，有着最先进的成熟的客户关系管理、力求平衡的生物识别风险系统，与同行业努力创造合作双赢的局面，在金融解决方案上，汉诺威再保险公司与原保险公司之间进行金融合作，通过双方进行投资创建或使用再保险交易在经济上最优化的方式进行管理。

（四）法国再保险公司

法国再保险公司成立于1970年，是法国最大的综合性商业再保险股份公司，在建筑工程保险、工程质量保险、职业保证保险等方面拥有世界一流的专业技术队伍和承保能力，自创始初期非常重视其在亚太地区的战略。2008 年 2 月 25 日，中国保监会宣布批准法国再保险公司北京分公司开业。至此，已有 5 家国际再保险公司进入中国市场，之前在中国开业的外资保险公司为瑞士再保险、慕尼黑再保险、科隆再保险和英国劳合社 4 家。按照批复，该公司的运营资金为 2 000 万欧元，可经营非人寿再保险业务。法国再保险公司北京分公司将特别关注农业保险、责任保险和建筑质量保险。法国再保险公司北京分公司不仅可利用法国再保险公司的技术优势，也可以法国再保险公司的承保能力承接业务，从而促进中国再保险业的发展。2010 年，法国再保险公司又获中国保监会批复，允许其将在华业务拓展到寿险和健康险再保险领域，法国再保险北京分公司资本金也从 2 000 万欧元增长到 3 100 万欧元。

（五）伯克希尔·哈撒韦-通用再保险公司

伯克希尔·哈撒韦-通用再保险公司总部位于内布拉斯加州奥马哈，全资控股保险公司 GEICO 等其他多个行业的公司，并拥有 Kraft Heinz26. 7% 的股份、美国运通 17. 6%的股份、可口可乐公司 9. 32%的股份、美国银行 11. 65%的股份以及苹果 5. 4%的股份。2020 年第三季度，伯克希尔·哈撒韦营业收入为 54. 78 亿美元，较 2019 年同期下降 30%以上。但是，该公司的净利润同比增长了 82%以上，达到 301. 37 亿美元。2020 年第三季度，其保险子公司 GEICO 的承保收入为 85. 4 亿美元，较 2019 年第三季度的 89. 96 亿美元下降 5. 1%。该季度 GEICO 的所得税前收益为 2. 76 亿美元，较 2019 年同期的 3. 76 亿美元下降了 26. 6%；保险业务的总收入（包括投资收入）从 2019 年第三季度的 171. 12 亿美元小幅增长 0. 1%，至 171. 36 亿美元。与此同时，它的税前总收入从 2019 年第三季度的 23. 63 亿美元下降至 2020 年第三季度的 9. 29 亿美元，下降幅度达到 60. 7%。

美国通用再保险公司的前身是挪威全球保险公司。随着其在美国的业务不断扩大，最后在美国重新筹建，1945 年与科隆保险公司合并，几乎垄断了整个美国再保险市场。加上之后对国家再保险公司的收购，更是巩固了其在业界的霸主地位。美国通用再保险集团的重要组成部分德国科隆再保险公司，是一家大型国际再保险商，成立于 1846 年，是世界上最古老的再保险公司。该公司业务领域涉及全世界 37 个国家和地区。后来这家公司被美国通用再保险公司收购，从而组成了美国通用科隆再保险集团。2010 年，科隆再保险公司更名为通用再保险股份公司。

1997 年，科隆人寿再保险公司参与了美国的一项雇员收入再保险项目，项目实施中出现重大失误。1 美元的保费收入却要支出 1. 25 美元的索赔补偿金，这造成公司间接损失 10 亿美元。而在海外市场上，悉尼、欧洲、土耳其都发生了巨灾。这一切都使美国通用再保险公司的经营状况深陷泥潭。1998 年 6 月，巴菲特与美国通用再保险公司达成协议，由伯克希尔公司收购通用。在这个特殊时刻，巴菲特坚持收购通用，其风险之大不可预测。但巴菲特认为，只要能够把握住美国通用再保险公司以后的赔偿金，就不会有大的问题。但随着事态的发展，这个数字在不断扩大。伯克希尔公司虽然按照合同预留了这笔资金，但是，已经不能够解决之后带来的复杂问题。这次收购行动，美国通用再保险公司不但没有起死回生，而且还牵连伯克希尔公司的股票市值低于面值。巴菲特通过对市场的进一步分析，感到美国通用再保险公司虽然在国内的发展出现了停滞，但是其业务在海外市场还是很有影响力的，并且海外市场的空白还很大。

美国通用再保险公司通过一个庞大的、遍及世界的子公司来为客户提供保险精算、索赔、投保、财务管理和投资管理等服务而逐渐成为世界上最有影响力的再保险公司之一。2004 年 6 月 6 日，科隆人寿再保险公司上海分公司获准在上海设立，成为继慕尼黑再保险公司、瑞士再保险公司之后第三家进入中国市场的全球知名再保险商。

（六）中再集团

1949 年 10 月，中国人民保险公司设置了海外业务室，经营国外保险和再保险业务。1996 年，中保再保险有限公司成立，隶属于中国人民保险集团。到了 1999 年 3 月 18 日，中国再保险公司在中保再保险有限公司的基础上成立，具备了完全独立的法人资格，从此不再隶属于某个公司或集团。至此，中国再保险业进入了“国家再保险时代”。2003 年，为了应对加入世贸组织的挑战，中国再保险公司开启了体制改革，下设中国财产再保险股份有限公司、中国人寿再保险股份有限公司、中国大地财产保险股份有限公司、中再资产管理股份有限公司、中国保险报业股份有限公司 5 家子公司，产险和寿险分体，再保与直保互相支撑。如今，中再集团已经成为亚洲最大、全球第八大的国际再保险公司，2015 年 10 月 26 日在香港联交所挂牌上市。

2020 年，中再集团实现营业收入 1 681. 95 亿元，同比增长 17. 92%，其中总保费收入实现 1 615. 74 亿元，较 2019 年同期增长 11. 45%。但集团公司增长速度出现下滑。2020 年，中再集团实现净利润 57. 11 亿元，同比下滑 5. 60%；加权平均净资产收益率为 6. 34%，同比下滑 0. 98 个百分点；基本每股收益为 0. 13 元，同比下滑 0. 01 元。

（七）英国劳合社

英国劳合社是世界上专业的保险和再保险市场，其独特的保险市场拥有无与伦比的专业承保专业知识，每天都有 50 多家领先的保险公司、200 多家注册的劳合社经纪人和由 4 000 多名当地保险人组成的全球网络在劳合社市场开展业务并为劳合社市场带来业务，可以为各个行业的每位客户量身定制保单，涵盖 60 多种保险和再保险险种。劳合社由其社员选举产生的一个理事会来管理，下设理赔、出版、签单、会计、法律等部，并在 100 多个国家设有办事处。该社为其所属承保人制定保险单、保险证书等，此外还出版有关海上运输、商船动态、保险海事等方面的期刊，向世界各地发行。2022 年 3 月，劳合社发布了 2021 年年度财务报告，劳合社在全球 200 多个国家和地区开展业务。劳合社 2021 年总利润达到 23 亿英镑，较 2020 年扭亏为盈，创下近 6 年来最佳业绩，实现综合成本率 93. 5%，较 2019 年度上升了 16. 8 个百分点。

劳合社的承保人往往率先承保那些新的、不同寻常的或最为复杂和最为昂贵的风险，并在全球享有卓著的声誉。劳合社中国将秉承劳合社市场专注承保原则和勇于创新的精神，为快速发展的中国保险市场提供专业的保险和再保险保障。劳合社中国旨在把劳合社独特的市场结构和公司法人的组织形式的优势有机地结合起来，建立劳合社中国独具特色的经营模式。

2007 年 3 月，劳合社在中国上海成立了全资子公司——劳合社再保险（中国）有限公司，从事非寿险再保险业务。2010 年 5 月，劳合社中国获得中国保险监督管理委员会的批准，在经营原非寿险再保险业务的基础上，扩展经营非寿险直接保险业务。这对劳合社中国的发展，具有重大和深远的意义。2010 年 10 月，该公司正式更名为“劳合社保险（中国）有限公司”，以反映公司扩展的营业范围。从 2011 年 9 月开始，劳合社中国已正式开始按照扩展的营业范围经营保险业务。截至 2020 年 9 月，有 28 家管理代理公司经营管理的 35 家辛迪加在劳合社中国平台上成立了承保部。

（八）加拿大人寿再保险

加拿大人寿再保险是加拿大人寿保险公司及其部分子公司和附属公司的一个部门。加拿大人寿保险公司是大西方人寿的子公司，也是鲍尔集团公司的成员。加拿大鲍尔集团成立于 1925 年，是一家国际性投资控股与管理公司。其经营范围涉及金融、运输等部门，控制了 20 多家企业，包括投资人公司、大西方人寿保险公司等。在国外，与美、英、法、意等国的垄断资本有联系。加拿大人寿再保险总部在加拿大魁北克省蒙特利尔市。该公司及其旗下的三家子公司的股票在加拿大证券交易所上市交易。该公司在 2007 年美国《财富》杂志世界 500 强排行榜中居第 249 位。

加拿大人寿再保险于 1989 年开始运营，资本和风险解决方案部门包括再保险业务部门，主要在美国、巴巴多斯、百慕大和爱尔兰开展业务。再保险产品由加拿大人寿保险公司及其子公司提供。这包括直接与客户或通过再保险经纪人进行的再保险和转分保业务。作为转分保人，该公司向其他再保险公司提供再保险，以使这些公司能够管理其保险风险。

1997 年下半年，大西保险公司在鲍尔金融公司和投资者集团的支持下，投资 30 亿元现金和股票购买了伦敦保险公司-伦敦人寿。虽然鲍尔金融公司很少使用并购的手段，特别是在加拿大皇家银行作为竞标参与者的情况下，但无论如何这是公司发展的重要一步。合并的结果是加强了市场合作、节约了成本。大西保险公司成为最大的人寿医疗保险公司。大西保险公司、伦敦人寿和投资者集团组成了加拿大保险业中最大的销售咨询网络。

1998 年和 1999 年，通过收购 Anthem 医疗与人寿保险公司的集团医疗保险部、Anthem 金融公司和泛美人寿保险公司，大西人寿和年金保险公司进一步扩大了它在美国的市场份额。

（九）美国再保险集团

美国再保险集团（RGA）在 2021 年美国《财富》杂志世界 500 强排行榜中居第 207 位。截至 2021 年 12 月 31 日，RGA 拥有约 3.5 万亿美元的人寿再保险收入和 922 亿美元的资产。1973 年，RGA 作为美国人寿保险公司的再保险部门开始运营。1992 年，美国总公司特许 RGA 作为控股公司经营再保险业务。1999 年，RGA 在西班牙、日本、澳大利亚、新西兰、马来西亚、南非、英国、墨西哥等国家开设了办事处。2002—2011 年，RGA 在韩国、印度、中国、波兰、法国、意大利、德国、荷兰和中东地区开设了办事处。2010 年，RGA 完成收购在 ING 再保险经营和 ReliaStar 人寿保险公司名下拥有 ReliaStar 在美国和加拿大的团体寿险、意外险和健康再保险业务。如今 RGA 是全球最大的人寿再保险公司之一。美国再保险集团资产达 383 亿美元，在全球寿险再保险行业中处于领先地位，是在世界最大的人寿再保险公司之一和全球性的再保险公司，主要集中于生命和健康相关的再保险解决方案。其核心产品和服务，包括个人寿险再保险、再保险个人生活福利、集团再保险、健康再保险、财务解决方案、兼承销和产品开发。业务市场包含美国、加拿大、欧洲、南非、亚洲，其中以美国和加拿大为主要市场，占公司营业收入的一半以上。

（十）大韩再保险公司

大韩再保险公司成立于 1963 年 3 月 19 日，总部设在韩国首尔，于 1969 年在韩国证券交易所上市，2021 年大韩再保险总保费收入为 848. 87 亿韩元，净保费收入为 606. 09 亿韩元。大韩再保险公司主要从事再保险业务，主要业务包括人身保险、火灾保险、海上保险、汽车保险、保证保险、特种保险、外汇保险、长期保险和养老保险的寿险、非寿险的再保险服务。业务市场包含韩国、日本、中国、新加坡、美国、英国和阿联酋。2012 年，大韩再保险公司海外业务只占总销售额的 20%，而其目标是从 2011 年的 20%增加到 2015 年的 30%进而在 2020 年达到 50%。大韩再保险公司计划增加中国保险市场的业务量，同时进军诸如俄罗斯和中亚等新兴市场，还将与中国再保险集团公司、东亚再保险公司建立联盟。此外，该公司将使国外产品链多样化，包括能源和伤害保险。

三、世界主要再保险市场的发展趋势

（一）由竞争走向合作

再保险市场是竞争非常激烈的市场之一。但是，在竞争的同时，再保险市场出现了合作的趋势。出现这种趋势的原因是，世界政治经济形势发生了很大变化，客观上给合作提供了必要的条件。此外，由于信息技术的迅速发展，使世界各地的联系更为密切，给合作提供了技术上的可能。合作的目的如下：

（1）风险的进一步分散。现代化工业的发展，巨额再保险标的越来越多，使单一险位的再保险责任越来越大。这样使得再保险企业不得不寻求合作，以获得风险的进一步分散，保证经营的稳定。

（2）专业化服务。再保险业给保险市场提供的服务会越来越专业化，而单个公司提供这种保障是不经济的；或者对危险的特性不熟悉，既不知道危险的程度，也不清楚赔款的成本。

（3）为了获得和交换关于再保险商品的价格、条件和可用性的信息。

（4）为了地区或行业的综合利益。

（5）为了避免恶性竞争。

（二）世界再保险市场呈现新格局

由于冷战的结束，世界经济格局发生了很大变化，各国都将发展经济放在一个重要位置来考虑。在这种形势的影响下，再保险市场也在形成一种新的格局。一个以欧洲、北美、亚洲为框架的世界再保险市场新格局正在形成之中。由于历史的原因，亚洲至今还没有区域内共同认可的再保险中心，因此，亚洲许多国家或城市都在为建立这样的国际再保险中心而努力。由于受世界经济危机的影响，国际保险市场特别是欧、美、英、日屡遭巨灾袭击，极不景气。相对来说，亚太地区经济相对稳定，保险业尚有一定利润，东南亚和中国仍吸引西方国家将保险业务重点转向这些经济发展的热点地区。

（三）再保险形式越来越多样化

就单纯的再保险安排方式而言，由于合同保险手续简便，从产生便很快成为占主导地位的再保险方式，几乎使临时再保险成为一个很不起眼的配角。但随着先进科学技术的广泛应用，保险标的金额日益增大，危险越来越集中，累积风险责任越来越大，使合同再保险的限额难以承受。于是，临时再保险灵活、自由的优越性又重新显示出了它的威力，使临时再保险重新成为再保险市场的宠儿。今后的再保险安排方式虽然仍以合同再保险占主导地位，但临时再保险的意义将越来越重要，是未来发展的一种趋势。临时再保险东山再起和非比例再保险在合同再保险中的主角地位是再保险方式发展变化的一种趋势，再保险的形式将越来越多样化，而且，再保险业给保险市场提供的必要服务会越来越专业化。为了适应各种各样的再保险需求，量体裁衣的复合形式的再保险合同必将异彩纷呈，给再保险市场带来繁荣。

（四）再保险市场的组织形式多元化

关于再保险的组织形式，有保险公司兼营再保险业务、专业再保险公司、再保险集团等，这种呈多元化发展的格局将不会改变，但新近出现的几种变化将持续下去。纵观再保险市场的发展，变化多端的再保险交易方式层出不穷，其中互惠交换业务的方式大为盛行，已逐渐成为合同再保险的附带方式。互惠交换业务主要具有可以提高保险公司的净保险费收入、避免总保险业务量的减少、进一步分散业务风险、稳定保险公司的经营成果、降低了保险公司的费用开支等优点。

互惠交换业务除了上述优点外，还可以达到其他经济效果。例如，互惠交换业务可以替代直接保险公司向国外扩展业务，保险公司由互惠分保获得其他国家的再保险回头业务，就可以减少在国外建立分支机构经营业务的必要，节省经营成本。特别是在法律和事实上限制外国保险公司进入国内市场的情况下，直接保险公司无法获得国外业务，这时互惠交换业务却可以冲破这一限制，起到代替直接保险公司扩展国外业务的作用。此外，互惠分保可以防止再保险费的外流，保护国内市场，尤其是在经济不景气或经济衰退时，更是保险发展所需要的。总之，互惠交换业务以其独特的优势在再保险市场得到了迅速发展，这种交易方式将进一步发展下去。

（五）巨灾风险分散方式多元化

近年来，欧洲、美国、日本接踵发生的特大风灾、洪水、地震以及人为灾祸，一次损失都在数十亿甚至数百亿美元，引起各国政府和保险界的普遍关注。对这些巨大灾害的保险和再保险，许多国家都采取了一些特殊的措施。

巨灾风险需要考虑两个方面：一方面是单独的纯粹的自然危险，如飓风、洪水、龙卷风、地震或火山爆发。据相关媒体报道，近 20 年灾害的频率、伤亡人数均有提高。这种情况反映在有关国际组织收集的世界各地区已报损失和涉及数字上，使全世界保险业遭受的经济损失补偿增加。另一方面是人为或人为因素巨灾，如溢油和化学或原子巨灾、公共责任风险、大工业区巨灾风险等，经常涉及广大区域或严重事故责任，损失十分严重，像美国的“9·11”事件、苏联核电站核释放事故和印度化工厂爆炸事故等，即使是一次大火灾，也有可能燃烧几十个甚至成百上千个风险单位。保险人对这样的灾害和事故造成的损失将无法控制自留额和再保险人的责任，难以保障其经营的稳定。这就需要采取巨灾超额赔款再保险方式或者同时采取几种分散危险的措施。

成立专门研究巨灾的可保性组织成为趋势，可以提供正确、有效的评估，鉴定巨灾责任，交流地震情况等，以及统一风险积累指标。通过分析有关客户业务的风险因素，采取非常特殊的方法减少个别的损失，包括分析可能的风险因素、估计损失实际发生的概率、选择可补救行动的建议和价格。例如，劝告客户在建造摩天大楼时加固到足够抵御里氏某一强度的地震，也可以劝说客户避免在易涝地区堆储汽油。除了这些比较技术性的措施外，保险人还需组织集团在成员之间分散风险以适应客户对保险数额不断增加的要求，从而提高承保能力和保证巨灾损失的可保性。

第五节　中国再保险市场

再保险市场作为保险市场的重要组成部分，与直接保险市场相互依存、相互促进。直接保险市场的发展是再保险市场发展的基础和前提，再保险市场的发展也将在资本融通、风险管理和技术传导方面，为直接保险市场发展提供可靠的支持与保障。自 1979 年恢复国内保险业务以来，中国保险业以年均 37.6%的增长速度为再保险业的兴起奠定了基础。1996 年年初，中保再保险有限公司成立。1999 年，国务院在中保再保险有限公司的基础上组建了中国再保险公司，以行使国家再保险公司职能。再保险业的发展又有力地支持了直接业务的发展。

持续推进的对外开放政策，加之中国保险市场的巨大潜力，外资保险纷纷加码中国市场已成趋势。值得关注的是，对与直保市场密切相关的再保险行业而言，外资公司的推进增资显示出对中国保险市场发展的信心。

2020 年 7 月 9 日，瑞士再保险研究院最新一期 sigma 报告显示，2020 年，保险业将能克服由新冠肺炎疫情引发的全球经济衰退。这是自 20 世纪 30 年代以来最为严重的经济衰退，将导致 2020 年保险需求下滑，对寿险业务的影响较大，预计全球寿险保费收缩 6%、非寿险下降 0.1%。随着经济进入更为持久的复苏模式，总保费收入将在 2021 年恢复至危机前水平，全球保险业将从新冠肺炎疫情引发的衰退中强劲复苏，中国将引领新兴市场成为全球保险市场的中坚力量。

一、中国再保险市场的发展过程

我国再保险事业从 1949 年中国人民保险公司成立便已起步，但再保险市场真正活跃和发展起来是在 1978 年中国改革开放大门打开之后。回首 40 多年来，外资再保险公司数量已经超过中资公司的 5 家，达到 7 家，保险业 2020 年第一季度偿付能力报告显示，12 家再保险公司 2020 年第一季度实现保费收入 442.19 亿元，其中，外资再保险公司实现保费收入 151.02 亿元，占比为 34.12%，达到了 2017 年以来的高点。截至 2020 年第一季度末，12 家再保险公司中有 11 家核心、综合偿付能力充足率均在 200% 以上，整体充足。其中，外资再保险公司核心、综合偿付能力充足率均达到 230% 以上。我国再保险业务经营主体除了 12 家再保险公司外，还有 200 多家离岸再保险公司，以及 70 多家在境内开展再保险业务的直保公司。对中国市场来说，再保机构在保险产业链中的作用也在发生变化，再保险公司之间的竞争也日趋激烈。

回顾我国再保行业发展，新中国成立前，我国的再保险业务多由外国保险公司控制。从 1949 年起，我国再保险行业发展才算真正开始发展。我国再保险发展自新中国成立以来主要分为 4 个阶段：萌芽、雏形、探索、成长。再保险行业经历了百废待兴时期的强制法定分保阶段，随后逐步放开强制分保，并向全球市场打开，市场活力得到逐步释放，目前已经形成多家内地公司和多家海外公司分公司共同经营、有序竞争的发展格局。

（一）萌芽诞生：1949 年—20 世纪 80 年代

再保险业与新中国同成长、共命运，此时中国再保险市场是单家公司的国际再保尝试。1949 年 10 月中国人民保险公司成立后，主要就分出业务办理国际再保险，发展较快。但随着 1958 年年底国内所有保险业务停办，发展停滞。

（二）初具雏形：20 世纪 80 年代—1995 年

1978 年改革开放，国内保险业务逐步恢复，再保险业务也随之快速发展。1985 年，国务院发布《保险企业管理暂行条例》，所有保险经营机构必须将其经营全部保险业务的 30%，以及除人身保险以外的各种保险业务的每一危险单位超过实收资本加总准备金（或公积金）10%以上部分，向中国人民保险公司办理法定再保险。自此，我国再保险市场确定“刚需”。随后，多家公司再保险业务得到批准，我国再保险市场初具雏形。

（三）探索阶段：1995—2002 年

1995 年《中华人民共和国保险法》颁布，除人寿保险业务外，保险公司应当将其承保的每一笔保险业务的 20%按照国家有关规定办理再保险，授权单位为中国再保险公司。2000 年，法定分保可向中国保监会指定的再保险公司办理。再保险市场逐步形成一家占主导地位经营的专业再保险公司。但因我国再保险公司仍较为稚嫩，无法提供有效供给，除法定分保外仍有大量分出业务流向国际再保险市场。

（四）快速成长：2002年至今

随着2001年中国加入世贸组织，保险领域对外开放程度不断提升，外国保险公司或专业再保险公司可以通过分公司、合资公司或独资子公司的形式提供寿险和非寿险的再保险业务，且没有经营地域和发放营业许可数量的限制，瑞士再保险公司、慕尼黑再保险公司、英国劳合社、法国再保险公司、汉诺威再保险公司等纷纷在中国成立分/子公司。同时，法定分保分出比例从2003年起每年降低5个百分点，至2006年完全取消，市场化程度进一步推进。目前，我国再保险市场内专业再保险经营机构增加到1家再保险集团公司、4家中资再保险公司以及6家外资再保险分支机构，形成了多家专业再保险公司共同竞争的市场格局。

二、中国再保险公司的发展状况

（一）再保险公司的类别

截至2021年，在中国再保险市场共有12家再保险公司，分别包括中再寿险、中再产险、前海再保险、太平再保险和人保再保险5家中资公司，以及瑞再北分、慕再北分、汉诺威再上分、法再北分、德国通用再上分、RGA美国再上分和大韩再上分7家外资再保险公司，其中大韩再上分于2020年1月成立。

中国再保险市场显现出巨大的发展潜力，对国外再保险机构的吸引力正不断增强。2020年保险业第一季度偿付能力报告显示，12家再保险公司2020年第一季度实现保费收入442.19亿元，其中，外资再保险公司实现保费收入151.02亿元，占比为34.12%，达到了2017年以来的最高点。

（二）再保险公司的业绩

2018年以来，外资再保险公司保费占比再度持续上升。2018年、2019年和2020年第一季度保费占比分别为30.67%、33.82%和34.12%。2020年第一季度的数据显示，从保费收入和净利润绝对额来看，中资公司占比最高。但从保费增速来看，外资再保险增长势头明显。从数量上来看，外资再保险公司数量已经超过中资公司。

从保费增速来看，除2020年开业的大韩再保险外，其他11家再保险公司2017—2019年的保费收入分别增长14.24%、25.24%和15.03%，其中6家外资再保险公司分别增长7.98%、32.53%和26.84%。2018年以来，外资再保险公司保费增速明显高于再保险市场增速。

从具体公司来看，2020年第一季度，中再寿险和中再产险在12家再保险公司总保费中的占比分别为40.48%和17.26%。中再系再保险公司作为开业最早的中资再保险公司，得益于政策支持曾垄断国内再保险行业。紧随其后的分别是慕再北分、汉诺威再上分、法再北分、德国通用再上分等5家外资再保险公司。

在净利润方面，中再寿险和中再产险一直是中国本土再保险公司的领头羊，2020年第一季度的情况略有变化。2020年第一季度受新冠肺炎疫情的影响，12家再保险公司总计亏损1.72亿元，共有8家再保险公司实现盈利，其中5家外资再保险公司实现盈利。2020 年第一季度净利润排名前两位的再保险公司是中再产险和通用再上分，分别实现净利润 2. 41 亿元和 1. 39 亿元。

抛却 2020 年第一季度的特殊市场环境，从 2018 年、2019 年两年的情况来看，中国再保险市场保持了良好的盈利能力。2018 年、2019 年，12 家再保险公司分别实现净利润 40. 23 亿元和 45. 51 亿元，其中外资再保险公司分别为 10. 03 亿元和 12. 32 亿元。虽然 2020 年第一季度中国再保险行业整体盈利不佳，但仍强于全球大多数市场。惠誉国际（Fitch Ratings）2020 年 5 月 27 日发文称，受新冠肺炎疫情的影响，2020 年全球再保险业的收益可能不足以弥补资本成本的减少，而且近 3 年来，因自然巨灾损失高企、美国伤亡赔付攀升，再保险收入早已出现下滑。

（三）再保险公司的发展趋势

1. 从巨头垄断到多家争鸣

自 2001 年中国加入世贸组织后，中国的再保行业就已完全开放并且充分竞争。2016 年以来，再保险行业再次经历多重变化：第二代偿付能力监管制度体系（以下简称“偿二代”），政策导向回归保障，新增前海再保险、人保再保险等中资再保机构，外资再保险布局加速。与寿险、财险业不同，外资再保险凭借全球资源，在中国保险市场拥有不小话语权；同时，近年来，外资再保险公司自身也在分化发展，再保险市场逐步从巨头垄断转向多家争鸣。

以外资再保险公司为例，2016 年，外资再保险公司中保费规模最大的是再保巨头瑞士再保险公司和慕尼黑再保险公司，两家公司在 12 家再保险公司中的业务占比分别为 17. 24%和 12. 93%。偿二代 2016 年实施后，直保公司的车险分保需求下降，2017 年瑞士再保险公司北京分公司、慕尼黑再保险公司北京分公司、汉诺威再保险公司上海分公司保费均出现下滑。此后，随着偿二代带来车险分出需求下降的影响减弱，再保险市场开始呈现多家争鸣态势。

2020 年第一季度的数据显示，瑞士再保险公司北京分公司、汉诺威再保险公司上海分公司、慕尼黑再保险公司北京分公司分别实现保费收入 43. 81 亿元、31. 25 亿元和 16. 47 亿元，在 12 家再保险公司中的业务占比分别为 9. 91%、9. 67%和 7. 07%。在净利润表现方面，德国通用再保险公司上海分公司则显示了强大的盈利能力，2020 年第一季度实现净利润 1. 39 亿元。截至 2020 年第一季度末，12 家再保险公司中有 11 家核心、综合偿付能力充足率均在 200%以上，整体充足。我国再保险业务经营主体除了 12 家再保险公司外，还有 200 多家离岸再保险公司，以及 70 多家在境内开展再保险业务的直保公司。

2. 再保险公司间的竞争激烈

再保险业务的竞争与直接保险业务的竞争明显不同之处在于没有竞争的“缓冲地带”，外资公司与中资直接承保公司之间的竞争是抢客户、争保单，而和再保险公司的竞争则是对分出公司的争夺战，丢掉一张保单和丢掉一个公司的后果是不一样的，丢掉一个公司客户就等于失去一部分市场，

对中国市场来说，再保机构在保险产业链中的作用也在发生变化，再保险公司之

间的竞争也日趋激烈。在中国金融业开放的大背景下，外资再保险在中国投入也在加大。2019 年 11 月，德国通用再保险公司上海分公司注册资本获批由 3 亿元增加至 4. 39 亿元。2019 年 12 月，大韩再保险公司上海分公司获批开业，境内外资再保险公司达到 7 家，超过中资再保险机构。2020 年 4 月，瑞士再保险公司北京分公司注册资本获批由 3 亿元增加至 13. 55 亿元。2020 年 5 月，德国汉诺威再保险股份公司上海分公司获批增加注册资本 15. 6 亿元，增资后该公司注册资本由 25. 45 亿元增加至 41. 05 亿元。汉诺威再保险股份公司上海分公司（简称汉再上分）曾在 2019 年 9 月将注册资本由 15. 45 亿元增加至 25. 45 亿元，这是其不到一年的时间内再次增资。尽管新冠肺炎疫情暴发以来对包括中国在内的全球经济产生了较大冲击，但公司继续对中国再保险市场未来发展做出积极乐观的研判和展望，持续加大在华资本投入力度。英国佰仕富人寿再保险亚太区总经理 Andrew Gill（安德鲁・盖尔）2021 年年底亦表示，非常关注中国金融业对外开放进程，目前已经明确在中国设立分公司或子公司。

3. 外资再保险公司市场份额占比较高

2018 年，博鳌亚洲论坛年会释放出进一步扩大对外开放的讯号。大幅放宽市场准入，确保放宽银行、证券、保险行业外资股比限制的重大措施落地，同时要加大开放力度，加快保险行业开放进程，放宽外资金融机构设立限制，扩大外资金融机构在华业务范围，拓宽中外金融市场合作领域。

2019 年 5 月，中国银保监会从取消外资股比限制、放宽市场准入条件、拓展商业存在和扩大业务范围等方面，提出 12 条银行业、保险业新开放政策措施。2019 年 7 月，国务院金融稳定发展委员会办公室在深入研究评估的基础上，再次推出包括放宽外资保险公司准入条件在内的 11 条新开放政策措施。

2019 年 10 月，国务院对《中华人民共和国外资保险公司管理条例》和《中华人民共和国外资银行管理条例》部分条款予以了修改，为进一步扩大保险业、银行业对外开放提供了更好的法律保障。

相对于其他金融服务业而言，中国的再保险行业开放程度已走在最前列。中国加入世界贸易组织后，金融领域率先开放的就是再保险市场。目前，外资在中国的再保险市场份额较高，其中，在岸的外资再保险公司份额超过 20%，已初步形成中外资共同参与的格局，这也符合再保风险全球分散的特点。

4. 外资保险公司提高了中国再保险业的市场化、国际化程度

在中国保险业务规模扩大的背景下，再保险公司纷纷在华增加投入。2019 年，我国保险业原保费收入达到 4. 26 万亿元，保险业总资产达到 20. 56 万亿元，中国再保险市场各主体业绩表现良好（见图 9-1），继续位居全球第二大保险市场。瑞再研究院曾预测，随着经济重心从西方转移至东方，亚洲新兴市场特别是中国市场，将会是未来若干年保险业增长的主要引擎。中国有望在 21 世纪 30 年代中期超越美国，成为全球最大的保险市场。近两年来，中国政府加快了对外开放的步伐，中国银行业、保险业推出了多项重大开放政策，推动再保险公司加大投资中国。我国再保险市场在高度开放的竞争环境下稳健发展，再保险市场规模快速扩大，主体稳步增加，创新能力逐步增强，再保险保障保险行业稳健运行、服务经济发展和社会治理、服务国家战略的作用

逐渐发挥。支持外资再保险机构参与我国再保险市场建设，促进外资再保险公司在华业务健康发展，提高我国保险业的市场化、国际化和对外开放程度。

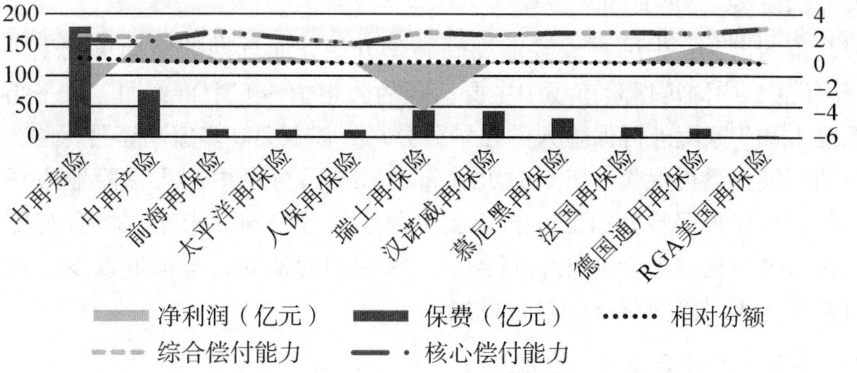

图 9-1 再保险公司 2019 年第一季度财务业绩

三、中国再保险市场的现状

保险业"十二五"规划中提出，要大力发展再保险市场，充分发挥再保险在促进行业转型升级、转变发展方式当中的积极作用；保险业"十三五"规划确立了关于加快发展现代保险服务业的指导思想、发展目标、重点任务和政策措施；中国银保监会发布保险业标准化"十四五"规划，明确到 2025 年，保险标准化工作机制进一步完善，保险标准化组织的多样性和专业性显著提升。2014 年，保险业"新国十条"也对再保险的作用和国际地位有了新的要求。然而，我国再保险市场仅仅经过 20 余年的发展，仍然不完善、不成熟，在新型国际关系、我国经济增速放缓、新常态等形势下，面临巨大的挑战和威胁。以下将运用 SWOT 分析方法，对中国再保险市场的现状进行内部优势、内部劣势、外部机会和外部威胁四个方面的论述，见表 9-2。

表 9-2 中国再保险市场现状 SWOT 分析

机会（Opportunities） 国家政策支持 国内外保险业合作加强	威胁（Threats） 企业资金不足 专业人才缺乏
优势（Strengths） 原保险市场迅速发展	劣势（Weakness） 供需发展不足 业务外流

（一）中国再保险市场面临的外部机会

在 20 世纪 90 年代以及 21 世纪初，中国再保险业基本是一家称霸的局面，但监管不完善，导致出现很多问题，在一定程度上限制了中国再保险业的发展。"新国十条"的出台，一方面，对中国再保险有了更新、更多、更具体的要求；另一方面，中国新生的再保险公司企业将更易获得专业牌照，允许从事再保险业务，势必也会逐渐提升它们的承保额度。根据中国银保监会发布的中国保险市场数据，国内共有 1 家再保险集团和 4 家再保险公司。例如，太平洋再保险有限公司前身为位于北京的一家分公司，而它也很快得到了原中国保监会的批复，有更大的业务范围从事再保险业务，提供给客户更专业的服务。

随着政策的出台，中国再保险业面临转型升级，而近期的格局也发生了改变。截至 2021 年年底，中国再保险市场中主要活跃的公司个体有中再集团、太平再保险 2 家中资再保险人和 7 家境外再保险人的在华分公司，以及 200 多家离岸再保险人，并有一些直保公司开展少量再保险业务。这几大部分几乎瓜分了中国再保险业市场份额半壁江山。另外，离岸再保险公司也可能会在中国成立分公司。未来，将会有更多再保险公司的实体为客户提供更专业化的服务，一家独霸的格局将会彻底改变，行业内的良性竞争也会促进再保险业整体的良性发展。

（二）中国再保险市场面临的外在威胁

（1）企业资金不足。首先，中国再保险市场面临的第一个威胁是再保险企业主体的资金不足，而政府政策中对其的支持力度小。对于再保险企业来说，资金实力决定了承保能力，且由于再保险性质，资本对于供给能力和长期发展是重要的条件。目前，中国现有的再保险公司的再保险收入并不能弥补资金上原有的劣势，故承保能力有待提高，政府应当给予更多的支持。

（2）专业人才缺乏。对于中国再保险业的未来发展，还需要更多金融专业特别是掌握和精通数据分析与精算方面知识的人才，所以对于再保险公司甚至整个再保险业来说受到很大的限制。

（三）中国再保险市场发展的优势

我国再保险保费收入从 2013 年的 1 200 多亿元增长至 2018 年的 1 800 多亿元。2020 年的前 11 个月，再保险公司分保保费收入更是增长 28.80%，远超直保保费 6.46%的增速。我国已是全球第二大直保市场。2021 年，瑞士再保险在其发布的 *Sigma* 新兴市场研究报告中指出，按保费规模算，2035 年之前，中国将超越美国，成为全球最大的保险市场。2020 年，在全球保额下降 1.3%的背景下，中国保险市场保费逆势增长 3.6%。2021 年由于监管趋严，中国保险保费收入预计增长 6.3%①，低于趋势增速，但中国的总保费收入预计在 2024 年之前超过 1 万亿美元，全球份额持续提升。中国经济作为推动全球经济复苏发展的重要引擎，将带动中国保险行业的发展，促进社会韧性的进一步提升，推动保险业及整体经济高质量发展。“十四五”规划和 2035 年远景目标纲要为中国保险业提供了广阔的创新空间和发展机遇。

（四）中国再保险市场发展的劣势

（1）再保险市场供需发展不足。在供给方面，再保险公司资金实力以及保费收入没有达到发达国家的水平，专门从事再保险业务的公司数量有限，业务不尽合理，再保险市场在供给上出现了“供给少，供给难，供给不高效”等问题。在需求方面，保

① 数据来源于苏黎世-瑞士再保险瑞再研究院 sigma 报告。

险公司对于寻求再保险的意识和再保险的比例不够。由于再保险的客户即需求者主要是各保险公司，故这些保险公司的需求就决定了整个再保险行业的需求。对于较大的保险公司，由于资本实力较大，或者由于扩张将财务风险分散到了全国各地甚至世界各地；对于再保险的需求很小、中资产或者刚起步的保险公司，其战略目标通常是扩大业务范围，渗透到不同层级消费者，深入不同地区，不愿意放弃自己的业务分出一部分保险，从而忽略了再保险对于公司长期发展和财务稳健性的重要意义。因此，我国再保险需求明显不足。

（2）业务外流限制国内行业发展。尽管我国目前本土的专业再保险公司正在兴起，但是资产实力较大的国外再保险公司仍然在我国占据着至少60%的再保险市场份额，而这部分公司的资金实际流向了国外，形成巨大的贸易逆差；同时，这对于我国再保险业本土企业严重不利，市场份额的抢占会带来一系列竞争上的壁垒关系，容易在谈判和业务上处于不利地位。另外，由于大多选择再保险的保险公司原先选择的是国外再保险公司，有的是因为合同限制，有的是因为长期形成的互惠关系不愿意去破坏，也节省了重新寻找再保险公司洽谈的成本。国内再保险公司很多是原保险公司分出来的专门组织，会构成非上下游的竞争关系。保险公司在分出保险业务时，会尽可能地较少泄露保险业务的内部信息，而选择国外再保险公司，避免国内一些竞争企业获知自己的信息。

四、中国再保险市场未来的发展

（一）优化和规范再保险市场监管体系

国务院对保险业的“新国十条”出台，不仅是对中国再保险业的支持，也对中国再保险市场提出了更全面的要求。随着再保险公司的发展，政府和监管部门应当从初期就对再保险公司的业务和政策等进行全面的监督，防范违法和舞弊事件，保证再保险市场良性健康发展。

具体来说，对于再保险公司的偿付能力可以从两个方面同时进行：一方面，对再保险公司直接进行监管，要求其有充足的资金保证并有一定的财务透明度；另一方面，对分出保险业务的保险公司（原保险公司）进行保费自留额的监管，从而间接对承担再保险的再保险公司进行监管。从这两方面同时下手，可以防止舞弊情况发生和防止监管出现纰漏。

（二）提升再保险风险管理技术

我国再保险业发展的屏障很重要的一点是缺乏专业人才。对于再保险公司来说，一方面，应当引进先进的数据分析软件，对需求、保险费率等进行更精确的计算；另一方面，应当注重人才的培养和引进。在人才引进方面，积极引进国内外有精算知识和再保险行业经验的专业人才，并加强学习相关的经验和技术；在人才培养方面，可以聘请专家对企业的技术员工进行专业培训，也可以与高校或者科研院所进行合作，培养再保险行业的专精人才。未来，技术进步将成为吸引再保险投保和优质再保险服务的前提，这将全面提升再保险公司的竞争力，也将促进我国再保险的长久发展。

（三）促进再保险经营机构集团化发展

目前，我国存在的唯一一个再保险集团是中国再保险集团，而最近几年兴起的其他再保险公司的背景各异，资金实力都不雄厚，且缺乏长期的市场经验，面临再保险需求不足的境况。在中国再保险市场发展不成熟的今天，寻求合作沟通，“抱团成长”是很必要的。在自愿的基础上，中国银保监会等监管部门可以对某些性质相似或者优势互补的再保险公司进行重组和集团的组建，成员之间应当进行高层的战略合作和业务层面上的合作，一方面增加资金实力，另一方面互惠互利、优势互补，并能分散保单的风险。

（四）促进再保险市场供给和需求协调发展

在再保险市场的供给方面，一是要构建更加大型的再保险公司和集团，确保强大的资金实力带动再保险行业的整体强势发展；二是要鼓励国内外资本进入中资再保险公司，引进国外再保险公司的管理模式，在竞争中博取优势，促进中国再保险市场的发展，力争成为亚洲再保险市场的领导者。

在再保险市场的需求方面，一方面，政府应当向企业与社会普及再保险分散风险和利于长期财务管理的正面作用和必要性，鼓励保险公司进行再保险；另一方面，再保险公司应当在设计更加科学的再保险产品之外，完善自己的管理体系、服务体系，吸引更多的再保险投保客户。

思考题

1. 在国际再保险市场上，再保险组织形式有哪些？
2. 简述专业再保险公司的产生与发展。
3. 简析再保险经纪人的职责和作用。
4. 简述再保险集团的特点及其利弊。
5. 谈谈发展我国再保险市场的思路。

第十章　再保险监管

由于再保险业务具有较强的国际性和技术性，不少国家对于再保险监管的必要性仍存在一定争议。随着再保险业务的快速发展以及保险监管体系的日趋完善，再保险监管逐步成为保险监管的重要组成部分。本章主要探讨再保险监管的必要性和主要内容，并介绍美国、英国、德国等国家的再保险监管以及中国的再保险监管。

第一节　再保险监管概述

一、再保险监管的必要性

再保险监管是指在一个国家范围内，保险监督管理机构根据政治经济环境的需要运用法律等手段对再保险业务和再保险市场实施的监督与管理。国家层面的再保险监管制度通常由两部分构成：一是国家通过制定有关再保险的法律规定，对本国再保险进行宏观指导与管理；二是国家负责保险监管职能的机构依据法律或行政授权对再保险进行行政管理，以保证有关再保险的法律规定的贯彻执行。

对于保险业的监管，多数国家基本上都持肯定态度，认为保险业需要受到政府的有效监管。再保险是保险业的重要组成部分，在一国的保险体系中占有重要地位，从而再保险监管本质上也应属于保险监管的一个重要环节，但由于再保险的性质有别于一般的直接保险业务，对于其是否有必要比照直接保险业务纳入保险监管体系还存在一定争议。一般而言，反对再保险监管的理由可以归纳为以下四个方面的内容：一是再保险市场是一个专业化市场，原保险人并不需要同保单持有人一样受到政府监管机构的特别保护。二是再保险监管易违反公平竞争原则。直接保险业务的保险人基本都在同一国家，因而具有相对平等竞争的地位，但再保险市场通常会超越国界，加之各国对再保险监管的标准不一致，则易造成再保险人甚至原保险人之间竞争地位的差异。三是再保险监管可能会限制再保险功能的发挥。随着经济社会的发展以及人类生存环境的恶化，巨灾和特殊风险越来越多，原保险人需要再保险人协助的状况增多，若再保险受到严格监管将有可能影响风险的有效分散，进而限制再保险功能的发挥。四是再保险监管执行难度大。再保险业务一般具有较强的国际性和灵活性，再保险合同往往也不是标准化合同，若对其进行监管易面临监管成本过高、监管技术不足、监管人员缺乏等难题。

尽管反对再保险监管的理由颇为充分，但是目前大多数国家还是认为有必要对再保险进行监管，中国也不例外。当然，各个国家的监管程度和水平会有所不同。支持再保险监管的理由可大致归纳为以下四个方面：

（1）保障和促进再保险市场的发展。有效的外部监管是再保险市场得以健康快速发展的基础和保障。一国再保险监管规则的确立和实施，会提高再保险市场和再保险行业的透明度。监管也可以消除再保险市场的市场失灵现象，提高竞争度和市场总体效率。此外，再保险监管还能帮助再保险树立一个良好的公众形象，提升整体表现能力。再保险监管机构通过识别不合格的再保险人，并将其从市场剔除，能让再保险市场的总体声誉得到提高。由此，再保险监管可以保障和促进再保险市场的发展。

（2）再保险监管是保险业健康发展的需要。再保险是对原保险人的保险。一般情况下，对分出业务，原保险人不用再提取准备金，只需在其会计分录中列明分出的保费和减少的负债。但被保险人发生保险责任事故后，原保险人必须先进行全额赔付，然后根据再保险合同向再保险人摊回赔款。因此，再保险人若因经营不善、创新型再保险业务过多且过于复杂等因素导致偿付能力不足或失去偿付能力进而不能及时提供赔款甚至破产，就会在一定程度上影响原保险人的正常经营。近年来，由于巨灾风险增多使得再保险人以及再保险经纪人倒闭事件增多进而引发诸多法律纷争，造成保险市场一定程度的紊乱。除此以外，再保险监管往往也能够促进民族保险业的健康发展。在一国保险业发展初期且再保险作用还未显现时，对再保险进行监管，如采取控制分保费外流等措施能够促进本国保险和再保险市场发展，提高本国保险市场的承保能力。

（3）再保险监管能够间接保护保单持有人等保险消费者。对再保险进行监管，不仅可以保护直接保险人，而且可以维持再保险市场稳定性特别是人们对保险业的信心，从而实现对保险消费者更高程度的保护。从严格意义上讲，再保险监管保护了原保险人的利益，也就间接地保护了投保人的利益，这正与保险监管的总体目标相符合，验证了再保险监管是保险监管的重要组成部分这一说法。

（4）再保险监管是经济全球化的需要。尽管各国监管体系不尽相同，但再保险的国际化特色使其有必要构建一个通行的再保险监管框架，避免或消除现存的某些歧视性待遇和贸易障碍等。总而言之，各国可以根据其实际情况和市场发展的需要决定是否有必要对再保险进行监管。当下，中国、美国等国家对专业再保险公司与直接保险公司实施同样监管，法国等国家的再保险监管则相对宽泛。

二、再保险监管的方法

再保险业务监管的方法一般分为直接监管和间接监管两种类型。即在对再保险人的业务进行监管的过程中，保险监管机构既可以直接对再保险人采取监管措施，也可以对原保险人采取措施间接监管再保险人。

（一）直接监管

保险监管机构对于取得该国营业执照的再保险人，依据相关法规直接实施对再保险人的监督管理。因而，这类再保险人必须先行取得营业执照并遵循相关的法令，才可以在该国（地区）境内经营再保险业务。总体来说，再保险直接监管的内容主要包括对营业执照的取得、组织形式的限制、营业范围的限制以及财务状况的监管等。

（二）间接监管

保险监管机构运用其行政监管的权限，要求受其管辖的保险人在分出保险业务时，必须遵循一定的方式，以督促其审慎的选择和管制再保险人，达到间接监管再保险人的目的。再保险间接监管方式大致可以归纳为下列四项：

1. 再保险计划的审查

再保险公司在申请设立时，必须提交相关文件与资料供主管机关审查，经过评估达到合格后才可以颁发营业许可证。有的国家（地区）将再保险计划的拟订也列入受审查的范畴中。根据这类资料的申报，保险监管机构对申请人所预定的再保险安排的周密性、往来再保险人的安全性以及危险的分散程度有大概的认识。这种审查有助于预先估计出申请人营业后的业务状况。

2. 再保险业务资料的申报

再保险业务的相关资料是反映分出公司运用再保险情况的重要信息。保险监督管理机构可以通过了解再保险业务的相关资料，掌握再保险人的业务信息从而预知未来的潜在问题，提早制定出适当的防范措施，避免分出公司受到有问题的再保险人的牵连。例如，中国银保监会2021年颁布实施的《再保险业务管理规定》第三十六条对业务资料的申报有以下规定："保险公司应按规定向银保监会或其派出机构提交下列材料：（一）于每年4月30日前，提交上一会计年度再保险经营管理情况：1. 再保险业务经营情况，包括分保费收入、分出保费、手续费以及摊回、赔款以及摊回等情况。直接保险公司还应报送重大保险赔案及其再保险安排、摊回赔款等情况。重大保险赔案是指在一次保险事故中，财产损失赔偿在5 000万元以上，或者人身伤亡赔付在3 000万元以上的理赔案件。2. 经总精算师签署的、有关再保险业务的各类准备金提取办法和金额。3. 除航空航天保险、核保险、石油保险、信用保险外，财产保险公司以比例再保险方式将每一危险单位分给同一家再保险接受人的业务，超过再保险分出人承保直接保险合同部分的保险金额或者责任限额50%的交易情况，以及管理该业务信用风险的相关措施。4. 巨灾风险安排情况，包括巨灾风险累积、巨灾风险自留额及其确定方式、巨灾风险的再保险分出安排等情况。5. 再保险保费、赔款的应收、应付情况，包括余额、账龄结构、原因分析等，特别是应收应付账龄超过180天的情况。（二）于每年6月30日前，提交本会计年度再保险安排有关情况：1. 财产保险公司的危险单位划分方法及每一危险单位的最大净自留额。2. 直接保险公司的再保险安排情况，主要包括再保合约的增减、合约分保首席接受人或最大份额接受人的变化等情况。3. 外国再保险公司分公司的总公司注册地保险监管机构根据当地法律出具的有关其总公司偿付能力状况的意见书或者经营状况意见书，以及总公司对其授权的承保权限和自留保费额度。"第三十七条规定："保险联合体应当在每年4月30日以前，向银保监会报告上一年度的财务报告、业务分析报告以及与境外再保险交易情况。"

3. 自留额的限制

就再保险经营而言，必须考虑危险程度、保险金额、承保件数、保险费率、责任准备金以及再保险业务的交换等因素，这样可以拟定出适当的自留额。从监管的角度出发，为了避免再保险经营者因为过于急切而造成经营上的不安全，多数国家（地区）对再保险人的业务经营通常设有最高自留额的限制。

4. 再保险人选择的限制

再保险人的选择对于再保险分出业务的安全性至关重要。就再保险人的信用评估而言，再保险人如果在本国（地区），分出保险人比较容易掌握其财务状况，但是如果在他国，国内分出人就很难准确地掌握他国再保险人的财务状况。因此，多数国家（地区）以法令限制再保险业务分出的对象。此外，部分发展中国家为了抑制再保险费的外流，提高国内保险经营者的承保能力，实施了国家再保险制度，强制规定境内的再保险分出业务应由国家再保险机构承受或优先承受，这也是限制再保险业务分出对象的情形之一。《保险法》第一百零五条规定："保险公司应当按照国务院保险监督管理机构的规定办理再保险，并审慎选择再保险接受人。"

三、再保险监管的手段

由于国情和经济社会发展背景不同，多数国家（地区）再保险监管模式和监管目的通常也存在差异，自然再保险监管手段也不尽相同。一般而言，再保险监管手段大致可以分为法律手段、经济手段和行政手段三类。发达国家以及经济侧重自由发展的国家在实施再保险监管时偏重运用经济手段和法律手段，大多数发展中国家则偏重运用行政手段。当然，这些手段的运用程度和组合方式也会随着各国社会经济发展与再保险市场发展而调整。

（一）法律手段

法律手段是指国家通过制定各种保险法规来实施对再保险的监督管理，主要包括再保险企业设立程序和条件的限制、再保险企业的开业资本、准备金提存、经营再保险的业务范围、违章处理、停业和清算的具体规定等。目前，基本没有国家（地区）出台专门针对再保险的法律，通常做法是将再保险的一些规定包含在《保险法》或其他法令之中。例如，英国的《保险公司法》未规定再保险，但依据法院判例的解释，该法律也同样适用于再保险。中国虽也未颁布专门法律，但《保险法》第九十六条、第一百零三条、第一百零五条、第一百三十九条等规定与再保险直接相关。通过法律手段，国家可以较好地控制再保险的发展方向和发展规模，确保再保险发展符合国家的总体目标。

（二）经济手段

经济手段是根据客观经济规律的要求，国家运用财政、税收、资金管理等各类经济杠杆，正确处理各种经济关系来管理再保险的方法。这是一类间接管理的手段，一般不会强制实施。国家若要运用经济手段监管再保险，一般会做一些要求，如尊重经济规律、遵守等价交换原则、讲求经济效益以及充分发挥市场作用等。它通过调整保险业经营者的经济利益实现鼓励或抑制再保险经济活动的目的。例如，一些国家（地区）可以采取财政补贴或减免税收等扶持性政策促进巨灾再保险业务的发展，一些国家（地区）也可以运用对外国再保险公司征收特别税或规定准备金存款等方式限制国际再保险交易等。

(三) 行政手段

行政手段是指依靠国家和政府以及企业行政领导机构自上而下的行政隶属关系，采用指示、命令、规定等形式强制管理再保险业务。拥有法定监管权的保险监管机构对再保险公司、再保险业务进行经常性的监督和检查，主要包括再保险公司的偿付能力、保险资金的运用、各种业务的费率条款、再保险和转分保原则等。具体如下：

（1）对再保险公司业务经营的管理。如限制外国再保险公司经营业务的种类或地区，或者对资本金或保证金等提出特殊要求。

（2）对再保险公司的财务管理。如规定各项准备金的提存，要求它们在承保再保险业务时建立信托基金或邮寄抵押品等。

（3）对资金运用的管理。如规定投资范围、投资比例和数额。

（4）对再保险外汇的管理。如对再保险外汇的汇出数量和时间进行限制。

（5）对再保险营业情况的管理。如检查营业情况，规定其必须定时提供月报及年报，年终时应该向监管机构呈递包括资产负债表、损益计算书、各项资产明细表、各项责任准备金明细表、资金及各项准备金运用明细表、盈余分配方案等规定报表。

（6）对日常工作的管理。如再保险公司应当随时接受政府或监管机构的检查，缴纳许可费等。

（7）对再保险公司的行政处罚。对于再保险公司的严重违规行为（如风险责任与准备金明显不符、公司实际综合赔付率高于法定赔付率），应给予相应的行政性处罚。

第二节　再保险监管的内容

国家（地区）经济模式和社会背景的不同，使得再保险监管的内容有所差异。总体来说，再保险监管的内容主要包括准入监管、经营监管以及外汇账户、市场行为等方面。

一、准入监管

(一) 再保险机构和再保险业务的准入

再保险公司的设立或直接保险公司要开展再保险业务，一般需要向再保险监管机构提出申请并提供开业资本、承保风险的性质、每种业务的费率条款、普通保单和特殊保单的条件等相应资料，待再保险监管机构审核申请者各项资料以及相关条件后，才会决定是否同意其设立或者开展再保险业务。换言之，再保险机构和再保险业务需要得到再保险监管机构获批才能经营再保险业务。营业执照的取得是经营再保险业务的前提条件，多数国家（地区）对于再保险营业执照的核发都是采取谨慎的态度，不仅详细规范申请设立的基本条件、组织方式、营业范围等重要事项，而且对违法经营再保险业务或未经核准而经营再保险业务者，同样也制定了处罚规定。

《保险法》第一百零三条规定："保险公司对每一危险单位，即对一次保险事故可能造成的最大损失范围所承担的责任，不得超过其实有资本金加公积金总和的百分之十；超过的部分应当办理再保险。"原中国保监会在 2002 年颁布的《再保险公司设立规定》指出："人寿再保险公司和非人寿再保险公司的实收货币资本金应不低于 2 亿元人民币或等值的可自由兑换货币；综合再保险公司的实收货币资本金应不低于 3 亿元人民币或等值的可自由兑换货币。外国保险公司的出资应当为可自由兑换货币。"英国《2012 金融服务法》则规定保险公司获得经营许可的前提是必须有充足的资本金并达到《欧共体保险指引Ⅲ》所规定的最低偿付能力标准，其中纯再保险公司最低资本金为 370 万欧元，自保公司最低资本金为 120 万欧元。德国规定，在德国设立的再保险公司必须设立于德国，且需得到德国联邦金融监管局的许可。此外，中国银保监会 2021 年颁布实施的《再保险业务管理规定》也对直接保险公司开展再保险分入业务的条件做了更为明确的规定。

（二）再保险机构的组织形式

再保险人的组织形式有多样，既可以是有限公司、股份有限公司、相互公司或合作社的方式，也可以是个人保险商。但是，为了促进再保险业的发展、保障广大被保险人的利益以及配合本国的法律体制，各国再保险监管机构一般会对再保险人的组织形式设有限制。相对来说，英国、美国等保险业发达的国家其规定较有弹性。例如，英国的再保险公司注册形式应为有限公司、股份有限公司或者互助公司等。

（三）再保险公司的退出

各国对于再保险公司的退出也会做相应规定。一般来说，当再保险公司发生不能履行有关再保险监管机构的法规规定的应尽责任、再保险公司的会计报告和其他报表不符合再保险监管机构规定的要求且已经不能从中确认其财务状况或再保险公司已经出现有损公众利益的情况等情况时，再保险监管机构有权依据相关法律做出对再保险公司进行清算的决定，并且在其清算的整个过程中行使相应的监督管理的权力。2015 年修订的《保险公司管理规定》指出，有关机构变更、解散与撤销的规定同样适用于再保险公司。

二、经营监管

（一）再保险机构的业务范围

对业务范围的监管是各国保险监管机构对保险和再保险机构进行监管的一项重要内容。无论是原保险公司还是再保险公司、无论是专业再保险公司还是兼业再保险公司，都需要核准的营业范围内进行经营，不得经营授权范围以外的业务。一般来说，对于原保险公司，允许兼业经营其原保险经营范围内的再保险业务；对于再保险公司，则一般不允许同时兼营原保险业务。同时，再保险公司的业务范围一般也不如原保险公司那样进行严格的产险和寿险分业经营，而是准许再保险公司可以同时经营产险和寿险的再保险。

《保险法》第九十六条规定："经国务院保险监督管理机构批准，保险公司可以经营本法第九十五条规定的保险业务的下列再保险业务：（一）分出保险；（二）分入保险。"原中国保监会在2002年颁布的《再保险公司设立规定》对经营范围有明确规定，经保险监管机构批准，再保险公司可以经营以下全部或部分业务：一是人寿再保险业务，主要有中国境内的再保险业务、中国境内的转分保业务以及国际再保险业务；二是非人寿再保险业务，主要有中国境内的再保险业务、中国境内的转分保业务以及国际再保险业务；三是同时经营人寿再保险业务和非人寿再保险业务的全部或部分业务。

（二）财务监管

在再保险公司营业以后，再保险监管机构要对再保险公司的财务状况进行检查和监督。一般情况下，再保险公司需按时递交有关报告。如果再保险公司经营出现问题且无法达到有关规定要求，再保险监管机构可以采取监管措施来干预其经营活动。例如，它可以监管再保险公司的保费收入，并要求其资产和负债平衡，定期提供营业报告和监管其投资情况等。

1. 资本充足性和准备金的提取

通常，再保险公司是在全球范围内进行风险分散，从而需要保证充足的资本来应对风险的发生。资本充足性的管理目的主要是基于营运安全的考虑。随着新合同或大型业务的吸收，再保险人的盈余会逐渐耗尽，如果不及时补充资本则会因缺乏承保能力而被迫停止接受其他业务。此外，足够的资本也可以保障再保险人在一定期间内的财务安全，从而能及时弥补承保或投资上的亏损。一般而言，各国（地区）政府对再保险公司都有最低资本或基金的规定，具体的数额因再保险业务的范围和各地经济状况而各有所异。此外，有的国家（地区）的保险监管当局还会规定再保险需要按照资本或基金实收总额的一定比例缴存保证金，以确保其偿付能力。在再保险公司发生亏损时，如果已经超过保证金缴存的比例，应该以现金或其他财产补足。

再保险费的收取与赔款以及费用支出之间存在一定时间差。通常，再保险公司承担的保险责任是一类未来期限的累计责任，且随着业务的增长这种累计责任还会增加，故再保险公司需要根据其业务状况合理地提取再保险责任准备金。一般情况下，多数国家（地区）保险监管机构会以法律法规形式来明确各类责任准备金的计算基础和提存方式，以保障再保险公司的财务健全。

2. 资金运用的监管

再保险公司资金运用所取得的收益是再保险公司经营利润的主要来源，因而对再保险人的资金运用的监管成为再保险财务监管的重要内容。再保险公司可运用的资金也分为自有资金与外来资金两类。其中，自有资金包括资本金、公积金和未分配利润等，外来资金则是指再保险公司的负债。由于各国的资本市场发展状况不尽相同，对于资金运用方面的监管也有着较大的差异。一般来说，在资本市场比较成熟的国家，再保险的资金运用方式与渠道相对较多。

3. 偿付能力监管

再保险是保险同业之间互相分担责任的经济合作关系，再保险监管的核心是对偿付能力的管理。直接保险公司和再保险公司都要按照公司的偿付能力限制其承保业务的总量，都会规定自留额，对超过自留额的责任都需办理再保险或转分保。为了使再保险人能够确实履行自己的应尽义务，保障再保险的分出人的利益，多数国家（地区）保险监管机构均要求境内再保险人应该维持法定偿付能力边际。由于各国（地区）会计制度与准则有所差异，偿付能力边际的计算也随之有所不同。2021 年，中国银保监会发布的《保险公司偿付能力监管规则Ⅱ》中对再保险公司保险风险最低资本、再保险公司分出业务的交易对手违约风险最低资本、再保险公司利率风险最低资本都有专门的规定。

（三）其他方面的监管

1. 外汇账户的管理

再保险业务中除了人民币业务之外，通常还涉及各种外币业务，故再保险人除将人民币作为本位币填制凭证、登录账簿和编制报表外，也需对各种外币的收付按不同的外币再分别填制凭证、登录账簿和编制报表。在国际再保险业务处理中，对不同货币的结算通常较为复杂，往往要由缔约双方随时协商解决。由于货币汇率瞬息万变，需要对此做出明确的规定，以免任何一方受到外汇行市明显的影响和损失。对外汇账户进行监管也是再保险监管的重要内容。

2. 再保险业务市场行为的监管

通常，对保险业务市场行为的监管更为关注保护被保险人的利益，而再保险的市场行为的监管则更关注风险管理方面。当存在大量的风险资本供给时，新的再保险人就会进入再保险市场，再保险费率就会面临下调压力，而下调的再保险费率又会减少风险资本的供给。在这种情况下，原保险人对再保险人安全性的评估将变得日益困难。因此，保险监管机构会本着对保险业负责的态度，就风险转移的性质和种类，特别是就再保险的创新产品实施直接监管，以加强对再保险业务与管理质量测定的监管，保证再保险业务的正常运转，从而保障分散保险风险的各个环节的安全、可靠。

3. 再保险经纪业务的监管

再保险经纪业务也是再保险业务中的重要内容。多数国家（地区）同样会对其进行监管。其主要内容包括从事再保险经纪业务的条件、再保险经纪业务应遵循的原则等。英国的再保险经纪人必须有再保险监管机构授予的经营许可证才能开展保险经纪业务员，并受到其审慎监管和行为监管。中国也对再保险经纪业务有所规定。2021 年，中国银保监会颁布实施的《再保险业务管理规定》对再保险经纪业务有专门的规定，如保险经纪人从事再保险经纪业务，应恪尽职责，不得损害保险人的信誉和合法权益等。

4. 创新型再保险业务的监管

创新型再保险业务具有提高保险业承保能力、改善保险公司的资产负债结构等诸多优势，但其蕴含的风险不可小觑。由于创新型再保险业务与传统再保险业务存在明显差异，传统再保险监管模式通常难以对创新型再保险业务实现有效监管。例如，不少财务再保险合同的风险转移仅仅限于资产风险、信用风险和时间风险，却并不包括承保风险，这些业务在多数国家（地区）的再保险监管中通常会严格控制。中国银保监会2021年颁布实施的《再保险业务管理规定》提出，保险人和保险经纪人利用金融工具开发设计新型风险转移产品，应当按照有关规定向中国银保监会报告，但未有具体的监管细则。

目前，中国对自保公司的监管相对完善。2007年，原中国保监会就开始自保基础研究工作，并于2013年12月发布了《关于自保公司监管有关问题的通知》、2015年2月发布了《关于进一步完善自保公司监管有关问题的通知》，这两份文件初步形成了具有中国特色的自保公司监管制度框架。监管文件既对自保公司与商业保险公司的差异性监管进行区分，也对其母公司的保险管理能力和既有保费规模提出具体要求，并强调母公司应当恪守对自保公司承担全部风险责任的承诺。其主要内容包括：一是自保公司的母公司资产总额不低于1 000亿元；二是自保公司的公司治理结构可以相对简单；三是可以取消独立董事的数量和比例要求；四是根据实际经营情况，可以不设合规负责人、审计责任人、法律责任人等岗位；五是自保公司的业务范围仅限于集团母公司相关的财产保险和员工的意外险及短期健康险业务；六是可以不缴纳保险保障基金。2020年，中国银保监会下发的《财产保险公司、再保险公司监管主体职责改革方案的通知》指出，和其他保险公司一样，将原属于银保监会直接监管的四家在中国内地注册的自保公司，依照其具体注册地，划分给了北京、上海、新疆以及广东银保监局监管。该通知对中国银保监会、银保监局的监管职责进行了明确，将市场准入退出机制及其审核、现场检查等权限下放给了各属地监管局，中国银保监会保留了宏观监管政策的制定等职责。注册在中国香港的四家内资自保公司属香港保险业监管局监管。

第三节 主要国家的再保险监管

政府对于再保险的监管，一方面为再保险交易的开展提供宽松的环境，另一方面确保再保险公司的稳健经营和保险市场的正常秩序，保护保单持有人的利益。根据这一原则，原保险人和再保险人有选择合作人、确定合同的数额和内容的自由，但也需遵守相关规定。鉴于各国保险监管机构监管侧重点不同，再保险监管的内容和方式也会有所差异。

一、美国再保险监管

19世纪初以来，美国的保险业监管一直由州政府执行。这与美国银行业监管的发展有着明显不同，银行业监管是由州和联邦共同执行的。例如，在美国，既可以依据州法律也可以依据联邦法律成立银行。尽管对于雇员利益、责任风险自留额、健康保险保障范围、社会保障及其他在特定地区提供洪水保险的特别项目等，美国也有几部联邦级别的法律进行监管，但此外的所有保险活动都主要是由各个州在本州的基础上自行监管的。美国各州的保险法规主要有三个来源：州政府颁布的法、州保险监督官颁布的法规以及法院的判例法。

由于保险和再保险监管的复杂和多样性，各州保险监管者于1871年创立了全美保险监督官协会（NAIC），表达了对跨州保险人进行协同监管的需要。NAIC是由全国50个州、哥伦比亚特区和美国四个地区的首席监督官组成的非营利性协会，在其协调各州保险监管的任务指引下，NAIC的一个重要影响就是颁布并建议采用“示范法和示范条例”，现在这些示范法和示范条例数量已超过150部。实际上，很多保险和再保险方面的监管都是在NAIC的层次上发起的，然后由单个州分别采用示范性法规或示范性法规的修正版本。虽然从法律角度讲，NAIC对各州没有直接的监管权力，但NAIC的委任程序，即准予或拒绝单个州保险部门的委派，在动员各州采用NAIC的示范法方面是成功的。

一般而言，对于直接保险业务的监管体系来讲，监管者关注的主要焦点是承担风险的保险人一方，对被保险人较少监管。但是，对再保险业务的监管体系来讲，由于承担风险的一方（再保险人）往往不在本地，监管的焦点通常集中于接受保障的一方，即分出保险人或原保险人。美国的监管者通过限制原保险人关于认可资产的财务会计原则，对再保险业务进行监管。除非再保险人和再保险合同满足特定的法令要求，否则再保险人承担的债务数量，即原保险人对再保险人的债权，就不能被看作原保险人的认可资产，也不能用来抵免责任准备金的提取。除了这些要求之外，在很多州法令还要求特定种类的保险业务必须分出一定份额的风险。以下将分别介绍和讨论美国再保险监管方面的主要规定。

（一）间接监管措施

从表面上来看，尽管在美国的外国和外州再保险人基本上可以免于被直接监管，但是再保险人所受到的间接监管待遇会根据他们在一个州是否获得授权而有所不同，这种待遇会直接影响原保险人的财务报表，从而对原保险人的再保险安排产生影响，进而间接影响再保险人。因此，美国的再保险监管关注的焦点主要集中在原保险人及其再保险安排上。

按照NA1C的再保险信用示范法的规定，原保险人从再保险人处获得的再保险赔款的价值。只有在下述情况下，才能被看作认可资产或责任准备金的抵免项：

（1）再保险人在本州拥有执照，可以从事保险和再保险业务；

（2）再保险人在本州经资格鉴定获得认可，成为经委任的再保险人；

（3）再保险人在合格的美国财务机构处持有信托基金，以应付其美国分出公司的有效索赔；

（4）美国的原保险人保留有再保险人的预扣基金或其他担保金形式；

（5）当本地适用的法律或条例要求再保险时，该再保险信用就是可以使用的。

换句话说，当法律要求保险人将风险分给国有或国家控股的保险或再保险公司时，或法律要求参加再保险集团、担保协会或其他组织时，该再保险信用就是可用的。也就是说，只有在交易是与经授权的再保险人进行的，或者再保险交易中再保险人的责任有现金存款或其他保证金支持的情况下，保险监管部门才允许原保险人以此再保险信用抵免责任准备金的提取。换言之，对于那些将风险分给未经授权再保险人的原保险人，州监管部门会通过限制原保险人的责任准备金的再保险抵免，来对未经授权的再保险人实施间接监管。除了上述对再保险信用抵免的规定外，很多州还有关于风险自留的规定，即不允许原保险人永久接受或保留超过特定数额的风险，超出部分必须通过再保险方式分出去，如对承保的任何单一财产风险或责任风险，不得超出其盈余数额的1/10。该要求的主要目的是，避免原保险人将自己暴露在保险合同引起的极限损失之下。

此外，由于再保险参与者各方的专业水平均较高，不必对某一方施加特别保护，所以在保险监管中经常使用的市场行为监管措施，在再保险监管中较少采用，许多监管保险人和被保险人两者之间关系的监管方法都不对再保险交易进行监管。通常，各州保险部门对再保险合同中使用的条文措辞也不要求事先批准或信息汇编归档，而对原保险单则要求批准或归档。但是，由于再保险交易的复杂性和多样性，再保险的条款和条件会对保单持有人和投资者的利益产生直接的影响。因此，各州的监管者都认为一些保护保单持有人和公众利益的特定条款应该包括到原保险人的再保险合同中去。通常，下面三个条款应包括进去：一是失去偿付能力条款。该条款说明如果原保险人失去偿付能力，再保险人不能就此免于履行自己在再保险合同下的责任。二是法律代表条款。该条款要求再保险人在美国境内有自己的法定代表，以代表再保险人接受业务和处理其他事项。三是中介条款。该条款规定中介是再保险人的代理人，为再保险人接受和传递资金。除了上述有限的几个特别条款以及特殊再保险合同外，法律不对再保险合同进行过多规范。

另外，为了收集外国保险人和再保险人的信息资料，NAIC专门成立了一个附属机构——认可保险人信息办公室。该办公室的主要任务就是收集整理每家公司的财务状况，为各州监管者提供有价值的服务。很显然，如非通过这种渠道，各州监管者很难获得充足的信息来对外国保险人和再保险人进行分析评价。

（二）直接监管措施

美国各州的直接监管措施主要是针对本州保险人和再保险人而言的。大多数州都规定再保险业务属于保险业务，所以各州对本州专业再保险人的监管近似于对直接保险人的监管。执照要求基本等同于对直接保险人的要求，偿付能力要求也与直接保险人一样采用风险资本方法（RBC）。而且，一般来说，直接保险人在其居住州内都被授权可兼营再保险业务，即从事与它经营的直接保险业务相同种类的再保险业务。

但是，在美国，相当数量的再保险是由外州再保险人或外国再保险人提供的，这就牵涉跨州及外国再保险人的监管问题。对于在他处获得营业执照的外州再保险人，在有些州需要向监督官申请授权。通常，只要申请，州保险部门都会授权给这些外州再保险人，准许其在本州开展再保险业务。甚至在有些州，外州和外国再保险人不经过任何特别授权也可以提供再保险服务在另一些州则更为宽松，外州或外国再保险人即使没有任何营业执照，也被允许提供再保险服务。因此，监管跨州再保险人的基本责任就落在了再保险人居住州监管者的身上。

由此可见，在美国的外国和外州的再保险人基本上都可以免于被直接监管，这也是有些人认为美国的再保险监管采用的是间接监管模式的原因所在。其实，针对本州的再保险人，美国各州的监管法律还是相当严格的，监管措施基本上等同于对直接保险人的监管。

（三）美国再保险监管制度新趋势

2008 年，席卷全国的国际金融危机引发了美国金融服务业监管的全面改革，如何加强作为整个金融体系重要组成部分的再保险监管也受到了广泛关注。对此，美国进行了一系列再保险监管制度的改革。2008 年 3 月，美国国家保险监督官协会（NAIC）全国会议投票决定采用再保险监管现代化框架提议（以下简称“再保险框架”）。在再保险框架的基础上，NAIC 于 2009 年 3 月 24 日公布了再保险监管现代化法案草稿，并于 2009 年 9 月 23 日正式公布了 2009 年再保险监管现代化法案。与此同时，2009 年 7 月，非认可与再保险改革法案被增加进入美国金融监管改革法《多德-弗兰克华尔街改革与消费者保护法案》。该法案于 2010 年 7 月 21 日经美国时任总统奥巴马签署正式生效成为法律。在美国以上这一系列有关再保险监管制度的改革中，主要体现了美国再保险监管以下四个方面的最新变化：

1. 设立联邦保险办公室

在财政部内设立联邦保险办公室负责统一监管保险业、协调国际保险事务以及与各州保险监管机构协商国家层面的保险业问题，以期防止保险业的系统性风险。比如，促进在保险业服务覆盖不周的社区如少数民族集中低收入者中推出令其能够负担得起的保险产品、协调联邦和州的对保险业的管制措施以及改革全国的超额保险和再保险的监管方式。联邦保险办公室有权代表美国在国际背景下讨论（再）保险事宜，并与美国贸易代表合作，以期达成（再）保险国际协议。除了就（再）保险事宜向财政部部长提供建议外，联邦保险办公室负责人将担任金融稳定监督委员会的无投票权顾问。

2. 区分住所地在美国的国民再保险人和住所地不在美国的入境港再保险人

再保险监管现代化法案规定，在美国有两类再保险人：一类是住所地在美国的国民再保险人，另一类是住所地不在美国的入境港再保险人。这一分类为改变对再保险人的担保要求做了准备。对于国民再保险人，注册州将负责发放许可、进行偿付能力检查、合规性监管及为了担保目的建立再保险人的评级等；对于入境港再保险人，入境港（州）将负责执行对非美国司法权监管者的监管认可程序。该程序包括为担保目的建立及调整再保险人评级、向非美国监管者咨询有关入境港再保险人的任何问题、收取年费等。

3. 提出再保险人的最低资本金要求

在最低资本金要求方面，要求一家合格的再保险分入公司（既包括国民再保险人也包括入境港再保险人）应具有不低于 2.5 亿美元的最低资本金。允许再保险人在整个保险集团的基础上满足这一最低资本金要求。

4. 调整对再保险人担保资金的要求

再保险监管现代化法案降低了美国本土和非本土再保险人的担保资金，对非本土的再保险人不再收取 100%的担保金，而是根据再保险人的信用风险评估调整所需再保险担保资金的比例。美国本土再保险人只有在安全评级 3 之下才会被要求提供担保。具体要求见表 10-1。

表 10-1　安全评级与所需要担保比例

安全评级	需要的担保
安全评级 1	0
安全评级 2	10%
安全评级 3	20%
安全评级 4	75%
脆弱评级	100%

再保险人应从至少两名推荐的评级机构处获得安全的财务实力评级，这些推荐的评级机构包括贝斯特公司、标准普尔、穆迪评级和惠誉公司。表 10-2 说明了再保险人安全评级与推荐机构评级之间的关系。当然，如果有必要，监管当局可以酌情要求再保险人提供额外的担保。

表 10-2　再保险人安全评级与推荐机构评级的关联

安全评级	贝斯特公司	标准普尔	穆迪	惠誉
安全评级 1	A++	AAA	Aaa	AAA
安全评级 2	A+	AA+，AA，AA-	Aa1，Aa2，Aa3	AA+，AA，AA-
安全评级 3	A，A-	A+，A，A-	A1，A2，A3	A+，A，A-
安全评级 4	B++	BBB+，BBB，BBB-	Baa1，Baa2，Baa3	BBB+，BBB，BBB-
脆弱评级	B，B-，C++，C+，C，C-，D，E，F	BB+，BB，BB-，B+，B，B-，CCC，CC，D，R	Ba1，Ba2，Ba3，B1，B2，B3，Caa，Ca，C	BB+，BB，BB-，B+，B，B-，CCC+，CC，CCC-，DD

资料来源：Reinsurance Collateral Reduction S- Accreditation Recommendations. NAIC。

从表 10-1 和表 10-2 可以看出，贝斯特评级在 A 级以上的国民再保险人将不会被要求担保，而入境港再保险人则需要获得贝斯特 A++级或标准普尔 AAA 级以上的评级才不会被要求担保。贝斯特评级为 A+级的外国再保险公司需要提供 10%的担保，而评级在 A 级或 A-级的外国公司需要提供 20%的担保。对于贝斯特评级 A 级以下的公司，无论其为国民再保险人还是为入境港再保险人，担保要求都一样。

二、英国再保险监管

根据《2012 年金融服务法案》的规定，自 2013 年 4 月 1 日起，撤销英国金融服务监管局（FSA），新金融法规定新金融监管体系以英格兰银行为核心，发挥了英格兰银行在金融监管中的作用，新的金融监管体系在撤销金融服务监管局的基础上，新设立了金融政策委员会、审慎监管局和金融行为监管局三个监管机构，遵循以强化金融消费者保护为原则，按照宏观审慎监管和微观审慎监管相结合的方式对英国金融市场进行全面监管。其中，金融政策委员会负责监控和应对系统性风险；审慎监管局负责对各类金融机构进行审慎监管；金融行为监管局负责监管各类金融机构的业务行为，促进金融市场竞争，并保护消费者。

有效监管、偿付能力监管和透明度高是英国金融监管体系对保险行业监管最突出的三个特点。关于有效监管，在新的监管体系中，无论是宏观环境还是微观操作监管均由英格兰银行统一负责，统一监管有利于及时准确地获取和反馈信息，避免多方监管的低效和疏漏，有利于提高监管效率，加大监管力度，及时化解系统性金融风险。审慎监管局和金融行为监管局在对保险公司（包括再保险公司）实施监管时，以最有效、最经济的方式使用各自的监管资源。关于偿付能力监管，随着欧盟启动《偿付能力Ⅱ》后，英国保险业将实施《偿付能力Ⅱ》的监管标准。

关于监管透明度，英国金融监管的透明度高，监管当局在实施监管过程中，需遵循两个原则：一是被监管的公司和个人相关信息将由监管机构公布或监管机构要求受监管公司及时公布相关信息，二是监管当局在履行职责时尽可能地公开、透明。

（一）间接监管措施

在英国，分出公司可以自由地向海外再保险公司购买再保险，海外再保险人在承保时不需要经过英国监管当局批准或提供保证金。此外，英国对再保人的国际评级没有任何要求，再保人也不需要缴纳任何预提税。审慎监管局和金融行为监管局要求保险公司必须限制与交易对手（包括再保险人）的风险交易，保证这些风险来源的多样性，必须制定处理任何损失的审慎性条款。为了遵循这一原则，保险公司每一会计年度分给一个再保人或者再保集团的保费不能超过其当年总保费收入的20%或者400万英镑（约610万美元），但这不是一个绝对条件。如果超过该数目，保险公司必须告知审慎监管局并解释该风险的管理方法。同样地，当保险公司觉察到分给同一个再保人或者再保集团的风险很可能超过了其资本金的100%时（不包括财产险类风险的所占用资本金），保险公司也必须告知审慎监管局并解释对该风险的管理方法。

（二）直接监管措施

英国再保险监管采用准入与退出并重的制度。对于计划在英国开展保险、再保险和经纪业务的机构和个人，均可以在审慎监管局和金融行为监管局的官方网站上获得准入制度、注册形式、资本金要求、经营许可证办理、业务范围、具体监管要求、退出制度等规定及相关要求。关于退出，当监管机构发现该机构不满足或者可能不满足准入门槛条件，或者发现该机构至少12个月未开展其被许可的经营活动时，监管机构有权变更或撤销该机构的经营许可授权。在保证市场活动主体经营状况稳定的同时，激发市场活力，确保资源得到有效运用。

在注册形式方面，英国的再保险公司注册形式应为有限公司、股份有限公司或者互助公司。在准入的最低资本金要求方面，根据英国《2012年金融服务法》的规定，保险公司获得经营许可的前提必须保证有充足的资本金并达到《欧共体保险指引Ⅲ》所规定的最低偿付能力标准，目前规定混合保险公司或者纯再保险公司最低资本金为370万欧元。在总部的资质和国际评级要求方面，英国对于再保险公司的准入条件中，没有对其总部的资质和国际评级提出相关的监管要求。海外再保险公司在英国设立子公司以及分支机构的要求是，只要满足英国当地的准入和监管要求，海外再保险公司可以任意在英国成立子公司以及分支机构，审慎监管局对其在监管方面与英国本土的保险公司无差别。

三、德国再保险监管

德国是世界上再保险市场较为发达的国家之一。1846 年，德国就成立了历史上第一家专业再保险公司——科隆再保险公司。目前，德国再保险市场上实力雄厚的再保险公司超过 40 家。在再保险监管方面，无论是理论研究还是实践层面，德国均处于世界前列。过去很长一段时间内，为了保证再保险业的自由发展，德国对再保险公司主要实行间接监管，但长期的实践表明，以原保险人为对象间接对再保险市场进行监管难以规范再保险公司的行为。因此，从 2002 年起，德国的再保险监管体系开始综合运用间接监管和直接监管两种方式。

（一）间接监管措施

德国对再保险市场实行间接监管的主要依据是 1997 年开始施行的《德国保险监管法》。联邦德国金融监督院通过对原保险公司的监督，核查原保险公司的分出业务是否与其总业务量相适应、原保险公司的再保险比例是否符合该公司的财务状况和偿付能力要求。

德国再保险间接监管主要从两个环节采用多种手段对原保险公司实行监管，即在原保险公司申请从事或扩大业务时，对许可证发放环节的监管和日常业务活动环节的监管。在许可证发放环节，原保险公司在向监督管理部门提出从事或扩大业务时，必须连同申请表一起递交详尽的再保险计划说明书。监管部门是否给计划从事或扩大业务的保险公司发放许可证，在很大程度上取决于保险公司递交的再保险计划说明书是否详尽、是否符合公司本身的抗风险能力和财务状况。在日常业务活动环节，监管部门监管原保险公司营业过程中的各个环节，包括再保险业务的交易环节。监管部门通过保险公司公布的相关信息，对公司实行局部审计、稽查公司内部的会计资料，以确定保险公司是否与“合适的”再保险人执行了“合适的”再保险安排。一旦监管部门认为保险公司现有的再保险安排并不合适，保险标的出现危险时现有的再保险安排可能无法充分保障原保险公司以及投保人的利益时，就有权要求原保险公司与再保险公司修改合同甚至终止合同。无论是修改现有再保险合同还是终止现行合同的法律效力，都会给再保险公司带来一定的损失。可见，监管部门通过对原保险公司实行监管，可以在很大程度上引导再保险公司的经营行为。

从监管的内容来看，间接监管主要包括两个方面：一方面，保险公司是否具有健全的内部再保险制度；另一方面，保险公司是否选择了合适的再保险人，并向保险监管部门提交其选择再保险公司的调查报告。再保险制度中，关于再保险合同和再保险费率的规定由于涉及保险公司本身的根本利益，因此现行的《德国保险监管法》并未做过多的规定。但是，在对再保险公司的调查方面，联邦德国金融监督院于 1997 年以通知的形式向保险公司发布了《关于对再保险公司实行调查的具体标准》，从而间接却十分有效地规范了再保险公司的行为。这些标准主要包括：法律要求，再保险人的实力和财务状况，董事会的独立性和适当性，再保险人的市场行为，再保险人所在国的政治、经济和法律状况。

1. 法律要求

原保险公司必须调查再保险公司是否依照所在国的《公司法》和《保险法》的规定成立，监管部门批准公司以何种形式成立。譬如说是以许可证形式经营，还是登记注册，或者是由监管部门发布公告批准成立等。如果原保险人选择的再保险人是外国的再保险公司，原保险人还必须确认再保险人的监管机构。这样，在一定程度上可以保证再保险人的稳定性，从而保障保险公司和投保人的利益。

2. 再保险人的实力和财务状况

对再保险人的实力和财务资源的评估，原保险公司必须从再保险人的财务结算和公开会计报表入手，参考公司公布的其他文件和等级评估中介对该公司的评估资料，对照其同行业竞争对手的相关资料，综合评估再保险人的实力和财务状况，确保各项财务指标不偏离监管部门的规定。再保险人的实力还取决于公司本身的投资策略、业务范围以及公司承保风险的分布，对此保险公司也必须列入分析范围。

3. 董事会的独立性和适当性

对再保险公司董事会的调查必须基于两个方面：独立性和适当性。独立性是指公司的决策是否会受到第三方的影响，如母公司或股东利益的影响。如果受到其他方面的制约，则在何种程度上受到制约，如何受到制约，制约的管理部门是否由专业人员组成，是否按照一定的章程尽职尽责地管理该公司等。适当性是指董事会成员必须由合格、专业的管理人员组成。他们不仅需要一定的理论知识，而且需要丰富的实践经验，因为他们的决策行为将在很大程度上影响着与原保险人的合作关系和再保险公司的发展。

4. 再保险人的市场行为

原保险人应该调查再保险人在再保险市场上的表现，了解再保险公司是否按时履行其义务以及其他保险公司对该再保险公司的评价。一般而言，专业的再保险公司应该向原保险公司提供强有力的技术支持，帮助其管理风险和拓展业务。除此之外，原保险公司还可以从再保险公司的发展历史、公司内部再保险准则入手，判断再保险人的市场行为。

5. 再保险人所在国的政治、经济和法律状况

与其他行业一样，再保险公司所在国的政治、经济和法律状况将影响保险公司的利益。因此，保险公司还应该着手调查再保险人所在国是否存在潜在的法律法规调整、经济变革和内战等风险。对再保险市场而言，所在国的监管部门是否对再保险公司的资金运作和投资管理存在限制，支付给保险公司的损失赔偿和投资回报是否存在外汇管制等，在很大程度上决定了再保险合同是否会有效履行。

德国监管部门通过规范保险公司对再保险公司进行调查，引导保险公司选择合适的再保险公司，从而制约再保险公司、规范和有效监管再保险市场。由于这种监督并

没有直接针对再保险公司，再保险公司保持着相当大的自主权。因此，一般认为，间接监管方式是德国再保险市场充满活力的主要原因之一。

（二）直接监管措施

与间接监管相比，德国对再保险市场的直接监管相对滞后。2002 年 7 月，德国通过第四部《金融市场促进法》，首次提出将保险监管从保险市场逐步延伸到再保险市场，从此直接监管再保险市场被正式提上议事日程。2004 年 7 月 5 日，德国通过了历经 11 次修改的《德国保险监管法》，在专门章节第一次明确地对再保险监管进行了规范。2004 年 11 月 26 日，为了使德国国内对再保险监管与欧盟对再保险监管的基本原则一致，德国联邦议会通过了《保险监管法补充意见》，为实施直接监管提供了依据。目前，德国在间接监管的基础上，已开始在再保险公司内部的财务状况、会计准则和偿付能力等方面对再保险公司实施直接监管。

1. 现行保险法的监管内容

2004 年 7 月修改的《德国保险监管法》，主要明确了再保险公司的法人形式、再保险监管的内容和监管部门的人事权力。再保险公司必须以股份有限公司的形式注册登记，这是德国法律第一次明确要求再保险公司以法人形式设立。在财务监管方面，要求再保险公司必须拥有充足的资本金，以此保证业务的开展。再保险监管的重点包括再保险公司内部抗风险能力必须与再保险业务保持协调，再保险公司自留的保险技术准备金将根据其本身业务比例提取。此外，《德国保险监管法》赋予执法部门很大的权利。监管部门对不符合要求的再保险公司责令改进，提出建议，而且可以终止直接责任人的任职资格，将其调离岗位。

2. 财务监管的基本架构

德国对再保险公司直接监管的重点在于公司内部的财务状况、会计准则和偿付能力等方面。随着欧盟内部统一市场的形成，德国保险监管部门对再保险公司财务监管的立法依据主要来自欧盟国家内部金融体系标准《偿付能力Ⅱ》。具体而言，监管部门对再保险公司的直接监管将主要通过三个环节来进行，即最低资本金要求、监管审核程序和市场规则。最低资本金要求将通过风险管理模型来确定。通过对所有者权益的等级评定、风险管理模型在再保险公司内部资本管理系统的嵌入等方式，提高企业的抗风险能力。监管审核程序主要通过一系列量化的风险管理指标进行审核，如 1998 年 3 月 5 日德国通过的《关于企业内部控制与透明性的法令》便利用审计的功能对企业实行监管，加强对企业内部的控制，增强企业的风险管理能力，规范企业之间的竞争。市场规则部分主要是通过对再保险公司信息公布的规定，促使再保险公司按照《偿付能力Ⅱ》的规定，必须公布公司内部的信息和数据，以便其他的市场主体可以采取应对措施。

第四节　中国再保险监管

中国是对再保险实施必要监管的国家，且再保险监管是保险监管的重要组成部分。中国银保监会依法对再保险业务实施监督和管理。为了规范和发展再保险市场，加强对再保险业务的管理，中国银保监会制定了再保险业务监管的专门法规，这对实现中国再保险市场乃至保险业可持续的健康协调发展发挥了积极的作用。

一、中国再保险监管的发展历程

中国再保险监管是伴随中国再保险市场发展逐步建立并完善的。中国再保险市场发展初期是较为缓慢的，这时的再保险监管主要强调业务保护，实施较高比例的法定分保。1985 年，国务院颁布的《保险企业管理暂行规定》指出，按规定设立的保险企业必须至少将其经营的全部保险业务的 30% 向中国人民保险公司办理再保险；除特别批准外，经营人身保险以外的各种保险业务的保险企业对每一危险单位的自负责任超过实收资本加总准备金（或公积金）的总额 10%的部分，必须向中国人民保险公司办理再保险，且任何保险企业均不得向国外保险公司或经营保险的人分出或者接受再保险业务。这个法规首次规定，法定分保的比例为 30%并对再保险人严格限制。之后，1992 年中国人民银行发布的《上海外资保险机构暂行管理办法》又对再保险业务做了一定规定。

直至 1995 年，中国第一部《保险法》才以法律的形式确立法定分保和商业分保国内优先的制度，明确将由政府成立国家再保险公司，并将法定分保的比例降至 20%，同时取消禁止向国外分出业务的规定。1998 年成立的中国保监会成为再保险监管的监管机构，这时候再保险监管的重点已转向法定再保险，并对法定分保业务实施更为具体的监管，随后陆续制定、修订并发布了《法定分保条件》《人身险法定分保条件实施细则》《财产险法定分保条件实施细则》《长期健康险法定分保条件》等一系列法规。由于 2001 年前的再保险业务实施法定分保，市场主体不多且业务流程相对简单，中国再保险监管的主要对象是再保险公司。

随着 2001 年中国加入世界贸易组织，保险领域对外开放程度不断提升。为了适应中国加入世贸组织的要求，中国保监会于 2002 年颁布了《再保险公司设立规定》，并同时修改并颁布了新的《保险法》，取消了 20%法定分保条款的规定。法定分保分出比例从 2003 年起每年降低 5 个百分点，至 2006 年完全取消，市场化程度进一步推进。2005 年，随着中国商业分保费收入超过法定分保保费收入，中国再保险市场逐步完成了由法定分保向商业分保的市场化转变。原中国保监会为了适应发展变化，也加快了再保险监管体系的建设。2005 年，中国保监会颁布并实施了世界上第一部成文的专业再保险业务监管法规——《再保险业务管理规定》，对商业再保险业务做出了较为具体的规定。这个法规奠定了我国再保险专业化监管的基础，为我国再保险市场的健康发展提供了根本性的制度保证。此外，还陆续印发了《财产险危险单位划分方法指引》

《外资保险公司再保险关联交易的审批规程》等文件，建立了外资再保险关联交易信息披露制度并规范了共保业务流程，探索有限再保险的监管政策，完善再保险统计分析制度，研究制定再保险业务的现场以及非现场检查办法。2010 年，根据修改后的《保险法》以及新的市场变化，保险监管机构对有关规定进行了修订并颁布了其他相关实施细则。

2015 年，中国保监会再次修订了《再保险业务管理规定》。总体来说，这些法规偏向于对再保险业务的监管，对于再保险公司本身未有专门的适应性监管标准，因而在中国偿二代建设中，原中国保监会开始对再保险公司制定了专门的偿付能力计算规则。2021 年，中国银保监会发布的《保险公司偿付能力监管规则（Ⅱ）》，对再保险公司保险风险最低资本、再保险公司分出业务的交易对手违约风险最低资本、再保险公司利率风险最低资本都有专门的规定，反映了再保险经营自身的特点。2021 年，根据市场实际和监管需要，中国银保监会按照强化再保险风险管理职能、加强再保险业务风险防控、规范再保险经营行为、促进再保险市场发展的精神，再次修订并实施了《再保险业务管理规定》。

二、中国再保险监管的特点

（一）监管目标明确且适时调整

2001 年中国加入 WTO 以后，为了适应再保险业国际化、商业化发展的需要，中国加快了再保险监管体系建设。2005 年，中国保监会颁布的《再保险业务管理规定》明确指出，再保险监管的目标是为了培育和发展再保险市场，加强对再保险业务的管理，分散保险经营风险，实现保险业健康协调可持续发展等。这个阶段的监管目标更多是培育再保险市场主体，促进再保险市场发展。而后，随着中国再保险业的快速发展，2010 年、2021 年修订并实施的《再保险业务管理规定》明确指出，再保险监管的目标是规范和发展再保险市场，加强对再保险业务的管理，实现保险业健康协调可持续发展。监管目标更多的转向规范再保险市场发展，并同时促进再保险市场和直接保险市场健康发展。

（二）监管内容逐步完善

2001 年之前，中国的再保险实施法定分保，再保险市场主体少，再保险监管的对象是再保险公司，仅对再保险公司的设立有所规定。2005 年，我国颁布并实施了专门的再保险业务监管法规，且分别于 2010 年、2015 年和 2021 年根据新修订的《保险法》和新的市场变化三次修订。再保险监管的内容不断丰富，2021 年修订了部分涉及再保险顶层战略管理、再保险业务安全性、再保险合同管理、直保公司开展分入业务、再保险经纪人等方面的内容。

（三）监管法规框架逐步健全

通过我国保险监管机构不断加强制度建设，多层次的再保险监管制度初步构建。《保险法》是再保险监管制度体系的基础，是制定所有再保险监管法律法规文件的依据。《再保险业务管理规定》和《再保险公司设立规定》是核心法规，以及《财产险危险单位划分方法指引》《外资保险公司再保险关联交易的审批规程》《保险公司偿付能力监管规则（Ⅱ）》等一系列配套实施细则，逐步健全了我国再保险监管法律制度框架。

思考题

1. 试论再保险监管的必要性。
2. 再保险监管主要包括哪些内容？
3. 再保险监管的方式有哪些？
4. 试比较不同国家的再保险监管模式。
5. 探讨促进中国再保险监管发展的建议。

参考文献

[1] 李玉泉. 保险法 [M]. 北京：法律出版社，2004.

[2] 覃有土. 保险法教程 [M]. 北京：法律出版社，2002.

[3] 贾林青. 保险法 [M]. 北京：中国人民大学出版社，2017.

[4] 杜鹃，陈玲. 再保险 [M]. 上海：上海财经大学出版社，2020.

[5] 康晗彬. 巨灾再保险/债券定价模型分析与实证研究 [M]. 北京：中国社会科学出版社，2017.

[6] 钟明. 再保险理论与实证研究 [M]. 上海：上海财经大学出版社，2014.

[7] 米双红，龙卫洋. 再保险理论与实务 [M]. 北京：电子工业出版社，2011.

[8] 高洪忠. 再保险精算实务 [M]. 北京：北京大学出版社，2008.

[9] 胡炳志，陈之楚. 再保险 [M]. 北京：中国金融出版社，2006.

[10] 姚和贞. 再保险业务与经营管理 [M]. 北京：中国金融出版社，1996.

[11] 赵苑达. 再保险学 [M]. 北京：中国金融出版社，2003.

[12] 刘金章. 再保险理论与实务 [M]. 北京：北京交通大学出版社，2014.

[13] 吴慧涵. 再保险原理与实务 [M]. 北京：清华大学出版社，2006.

[14] 张栓林. 再保险学 [M]. 北京：中国财政经济出版社，2004.

[15] 罗世瑞. 再保险监管问题研究 [M]. 上海：上海三联书店 2006.

[16] 戴凤举. 再保险合同实务 [M]. 北京：中国商业出版社，1999.

[17] 殷豪. 再保险合同的性质是怎样的 [EB/OL]. [2019-05-29]. www.66law.cn/.

[18] 王艳. 美国再保险监管制度新趋势 [J]. 中国金融，2011 (6).

[19] 徐涟漪. 解读自保：再保险市场模式 [J]. 上海保险，2006 (7).

[20] 何庆娴. 略论财务再保险在我国的发展 [J]. 商业会计，2006 (3).

[21] 郭金龙，曹顺明. 有限风险再保险的国际趋势及启示 [J]. 保险研究，2006 (4).

[22] 彭雪梅. 再保险的创新：财务再保险 [J]. 保险研究，2002 (11).

[23] 纪军，唐汇龙. 德国再保险直接监管与间接监管 [J]. 保险研究，2006 (10).

[24] 史鑫蕊. 中国再保险市场的竞争态势及发展策略 [J]. 保险研究，2012 (3).

附录

一、分保词汇中英文对照

A

Absolute Total Loss　绝对全损
Acceptance　接受、受保
Accident　意外事故
Accident Insurance　意外保险
Account　账务、账户
Account Current　代理人编制的往来账单
Actual Total Loss　实际全损
Addendum　附约
Additional Premium　加费
Adjustment　调整
Agent　代理人
Aggregate　累计
Aggregate Excess of Loss　累计超赔
Agreement　协议（合同）
All Risks　一切险
Allowance　津贴
Alteration　更改
Amendment　修正
Any one Accident or Occurrence 任何一次事故
Any One Cause of a Series of Loss　同一原因一系列事故
Application Form　投保单
Approximate Cause　近因
Arbitration　仲裁
Arbitrator　仲裁人
As Original　或原条件
Automatic Reinstatement　保额自动恢复

Average Rate　平均费率
Aviation Insurance　航空保险

B

Balance　余额
Balance in our favor　应付我处
Balance in your favor　应付你处
Balance Sheet　资产负债表
Bankruptcy　破产、倒闭
Beneficiary　受益人
Bordereau　分保明细报表
Both Days Inclusive（B. D. I）　首尾天数包括在内
Bouquet Reinsurance Treaty　一揽子分保合同
Breach of Warranty　违反保证
Broker　经纪人
Brokerage　经纪人手续费
Brought Forward　上期结付
Builders Risks　船舶建造险
Burning Cost　赔款成本
Business Interruption　营业中断险

C

Cancellation Notice　注销通知
Capacity　个别承包人或整个保险市场的原保能力
Captive Company　企业自设保险公司/企业投资的保险公司
Cargo Transportation Insurance　货物运输险
Carried Forward　结转下期
Cask Loss　现金赔款
Catastrophe Excess of Loss　巨灾超额赔款
Cedent　分出人
Ceding Company　分出公司
Certificate　证书
Cession　分保号次
Claim　索赔
Claimant　索赔人
Claim Documents　索赔文件
Claim Frequency　出险频率
Class of Construction　建筑等级

Clean Cut System（Cut off） 结清制度
Clean Irrevocable Sight Letter of Credit 不可撤销即期信用证
Co-Insurance 共保
Combined Single Limit（C. S. L） 综合单一责任限额
Commission 分保手续费，分保佣金
Common Account 共同账户
Common Law 习惯法
Compromise 通融
Compulsory Insurance 强制保险
Conditions 条件
Consequential Loss 后果损失
Constructive Total Loss 推定全损
Contract 契约，合同
Contractors All Risks Insurance 建筑工程一切险
Conversion Rate 换算率
Coverage 保障（险）
Cover note 承保单、暂保单
Credit 贷方
Credit Insurance 信用保险
Cut Through 直接索赔
Cyclone 旋风

D

Debit 借方
Declaration 通知
Declared Value 申报价值
Declined Risk 拒受业务
Deduction 扣除
Deductible 免赔额
Defendant 被告
Deficit 亏损
Deposit Leased 准备金返还
Deposit Premium 预付保费
Deposit Retained 准备金扣存
Direct Writing 直接承保
Discount 折扣
Double Insurance 重复保险

E

Each and Every Loss（e. & e.l.）每次损失
Each and Every Occurrence（e. & e.o.）每次事故
Earned Premium　已满期或已到期保费
Earthquake　地震
Endorsement　批单
Entry of Portfolio　未了责任转入
Erection Insurance　安装保险
Error & Omission Clause　有错当查条款
Estimated Premium Income（E. P. I）　估计保费收入
Excess of Loss，Occurrence Basis　事故超赔
Excess of Loss Reinsurance　超额赔款分保
Exchange Rate　兑换率
Ex-gratia Payment　通融赔款
Expense Loading　附加费（超额保费附加费）
Expenses　费用
Expiry Date　满期日期

F

Facultative Reinsurance　临时分保
Facultative Obligatory Reinsurance　预约分保
Financial Statement　财务报表
Financial year　财务年度
Fire　火灾
Fire Proof Construction　防火建筑
First Surplus Reinsurance　第一溢额分保
Fixed Premium　固定保费
Flat Commission　固定手续费
Flat Rate　固定费率
Flood Insurance　洪水保险
Fronting Policy　出面保单

G

General Average　共同海损
Geographical Limits　地理界限
Gross Line　总线数（自留额加分保线数）
Gross Premium　毛保费

Gross Rate 毛费率
Ground Risks 地面险（航空险）
Guarantee Insurance 保证保险

H

Half Yearly Account 半年账单
Hull 船壳（船舶险）/机身（航空险）
Hail Insurance 冰雹保险
Held Cover 暂予承保

I

Inception 起期
Incurred but not reported 发生未提额赔款
Incurred Loss Ratio 发生赔款率
Incurred Losses 发生赔款
Indemnity 赔偿
Installment Payment 分期付款
Insurable Interest 可保利益
Insurance 保险
Insurance Agent 保险代理人
Insurance Certificate 保险凭证
Insurance Company 保险公司
Insurance Law 保险法
Insured 被保险人
Insurer 保险人
Intermediary 居间人（经纪人）
Investigation 调查
Investment 投资
Inward Reinsurance 分入分保
Irrevocable Letter of Credit 不可撤销的信用证

J

Joint Account 联合账户
Joint Survey 联合检验
Jurisdiction 司法管辖权

L

Law of Average 平均法则

Law of Large Numbers　大数法则
Layer　分保层数（用于超额赔款）
Leading Underwriter 首席承保人
Legal Costs　诉讼费用
Legal Expenses　法律费用
Legal Liability　法定责任
Legal Proceedings　诉讼手续
Letter of Credit　信用证
Letter of Subrogation　权益转让书
Liability　责任
Limit　限额
Limit of Liability　责任限额
Limit Table　限额表
Lines　线（即倍数的意思）
Liquidation　清理
Liquidator　清理人
Lloyds　劳合氏
Loss　赔款
Loss Advice　损失通知
Loss Occurring Basis　赔款发生为基础
Loss Portfolio　未了责任赔款
Loss Ratio　赔付率
Loss Ratio（Excess of Loss Reinsurance）　赔付率超赔
Loss Report　损失报告
Loss Reserve　赔款准备金

M

Machinery Breakdown Insurance　机器损坏保险
Management Expense　管理费用
Marine Insurance　水险
Maximum Liability　最高责任
Maximum Limit　最高限额
Maximum Possible Loss 最大可能损失
Medical Insurance　医疗保险
Minimum　最低
Minimum & Deposit Premium　期初预缴再保险费和最低保费
Monetary　货币的
Monthly Report　月报

Moral Hazard 道德危险
Motorcar Insurance 汽车保险
Mutual Benefit 互利

N

Name of Vessel 船名
Natural Expiry System 自然期满制度（方式）
Net Premium 纯保费
Net Profit 纯益
Net Retain Loss 净自赔额
Net Retention 纯自留额
No cure No pay 无效果、无报酬
No Claim Bonus 无赔款退费
Non-proportional Reinsurance 非比例分保
Non-reciprocal Reinsurance 不要回头业务的分保
No Risk 无风险
Notice 通知
Nuclear Risks 核风险

O

Offer 建议、洽分
Oil Pollution 油污
Omission 遗漏
One Event 一次事故
Open Cover 预约分保
Original Currency 原币
Original Gross Rate 原始毛保费
Original Writer 原保险人
Outstanding Balance 未结算余额
Outstanding Loss 未决赔款
Outward Reinsurance 分出分保
Overage Vessel 超龄船
Overrider 转分保手续费
Overriding Commission 转分保手续费
Oversight 疏忽

P

Paid Loss 已决赔款

Partial Loss　部分损失
Particular Average　单独海损
Particulars　摘要表
Passenger Liability Insurance　旅客责任保险
Payment in Advance　预付
Period of Insurance　保险期限
Personal Accident Insurance　个人人身意外保险
Policies Attaching Basis　保单有效基础
Pool Reinsurance　集团分保
Portfolio Transfers（Entry，out）　未了责任转移，未满期责任转移（转出或转入）
Premium　保费
Premium Reserve　保费准备金
Primary Loss Advice　初步出险通知
Principle of Indemnity　损失补偿原则
Probable Maximum Loss（P.M.L.）　可能最高损失
Professional Reinsurancer　专业再保险公司
Profit　利润
Profit and Loss Account　损益计算书
Profit Commission　利润手续费、纯益手续费
Proportional Reinsurance　比例分保
Provisional Notice of Cancellation　临时注销通知

Q

Quarterly Account　季度账单
Quota Share Reinsurance　成数分保
Quota Share & Surplus Reinsurance　成数及溢额分保
Quotation　保价

R

Reciprocal Exchange　分保交换、互惠分保
Reciprocity　回头业务
Recovery　追回款
Registration　登记
Reinstatement　恢复
Reinstatement Premium　恢复保费
Reinsurance　再保险、分保
Reinsurance Company　再保险公司
Reinsurance Law　再保险法

Reinsurance Slip　分保条
Reinsured, Reassured　分出人
Reinsurer　接受人
Reminder　催询函
Renewal　续转
Renewal Notice　续转通知
Reserve　准备金
Retention　自留额
Retroactive　追溯
Retrocedent　转分保分出人
Retrocede　转分保
Retrocession　转分保
Retrocessionaire　转分保接受人
Return Premium　退费
Risk　危险、危险单位、风险
Risk Excess Loss Reinsurance　险位超额赔款分保
Running Numbers　顺序号次
Run-off　自然终止

S

Salvage　救助、打捞、损余分配
Satellite　卫星
Schedule　附表、明细表
Schedule of Reinsurance　分保明细表
Second Surplus Reinsurance　第二溢额分保
Self-Insurance　自保
Settlement　结算
Settling Agent 理赔代理人
Share　成分、份额
Ship　船舶
Sliding Scale　累进制
Slip　分保条
Statement of　Account　结账单
Statistics　统计
Stop Loss (Excess of Loss Reinsurance)　损失终止超赔
Sum Insured　保险金额
Supplementary Account　补充账单
Surcharge　附加费

Surplus Reinsurance　溢额分保
Survey　检验
Survey Report　检验报告
Syndicate　劳合社承包会员组合

T

Tax　税收
Tariff Rate　规章费率
Termination　终止
The Principle of Indemnity　损失补偿原则
Third Party Liability　第三者责任险
To be Advised　待告
Top Limit　最高限额
Total Loss　全损
Total Loss Only　全损险
Treaty　合同
Treaty Wording　合同文本
Treaty Reinsurance　合同再保险
Type of Treaty　合同方式
Typhoon　台风

U

Ultimate Net Loss　最后净付赔款
Umpire　公证人（仲裁人）
Under Insurance　不足保险
Underwriter　承包人
Underwriting Agency　承包代理
Underwriting Profit　承包利润
Underwriting Year　业务年度
Unearned Premium　未满期或未到期保费
Unknown Accumulation　未知的累积
Utmost Good Faith　最大诚信

W

Waiver　互免
Warehouse　仓库
Warranty　保证
War Rate　战争险费率

War Risks　战争险
Waterborne Agreement　水上协定
Withdrawal　撤回
Withdrawal of Portfolio　未了责任转出
Witness　证人
Working Excess of Loss　运营超额赔款
Workmens Compensation Insurance　劳工保险
Worldwide　全球、世界性
Written Line　承保线数
Written Premium　承保保费

X

XL=Excess of Loss　超额赔款

二、财产再保险临时分保业务操作指引

1 范围

本标准规定了财产再保险临时分保业务中再保险分出人的排分，再保险接受人的分入，临分业务的磋商、确认与取消，临分合同和账单编送，赔案处理，账务结算与归档等方面的操作要求。

本标准适用于财产再保险临时分保业务的开展、管理和监督，采用预约分保方式安排的临分业务，根据临分合同的具体约定，也可参照执行。

2 规范性引用文件

下列文件对于本文件的应用是必不可少的。凡是注日期的引用文件，仅注日期的版本适用于本文件。凡是不注日期的引用文件，其最新版本（包括所有的修改单）适用于本文件。

JR/T 0032—2015　保险术语

3 术语和定义

JR/T 0032—2015 界定的以及下列术语和定义适用于本文件。为了便于使用，以下重复列出了 JR/T 0032—2015 中的一些术语和定义。

3.1 临时分保　facultative reinsurance

临分

临时再保险

保险人临时与其他保险人约定，将其承担的保险业务，部分向其他保险人办理再保险的经营行为。

3.2 再保险分出人　reinsured

分出公司 cedingcompany；cedent

将其承担的保险业务，部分转移给其他保险人的保险人。

3.3 再保险接受人　reinsurance aceptor

再保险人 reinsurer

分入公司

分保接受人

承接其他保险人转移的保险业务的保险人。

3.4 再保险经纪人　reinsurance broker

再保险经纪公司

接受再保险分出人委托，基于再保险分出人利益，为再保险分出人与再保险接受人办理再保险业务提供中介服务，并按约定收取佣金的保险经纪机构。

3.5　特约临分　contributingfacultative

应直接保险客户（被保险人或直接保险经纪人）明确要求再保险分出人必须向其指定的再保险接受人办理分保的临分安排或再保险接受人交由分出人出单并要求回分给再保险接受人的临分安排以及根据相关合约约定进行的指定临分分保。

3.6　合约分保　treatyreinsurance

保险人与其他保险人预先订立合同，约定将一定时期内其承担的保险业务，部分向其他保险人办理再保险的经营行为。

3.7　比例再保险　proportional reinsurance

以保险金额为基础确定再保险分出人自留额和再保险接受人分保额的再保险方式。

3.8　非比例再保险　non-proportional reinsurance

以赔款金额为基础确定再保险分出人自负责任和再保险接受人分保责任的再保险方式。

4　总则

再保险分出人、再保险接受人和再保险经纪人办理临分业务，应当遵循审慎合规和最大诚信原则，对在办理临分业务中知悉的商业秘密，应当负有保密义务。

5　再保险分出人的排分

5.1　一般要求

再保险分出人安排临分业务应遵循以下原则：

5.1.1　先分保，后出单

即在保单或暂保单起期前完成临分安排。

注：如因特殊情况，临时分保安排过程无法在保单或暂保单生效前完成，再保险分出人应确保在该项目保单或暂保单生效之时，净自留保额不超过公司确定的、能承担的该类别风险最大自留额或公司对该类风险能够承担的最大法定自留额。

5.1.2　合约优先

存在分保需求且符合比例合约等保障条件的业务，原则上均应优先办理合约分保，以下情况除外：

（1）事先已确认的特约临分；

（2）再保险合约中约定再保险分出人可优先安排的临时分保。

5.2　要约与要约邀请

再保险分出人或再保险经纪人一般应在业务起期前根据业务复杂程度，宜提前5个工作日向意向再保险接受人发送要约或要约邀请。要约内容主要包括但不限于：

——临分承保条件；
——分出公司手续费率（基于不含增值税的保费）；
——经纪人手续费率（基于不含增值税的保费）（如有）；
——临分分出份额；
——要约有效期（要约邀请可不设）；
——承保风险资料。

对于通过经纪人排分的业务，经纪人应在临分排分时分别列示分出公司手续费率和经纪人手续费率。

对于需要再保险接受人报价的业务，再保险分出人或再保险经纪人应当在要约邀请时明确再保险接受人可以做出报价的期间。

5.3 授权

再保险分出人的分公司在发出临分要约前应获得总公司的相应授权。

5.4 资信管理

对再保险接受人、再保险经纪人的资信管理，应符合中国保险行业监管机构的要求。

再保险分出人选择再保险接受人或再保险经纪人时，应在中国再保险登记系统生成的有效清单中选择，不应与有效清单之外的再保险接受人或再保险经纪人开展临分业务。

6 再保险接受人的分入

6.1 一般要求

再保险接受人为财产保险公司时，应遵循“总部集中管理原则”，即临分分入业务的核保、核赔、会计处理、财务结算应由财产保险公司总公司职能部门统一办理，并配备相应的核保、核赔、财务人员负责管理临分交易的全流程。

6.2 核保

接到临分要约后，对于拟承保业务，再保险接受人的核保人员应首先确认同笔业务有无其他渠道的承保或要约记录，谨慎评估由此可能形成的责任累积，注意核保政策的统一。

注：其他渠道包括直保、临分分入、合约分入等方式。

6.3 反馈

再保险接受人在收到临分要约后，应在要约有限期内提出实质性反馈。对于拒绝的业务，应及时反馈婉拒信息。对于拟承保业务或采用差异化条件承保或报价业务，再保险接受人在向再保险分出人或再保险经纪人反馈时，宜附加合同成立前提条件。同时，再保险接受人在业务系统或业务登记台帐表中做好已报价待反馈、已接受、已拒绝等业务处理标识。

7 临分业务的磋商、确认与取消

7.1 业务条件

根据合同确定性原则，交易各方应在临分合同正式成立及原保险起期前，检查临分成立的所有主要业务条件，要求主要业务条件明确、清楚且无模糊的表述。主要业务条件包括但不限于：

——基本风险信息；
——承保责任范围；
——责任免除；
——费率条件；
——免赔额；
——责任限额；
——风险区域范围；
——再保险期限；
——临分分出份额；
——再保险手续费（基于不含增值税的保费为基础计算）；
——再保险经纪费（如有，基于不含增值税的保费为基础计算）；
——法律适用和争议解决。

7.2 中介业务

通过再保险经纪人安排的临分业务，再保险接受人及再保险分出人可要求再保险经纪人提供该笔业务相对方的书面确认，如电子邮件确认或分保条，并核对再保险经纪人所提供的分保条件与自身制定或确认的分保条件是否一致。一经发现再保险经纪人有擅自改动分保费率或分保费等分保条件的不合理行为，应及时制止，必要时中止或终止与有上述行为的再保险经纪人的业务往来。

通过再保险经纪人安排的临分业务，再保险经纪人应确保分保条件符合再保险分出人的要求，对于分保条件与再保险分出人制定或确认的分保条件或直保条件不一致的情况，再保险经纪人应提前说明。

7.3 临分合同订立的操作

合同的订立采取要约、承诺方式；合同自成立起生效，但双方可以约定附条件或附期限生效：

（1）再保险分出人直接或通过再保险经纪人向特定再保险接受人发送要约，要约中已明确包含所有的业务条件，再保险接受人对所有条件确认接受的，视为再保险接受人作出承诺，临分合同成立。

（2）若再保险接受人在确认时，对要约中的业务条件有实质性变更，如附加了意向承保份额、附带了合同成立前提条件，视为再保险接受人对再保险分出人发出反要约，再保险分出人的原要约失效；若再保险分出人直接或通过再保险经纪人对该项变更或附加条件做出接受的最终确认，视为再保险分出人作出承诺，临分合同成立。

（3）在双方约定临分合同附条件或期限生效的情形下，临分合同成立时间可先于原保单生效时间，但双方应约定临分合同的生效时间不得早于原保单生效时间。

（4）临分合同的订立方式应采用书面形式，书面形式指合同书、信件和数据电文（包括电子数据交换和电子邮件）等可以有形地表现所载内容的形式。

7.4 临分业务标识

临分合同成立后，交易各方应及时在业务系统或业务登记台帐表中做好临分合同成立的标识，并据此作为发送或催收正式临分合同及账单的依据。

7.5 业务批改

若临分业务发生批改，再保险分出人宜在批单生效前5个工作日将相关情况报送再保险接受人，业务磋商同上述流程。对于超赔层的非比例业务的批改，各方应根据临分合同约定或另行协商处理。再保险分出人应在获得再保险接受人确认后方可进行业务批改，否则，再保险分出人应额外承担再保险接受人未确认期间的保险风险并不得超过相关法律及监管规定对于自留额的约定。

7.6 业务取消

对于由于原保单取消造成的或根据临分合同约定确需取消的临分业务，主张取消一方应及时通知对方，并根据临分合同约定完成取消业务操作的相关事宜。主张取消方应提供取消业务的有关资料。

对于业务取消前，再保险接受人已经承担风险责任的业务，再保险各方应就这部分业务切实履行保费支付、赔款摊回等分保责任。

对保险期限已经结束的保单的临分业务，再保险分出人不得取消分保。

8 临分合同和账单编送

8.1 直接排分业务

如果情况紧急，无法在合同成立前正式签订合同，可以在临分合同成立或原始保单生效后（以日期较晚者为准），再保险分出人应根据最终的保险条件和分保条件，宜在20个工作日内或按照分保条件约定的期限内，向再保险接受人签发纸质或电子版的临分合同正式文本和账单，并要求再保险接受人收到后签回一份纸质或电子版副本。正式临分合同应由各方授权代表签字盖章。

再保险接受人在收到临分合同正式文本和账单后，核对无误后宜在20个工作日内签回。

对于非比例再保险或经双方特别约定的临分业务，也可由再保险接受人签发纸质或电子版的临分合同正式文本和账单给到再保险分出人，具体操作可参照上述流程。

应再保险接受人的要求，再保险分出人应向再保险接受人提供原始保单副本或复印件。

注：正式临分合同内容应包括临分合同简要文本（slip）、规范再保险各方权利义务的条款。

8.2 中介排分业务

对于通过再保险经纪人安排的临分，若再保险接受人的临分合同正式文本和账单由再保险经纪人编送，再保险分出人应对临分合同正式文本和账单中的分保条件及数据进行核实，以确保再保险经纪人安排的分保条件与再保险分出人确定的分保条件保持一致。

通过再保险经纪人排分的临分业务，再保险经纪人宜在20个工作日内，向再保险分出人提供再保险人授权代表签字盖章的分保条。

再保险经纪人应确保再保险分出人收到签回的临分合同和账单中有再保险接受人盖章签字的原件或电子版。

应再保险接受人的要求，再保险分出人应通过再保险经纪人向再保险接受人提供原始保单副本或复印件。

账单中会计科目的编制应符合会计和财务制度的规定。

9 赔案处理

9.1 业务流程及材料要求

临分业务出险后，再保险分出人或通过再保险经纪人应及时通知再保险接受人，并及时通报理赔进展。在再保险分出人结案或支付全部或部分赔款后，再保险分出人或通过再保险经纪人及时通知再保险接受人并提供相关支持材料，要求再保险接受人分摊赔款。

理赔材料应包括但不限于：

——出险通知。

——分出人或第三方理算人编写的理算证明材料（对于重大赔案应提供理算报告）。

——公司赔款计算书。

——外部理赔费用发票。

示例：公估费发票、理算费发票等。

——再保险分出人付款或被保险人收款凭证。

——赔案摊回账单。

9.2 赔案摊回

对符合临分合同约定条件的赔案，再保险接受人应遵循与再保险分出人“共命运”的原则，通融赔付或临分合同中另有约定的除外。在收到赔案资料并审核无疑义后，一般应在5个工作日内确认赔案，并宜在收到赔案账单后20个工作日签回账单。

如临分合同关于赔案摊回另有以下约定，按实际约定执行：

——损失通知时限；

——理赔权限；

——理算人选定；

——赔款摊回时限；

——小额或特殊赔案处理原则；

——理赔合作或控制条款。

再保险分出人的理赔部等相关部门应配合遵守临分合同的有关约定，避免因违约导致再保险接受人拒绝承担责任的情况发生。

9.3 追偿

对存在追偿可能性的保险事故，再保险分出人应积极向责任方进行追偿，及时将追偿情况告知再保险接受人。追偿成功后，再保险分出人应将追偿款中再保险接受人应享份额及时支付给再保险接受人。

再保险分出人未及时追偿的，再保险接受人有权代位追偿，再保险分出人应提供所有必要的配合，出具或提供追偿所需文件材料等。

10 账务结算与归档

10.1 催账管理

临分交易各方应及时、准确地做好临分业务的结算与逾期账款的催收管理，按照临分合同的约定及时结算。再保险分出人或再保险经纪人在收到再保险接受人签回的账单后，交易各方在约定的时间内完成分保结算。

10.2 轧差结算

临分交易各方在账单记载清晰且核对无误的情况下，经协商一致，可进行多笔临分业务间的轧差结算，但任何一方不应以轧差为由拖延临分业务余额的结算工作。

10.3 资料备份

临分交易各方应保存与业务相关的全部资料，业务各环节中涉及的资料均应保留清晰完整的记录，资料宜以纸质或电子文档形式保存。电子邮件往来、电子介质文件应实行集中管理，安全保存，并有备份。

注：全部资料包括项目风险资料、双方业务磋商往来电函、再保险接受人确认与签回的文本和账单、出险及结案通知等分保和摊赔文件等。

三、财产再保险合约分保业务操作指引

1 范围

本标准规定了财产再保险合约分保业务中合约组建或续转前的准备、磋商、承保、确认、日常管理、账务及结算、赔案处理、批改和结清等业务环节的操作要求。

本标准适用于财产再保险合约分保业务的开展、管理和监督。

2 规范性引用文件

下列文件对于本文件的应用是必不可少的。凡是注日期的引用文件，仅注日期的版本适用于本文件。凡是不注日期的引用文件，其最新版本（包括所有的修改单）适用于本文件。

JR/T0032—2015 保险术语

3 术语和定义

下列术语和定义适用于本文件。

3.1 合约分保 treaty reinsurance

合约再保险

协议分保

分出公司和分入公司订立合约后，分出公司必须将合同订明的业务范围内的业务按合同规定的条件分与分入公司，而分入公司也必须接受，合同双方均不得对业务进行选择的再保险安排方式。

3.2 再保险分出人 reinsured

分出公司 ceding company；cedent

在再保险交易中分出业务的公司或其他组织。

3.3 再保险接受人 reinsurance acceptor

再保险人 reinsurer

分入公司

分保接受人

在再保险交易中接受业务的公司或其他组织。

3.4 再保险经纪人 reinsurance broker

再保险经纪公司

与分出公司签订委托合同，基于分出公司的利益，为分出公司与分入公司安排再保险业务提供中介服务，并按约定收取费用的中介机构。

4　业务类型

财产再保险合约分保业务主要包括：

（1）比例合约：一般是指以保险金额为基础确定再保险分出人自留额和再保险接受人分保额的合约业务。

（2）非比例合约：一般是指以赔款金额为基础确定再保险分出人自负责任和再保险接受人分保责任的合约业务。

5　业务环节

财产再保险合约分保业务环节主要包括：

（1）再保险合约组建或续转前的准备；

（2）再保险合约的磋商；

（3）再保险合约的承保；

（4）再保险合约的确认；

（5）再保险合约的日常管理；

（6）再保险合约账务及结算；

（7）再保险合约赔案处理；

（8）再保险合约的批改和结清。

6　业务操作要求

6.1　再保险合约组建或续转前的准备

6.1.1　再保险合约组建前的准备

6.1.1.1　概述

再保险分出人根据公司自身业务发展和风险管理的需要，结合再保险市场的实际情况，针对某个、某类或某些险种组建再保险合约。

组建再保险合约时，再保险分出人的准备工作主要包括：

（1）针对不同业务类型的重点关注内容，初步拟订自身的分保需求。

（2）针对合约准备相关的公司情况介绍、业务发展计划、核保原则、风控措施、承保理赔数据等信息，以便提供给接受人进行风险评估和承保。

6.1.1.2　不同业务类型的重点关注内容

针对不同业务类型，再保险分出人应重点考虑的内容主要包括：

（1）比例合约

①合约框架。

合约框架应重点考虑的内容包括但不限于：

——合约类型。

示例：成数、溢额、成数溢额。

——保障范围。

——除外责任。

——合约期限。
——自留额。
——分出比例。
——合约限额。
——事故限额。
②合约主要条件和条款。
合约主要条件和条款应重点考虑的内容包括但不限于：
——再保险手续费。
——账务条款。
——错误与遗漏。
——合约报表。
——合约的修改与终止。
——未满期保费和未到期责任的处理。
注：一般用于一次性结清制合约。
——区域范围。
——争议处理条款。
——再保险接受人的查核权。
——货币兑换条款。
（2）非比例合约
①合约框架。
合约框架应重点考虑的内容主要包括但不限于：
——合约类型。
示例：险位超赔、事故超赔、赔付率超赔、伞状超赔。
——保障范围。
——除外责任。
——合约期限。
——以保额或责任限额为基础的最大自留额。
——净自留保费。
——起赔点。
——最高保障责任限额。
——责任限额分层情况。
——责任恢复次数及保费。
——相关的其他再保险安排。
②合约主要条件和条款。
合约主要条件和条款应重点考虑的内容包括但不限于：
——超赔保费调整费率。
——最低预付保费。
——保费分期及付款时间。
——事故超赔中每次事故的定义。

——区域范围。

——争议处理条款。

——再保险接受人的查核权。

——货币兑换条款。

6.1.2　再保险合约续转前的准备

对于已存续合约，再保险分出人在合约期限结束前3个月内，根据自身业务发展的需要，结合再保险市场实际情况以及合约运行情况，考虑是否需要对下一年度合约续转条件进行修改，并初步拟定合约续转需求。

续转再保险合约时，再保险分出人应准备相关合约运行历史数据和承保信息，以便提供给再保险接受人进行风险评估和承保。

6.2　再保险合约的磋商

6.2.1　针对不同业务类型的磋商要求

再保险分出人初步拟订合约分保需求或续转需求后，宜与意向再保险接受人接洽，进一步磋商合约条件。

针对不同业务类型，再保险分出人的业务操作应满足以下要求：

（1）比例合约续转时，应直接与合约意向首席再保险人进行磋商，双方就合约条件确认达成一致后，再保险分出人在市场上直接或通过再保险经纪人向意向再保险接受人发送分保要约邀请并开始排分。

（2）非比例合约续转时，应直接或通过再保险经纪人在市场上向意向再保险接受人进行询价，再保险分出人根据收到的报价情况，综合考虑再保险接受人资信等各种因素，最终确定首席再保险人及分保条件，然后在市场上直接或通过再保险经纪人向意向再保险接受人发送分保要约邀请并开始排分。

6.2.2　资信要求

再保险接受人、再保险经纪人的资信管理，应符合中国保险行业监管机构要求。

再保险分出人选择再保险接受人或再保险经纪人时，应在中国保险行业监管机构建立的再保险登记系统生成的有效清单中选择，不得与有效清单之外的再保险接受人或再保险经纪人开展合约业务。

再保险分出人选择再保险接受人，还应综合考虑对偿付能力的影响、长期稳定的合作关系、再保险接受人在国内的机构铺设及为国内客户服务的条件和能力等多方面因素。

6.3　再保险合约的承保

接到合约分保要约邀请后，再保险接受人应根据再保险分出人提供的承保信息和数据，结合模型分析和专业判断，评估业务风险，做出承保决策，并向再保险分出人反馈承保条件及意向承保份额的要约。

再保险接受人应建立合约分入业务风险评估体系和核保、授权体系。

再保险接受人在评估合约业务风险时，重点评估内容主要包括：

（1）分出公司的基本情况，包括但不限于：

①业务发展战略；

②偿付能力；

③结算情况。

（2）比例合约条件，包括但不限于：

①合约预估保费；

②平衡性；

③业务范围；

④分保手续费；

⑤合约承保能力；

⑥自留额；

⑦共保业务及分入业务使用合约情况；

⑧除外责任；

⑨特别约定；

⑩历史业绩。

（3）非比例合约条件，包括但不限于：

1）保障范围；

2）除外责任；

3）最大自留额；

4）起赔点；

5）各层责任限额；

6）责任恢复条件；

7）净自留保费；

8）超赔保费调整费率；

9）历史损失纪录。

再保险接受人为财产保险公司时，应遵循“总部集中管理原则”：

（1）合约分入业务的核保、核赔、会计处理、财务结算应由财产保险公司总公司职能部门统一办理。

（2）配备相应的核保、核赔、财务人员负责管理合约交易的全流程。

6.4 再保险合约的确认

再保险分出人与再保险接受人就分保条件达成一致，并收到再保险接受人意向承保份额的反馈后，根据合约总体排分情况，书面确认再保险接受人的最终承保份额。一般情况下，至此分保合同正式成立。

实际业务操作中，宜在合约起期之前完成合约的排分和确认。

在安排比例再保险合约时，财产保险公司应避免分保不完全导致应分保合约责任被动自留情况的发生。分保不完全时，财产保险公司的合约自动承保能力应为合约最大承保能力乘以分保完成比例，合约中未分出部分的承保能力不应视为财产保险公司有效的合约承保能力，宜通过其他分保安排进行有效补充。

注：分保不完全指再保险接受人确认接受份额之和小于合约最大应分保份额。

6.5 再保险合约的日常管理

再保险合约签订后，再保险分出人和再保险接受人双方均应按照合约的约定履行各自的权利与义务。

再保险合约的日常管理应符合以下要求：

（1）日常管理制度的建立

再保险分出人和再保险接受人应建立再保险合约日常管理制度，确保日常事务的有序、有效和及时开展。

再保险合约日常管理内容主要包括但不限于：

①合约正式文本、批单或附约的编制、签发和签回确认；

②分保账单的编制、签发和签回确认；

③分保余额结算；

④应收应付款管理；

⑤特别申报的发送与确认；

⑥赔案及现金赔款管理；

⑦报表报送；

⑧业务统计分析；

⑨档案管理。

（2）系统的录入

再保险分出人应将再保险合约信息录入公司业务和其他相关系统，并在合约业务确认后的10个工作日内完成录入。

（3）合约的书面签署

再保险分出人与再保险接受人应在再保险合约正式生效后的3个月内完成正式再保险合约的书面签署。

注：再保险分出人与再保险接受人书面同意延期除外。

（4）业务资料的保存

再保险分出人和再保险接受人应保存与业务相关的全部资料。

业务资料的保存应符合以下要求：

①业务各环节中涉及的资料均应保留清晰完整的记录；

②资料宜以纸质或电子文档形式保存；

③电子邮件往来、电子介质文件应实行集中管理，安全保存，并有备份。

（5）特别申报的管理

再保险分出人发送特别申报或再保险接受人确认特别申报，均应严格按照合约的约定，避免随意性。

6.6 再保险合约账务及结算

6.6.1 再保险合约账务

再保险分出人、再保险接受人和再保险经纪人应及时、准确地完成分保账单的编制、签发和签回确认。

注：账单中会计科目的编制应符合相关会计和财务制度的规定。

6.6.2 再保险合约结算

再保险分出人、再保险接受人、再保险经纪人应在合约约定的时间内完成应付分保账款的结算，定期对应收分保账款进行催收管理。

交易各方在协商一致的情况下，可以对多笔分保业务账单进行合并或轧差结算，但任何一方不应以轧差为由，拖延分保账款的结算工作。

6.7 再保险合约赔案处理

再保险合约项下发生超过或可能超过合约约定的出险通知金额的损失时，再保险分出人应及时通知再保险接受人，并及时更新理赔进展。

再保险分出人支付部分赔款或结案后，按照合约约定向再保险接受人摊回现金赔款，再保险分出人应提供相关支持材料。支持材料包括但不限于：

（1）出险通知；

（2）直保保单；

（3）再保险分出人或第三方理算人编写的理算报告（如有）；

（4）赔款计算书；

（5）直接理赔费用相关发票；

（6）再保险分出人付款或被保险人收款凭证。

再保险接受人收到再保险分出人的现金赔款申请后，再保险接受人在赔案资料齐备并审核无异议后，应按照合约约定及时确认赔案、签回现金赔款账单并安排结付。

注：该赔款为通融赔付或合约中另有约定的情况除外。

对存在追偿可能性的保险事故，再保险分出人应积极向责任方进行追偿，并及时将追偿情况告知再保险接受人。追偿成功后，再保险分出人应将属于再保险接受人的追偿款按照合约约定及时返还再保险接受人。

6.8 再保险合约的批改和结清

6.8.1 再保险合约的批改

再保险合约签订后，需要对合约条件进行修改时，再保险分出人应根据合约约定取得再保险接受人的书面同意。

再保险分出人提出对再保险合约的批改应符合以下要求：

（1）当合约约定仅需取得首席再保险人的同意时，再保险分出人可只向首席再保险人提出书面申请，得到首席再保险人的书面确认后批改正式生效。再保险分出人应将批改内容尽快书面告知其他再保险接受人。

（2）当合约未约定仅需取得首席再保险人的同意时，再保险分出人应向所有再保险接受人提出书面申请，得到所有再保险接受人的书面确认后批改正式生效。再保险分出人与再保险接受人应在批改正式生效后尽快完成正式合约批单的书面签署。

6.8.2 再保险合约的结清

再保险分出人与再保险接受人应在合约中明确约定合约的结清方式，并根据合约约定及时结清合约。

再保险合约的结清应符合以下要求：

（1）自然结清方式下，再保险分出人应在所有未到期责任结束后及时结清合约，也可与再保险接受人协商一致提前结清合约。

（2）协议结清方式下，再保险双方应协商一致，制定公平、合理的结清方案，特别是保费、未决赔款的结清比例应符合业务的实际情况。

四、人寿比例再保险合同规范

1 范围

本标准规定了人寿比例再保险合同的基本要求和合同构成。

本标准适用于人寿比例再保险业务的开展与管理。

2 规范性引用文件

下列文件对于本文件的应用是必不可少的。凡是注日期的引用文件，仅注日期的版本适用于本文件。凡是不注日期的引用文件，其最新版本（包括所有的修改单）适用于本文件。

JR/T0032—2015 保险术语

3 术语和定义

JR/T0032—2015 界定的术语和定义适用于本文件。

4 基本要求

4.1 人寿比例再保险合同的订立、生效、履行、变更和转让、权利义务终止和违约责任等，应严格遵守《中华人民共和国民法典》的规定，并应遵循合同内容所涉及的我国其他有关法律、法规、规章等规范性法律文件。

4.2 人寿比例再保险合同的订立和履行应遵循平等、自愿、公平、诚实信用、协商一致的原则，尊重社会公德，维护经济秩序，保护社会公共利益。

4.3 人寿比例再保险合同应采用书面形式，以合同书的形式订立。

5 合同构成

5.1 基本构成

人寿比例再保险合同包括约首部分、主文部分、约尾部分。

人寿比例再保险合同范本见附录 A、附录 B。

注：本标准仅给出一般条款的范本，特殊条款根据实际业务进行约定。

5.2 约首部分

约首部分应明确、完整地列出以下信息：

（1）合同名称；

（2）合同所有签订方名称。

5.3 主文部分

5.3.1 基本约定

确定合同主体、合同法律关系、合同框架。

5.3.2 主要义务条款

分入公司和分出公司的主要义务如下：

（1）分入公司主要义务包括参与份额、自动与临时再保险、再保手续费、纯益手续费、理赔、业务报表、账单与结算、保密；

（2）分出公司主要义务包括分出责任、自动与临时再保险、再保险费、理赔、业务报表、账单与结算、分入公司审查权、保密。

5.3.3 合同生效和期限

明确合同的生效日期及终止条件。

5.3.4 合同适用的业务范围

确定合同仅适用于分出公司在特殊条款中约定直接承保的保单责任，分出公司通过与其他公司合并、再保或购买保单等行为而获得的任何保单或责任，都不能自动适用于本合同条款。

5.3.5 分保方式

分保方式包括以下三种，合同签订时自行选择其中之一：

（1）共保方式：分出公司应以原保单责任为基础进行分保。

（2）风险保费方式：分出公司应以风险保额为基础进行分保。

注：风险保额的计算原则与方法在特殊条款中约定。

（3）混合方式：同时采用共保方式与风险保费方式。

5.3.6 自留额

确定自留额的计算方法。

5.3.7 分出责任

确定分出公司在合同业务范围内应分出的所有保单或责任。

5.3.8 参与份额

确定分入公司在合同下接受分出公司分出的责任。

5.3.9 自动与临时再保险

确定分入公司在合同下自动接受再保险责任的条件。分出公司应就不满足自动接受条件的保单或责任根据特殊条款中约定向分入公司进行临时分保。

5.3.10 保单条件

确定原保单条款、费率表、精算报告、核保手册、核保规则或投保规则、理赔规则或程序等分出公司提供的与分入公司所承担风险有关的所有信息和数据。

5.3.11 再保险费

确定再保险费的计算方式。

5.3.12 再保险手续费

确定再保险手续费的计算方式。

5.3.13 纯益手续费

确定纯益手续费的计算方式。

5.3.14 理赔

确定分出公司和分入公司再保险理赔的操作方式。

5.3.15 保单变更与复效

确定原保单变更成为保费缴清保单、或者部分退保、或者因为任何原因而减少保额，或本合同下原保单因保单条款的约定而自动增加保额的处理方式。

5.3.16　业务报表

确定分出公司应按特殊条款中约定的账单期间定期向分入公司提供再保险业务报表及其他有关的必要资料。

5.3.17　账单与结算

确定分出公司应在每个账单期间结束后约定期限内按照合同特殊条款及附录中约定的格式向分入公司提交电子再保账单，并约定再保账单的处理流程。

5.3.18　抵销

确定分出公司和分入公司债权债务抵销的情形。

5.3.19　费用

明确分出公司和分入公司在合同下所产生费用及成本的分担。

5.3.20　错误与遗漏

确定分出公司和分入公司在合同下的权利或义务，在约定条件下不会因再保险业务管理中的任何非故意的遗漏或错误而受到影响。

5.3.21　货币和汇率

确定计价币种及适用汇率。

5.3.22　分入公司审查权

确定分入公司对合同下再保险业务有关资料进行审查的权利。

5.3.23　数据保证

确定分出公司应向分入公司保证其所提供的所有信息的真实性，完整性和准确性，同时保证分出公司没有对分入公司隐瞒任何重要事实或者情况。

5.3.24　最大诚信原则

合同双方承诺以最大诚信为原则处理与合同有关的所有事宜。

5.3.25　条款独立和弃权

确定当合同任何条款整体或部分在法律上无效或不可执行时，剩余的其他条款将继续有效。任何一方未能或延迟行使本合同约定的任何权利，不应被视为放弃该权利。

5.3.26　保密

确定分出公司和分入公司的保密义务。

5.3.27　数据保护

确定分出公司和分入公司对个人数据保护的业务。

注：“数据保护”部分为合同的可选要素。

5.3.28　违约责任

确定合同一方未履行合同主要义务时，合同另一方有获得补偿以及使相关保单免受未履行义务一方所造成的损失的权利。

5.3.29　反洗钱和反商业贿赂

确定分出公司和分入公司反洗钱和反商业贿赂的义务。

5.3.30　制裁责任除外

确定涉及国际、国内制裁时分入公司的责任免除。

5.3.31　仲裁条款

确定合同的争议适用仲裁解决、仲裁机构及仲裁地。

5.3.32　法律适用条款

确定合同适用中华人民共和国法律。

5.3.33　合同的修订和终止

确定合同的修订和终止条件。

5.3.34　陈述和保证

确定分出公司和分入公司陈述和保证的义务。

5.3.35　语言文字

合同使用的语言为中文和英文。若英文合同与中文合同不一致的，则以中文合同为准，除非特殊条款中另有约定。

5.3.36　术语定义

对合同中部分术语进行解释。

5.4　约尾部分

合同约尾部分应约定：

（1）合同成立时间；

（2）合同各签订方授权代表签字及公章；

（3）合同份数、签订日期和地点。

附录 A
（规范性附录）
人寿比例再保险合同范本

人寿比例再保险合同范本如下：

<____________人寿比例再保险合同>

本合同由

<公司名称>，<城市>，<国家>
（以下简称“分出公司”）

与

<公司名称>，<城市>，<国家>
（以下简称“分入公司”）

共同签订。

一般条款

A.1 基本约定

A.1.1 本合同（以下简称“合同”）由分出公司为一方与分入公司为另一方共同签订。

A.1.2 本合同由一般条款、特殊条款（包括特殊条款中列明的附录）、书面补充协议共同构成，代表了分出公司和分入公司之间在本合同下的再保业务的全部约定。其中，本合同相关的特殊条款和附件都以书面形式附于本合同并构成本合同的组成部分。

A.1.3 如果本合同中的一般条款与特殊条款有不一致之处，则特殊条款将优先于一般条款。

A.1.4 所有纳入本合同业务范围内的保单责任，分出公司和分入公司均应严格按照一般条款和特殊条款所列明的条件进行分出和分入。

A.1.5 本合同的法律关系仅限于分出公司和分入公司之间。分入公司依据本合同所接受的分入业务，并不构成它与分出保单的被保险人、受益人或者其他任何第三方有任何法律关系。

A.1.6 本合同的缔约双方具有丰富的专业经验，均已审阅过本合同并充分了解其条款及含义。因此双方同意，本合同的解释将不考虑合同的起草方，且不含有对任何一方有利的推断或解释规则。

A.1.7 除在本合同中另有明确说明外，本合同代表分出公司与分入公司之间的完整协议，并取代双方之前就本合同事宜达成的任何口头或书面协议。除本合同以外，双方之间没有任何可能影响本合同内容的口头约定或理解。

A.2 主要义务条款

本合同双方应履行的主要义务概括如下。

A.2.1 分入公司的主要义务

分入公司的主要义务如下：第 8 条参与份额、第 9 条自动与临时再保险、第 12 条再保手续费、第 13 条纯益手续费、第 14 条理赔、第 16 条业务报表、第 17 条账单与结算、第 26 条保密。

A.2.2 分出公司的主要义务

分出公司的主要义务如下：第 7 条分出责任、第 9 条自动与临时再保险、第 11 条再保险费、第 14 条理赔、第 16 条业务报表、第 17 条账单与结算、第 22 条分入公司审查权、第 26 条保密。

A.3 合同生效和期限

A.3.1 本合同自特殊条款中注明的日期起生效。

A.3.2 除非特殊条款另有约定，本合同终止日期不定，本合同将一直有效，但是可以因合同中第33条所描述的情况而终止。

A.4 合同适用的业务范围

A.4.1 本合同仅适用于分出公司在特殊条款中约定直接承保的保单责任。

A.4.2 分出公司通过与其他公司合并、再保或购买保单等行为而获得的任何保单或责任，都不能自动适用于本合同条款。但是，若经双方事前书面同意，这些保单或责任则可以纳入本合同的业务范围。

A.4.3 若分出公司希望将在本合同项下分保的保单转移给另一公司或分出公司由另一公司（后继公司）所承继，分出公司应：（ⅰ）取得分入公司的书面同意，（ⅱ）确保对所有业务的分保继续有效，且（ⅲ）确保分出公司在本合同项下的所有权利、利益和义务转移给后继公司，即后继公司将承继分出公司而成为本合同的一方，并受本合同所有条款的约束。

A.4.4 对不在本合同业务范围内的业务或超出第____款约定的自动接受限额的业务，除该业务已经根据第9条约定接受临时分保外，否则，即使分入公司已收取再保险费，在任何情形下分入公司无须对该业务承担（除退还已收再保险费外的）任何责任，同时也并不意味着分出公司承诺将该业务根据本合同进行分保。

A.5 分保方式

[共保方式]

A.5.1 本合同分保方式为共保方式，除特殊条款另有约定外，分出公司应以原保单责任为基础进行分保。

[风险保费方式]

A.5.2 本合同分保方式为风险保费方式，除特殊条款另有约定外，分出公司应以风险保额为基础进行分保，风险保额的计算原则与方法在特殊条款中约定。

[混合方式]

A.5.3 本合同分保方式为共保方式和风险保费方式。除特殊条款另有约定外，如为共保方式，分出公司应以原保单责任为基础进行分保；如为风险保费方式，分出公司应以风险保额为基础进行分保，并按照特殊条款中对风险保额计算原则与方法的约定进行计算。

A.6 自留额

分别采用以下三类方式之一：

[共保方式] 或 [风险保费方式（成数）]

A.6.1 在本合同业务范围内的任一保单或责任，分出公司的自留额应根据特殊条款中的约定计算。

A.6.2 分出公司可以在本合同的任一周年日对新签发的保单调整其自留额，但须至少提前三个月以书面形式通知分入公司并取得分入公司的书面同意。除非特殊条款另有约定，任何自留额的变更不适用于已生效业务。分入公司保留在自留额发生变更后修改本合同条款的权利。

A.6.3 未经分入公司的书面同意，分出公司不能将本合同项下保单的自留部分进行分保或转移给其他公司（分出公司基于整体业务安排的巨灾超赔再保险除外）。

[风险保费方式（溢额）]

A.6.4 分出公司对本合同业务范围内的每一保单或责任都按照自留比例与风险保额的乘积确定自留额，其中，自留比例在该保单或责任纳入本合同时点确定，自留比例等于分出公司的初始自留额除以初始风险保额。初始自留额为保单或责任纳入合同时点时的自留额，初始风险保额为保单或责任纳入合同时点时的风险保额。

A.6.5 在以后的分保期间和保单的整个保险期限内，该保单或责任的[[自留额]或[自留比例]]保持不变，任意时点自留额等于该时点的风险保额与自留比例的乘积。在计算新保单或责任的初始自留额时，应在该保单或责任纳入合同时点以“每一被保险人”为基础，根据自留限额与该被保险人的在同种风险下所有已生效保单在当时的自留额共同确定。该保单或责任的初始自留额加上签发给该被保险人的在同种风险下所有已生效保单在当时的自留额不得超过分出公司的自留限额。如果同时签发多份保单，则初始自留额应按初始风险保额的比例分配给新签发的保单。分出公司的自留限额在特殊条款中约定。

A.6.6 除非在特殊条款中另有约定，在计算分出公司的初始自留额时，分出公司承保的同一被保险人的所有有效保单的同类责任都必须考虑在内，无论该责任是否在本合同范围内。

A.6.7 分出公司可以在本合同的任一周年日对新签发的保单调整其自留限额，但须至少提前三个月以书面形式通知分入公司并取得分入公司的书面同意。除非特殊条款另有约定，任何自留限额的变更不适用于已生效业务。分入公司保留在自留限额发生变更后修改本合同条款的权利。

A.6.8 未经分入公司的书面同意，分出公司不能将本合同下保单的自留部分进行分保或转移给其他公司（分出公司基于整体业务安排的巨灾超赔再保险除外）。

注：[自留额]或[自留比例]可选。

A.7 分出责任

A.7.1 分出公司应分出本合同业务范围内的所有保单或责任。

A.7.2 在本合同业务范围内的任一保单或责任，分出公司的分出责任应根据特殊条款中约定的再保比例计算。

A.7.3 再保比例的计算原则与方法在特殊条款中约定，并且分出公司的再保比例在整个保险期限内保持不变。

A.8 参与份额

A.8.1 分入公司按照特殊条款约定的参与份额接受分出公司在本合同项下的分出责任。

A.8.2 参加本合同的分出公司和分入公司之间的关系是分别的，而非连带的，即每一个参加本合同的分入公司只对其自己的参与份额负责，而不对其他分入公司的参与份额负责。

［团体寿险业务］

A. 8. 3　分入公司就团体人身保险再保险业务下对每一事件的责任：除非对某一团体保单另有书面约定，否则，对该团体保单下的所有保障，分入公司因每一事件或一系列关联事件应承担的责任仅限于特殊条款中约定的分入公司的分保份额。

注：可根据实际合同签订选择采纳 A. 8. 1、A. 8. 2 或 A. 8. 3。

A. 9　自动与临时再保险

A. 9. 1　如果分出公司签发的保单或责任满足以下条件且符合特殊条款的有关约定，分入公司将自动接受该保单的再保险责任：

a）分出公司对每一生命所承担的自留额达到本合同约定的自留限额；

b）分出公司签发的每一保单或责任应满足特殊条款中关于自动接受条件的约定（包括不超出特殊条款中的自动接受限额和承保限额）；

c）分出公司根据分入公司同意的承保规则和程序签发保单或责任。

如果某保单或责任在签发日的风险保额超出特殊条款约定的“每一被保险人”承保限额，则该保单或责任不属于本合同的业务范围。

尽管有本条前述约定，如分出公司严重偏离核保标准，则分入公司对受影响的保单不负任何赔偿责任，以保障双方针对核保之审慎和专业规定。严重偏离指：

a）承保了根据核保标准本应拒保或延迟承保的业务；

b）未取得核保标准要求的重要证据而承保。如果分出公司能够证明根据核保标准该证据不会导致拒保或延迟承保，则不视为严重偏离；

c）核保过程中的其他重大过失行为，例如：未使用核保标准要求的责任免除条款。如果分出公司能够证明索赔原因与该责任免除条款无关，则不视为严重偏离。

A. 9. 2　对于任何不满足上述自动接受条件的保单或责任，分出公司应就该保单或责任根据特殊条款中约定向分入公司进行临时分保。在向分入公司安排临时分保时，分出公司应提供完整的保单资料（如投保单、体检报告等），分入公司有权要求得到更详尽的相关资料，并在资料齐全的情况下于____个工作日内做出同意或是拒保的临时分保要约。在分入公司完成对该保单或责任的评估且分出公司也按照下述约定接受该评估之前，分入公司对该保单或责任不承担任何责任。分入公司所做的临时分保要约均有有效期，分出公司应在报价有效期内提供临时分保要约的书面确认，分入公司没有收到分出公司对临时分保要约的书面确认，分入公司将不承担任何分保责任。一旦临时分保要约被分出公司所接受，则临时分保的保单将同时遵循临时分保条件和本合同条件，如两者冲突，以临时分保条件为准。

A. 9. 3　分出公司新签发的保单或责任符合本合同自动接受条件时，分入公司将与分出公司同时开始承担责任；分出公司新签发的保单或责任不符合本合同所约定的自动接受条件时，分出公司应首先向分入公司或主再保险人进行临时分保。在临时分保条件达成一致的情况下，分入公司的责任将在分出公司书面确认接受分入公司的临时分保条件之日起开始生效。

A. 9. 4　分出公司只有在不接受分入公司的临时分保条件时，分出公司才可以将该业务分给其他公司或自留。但是，若分入公司在收到双方约定的文件之日起个____工作日内作出了标准条件的临时分保评估意见，无任何限制条件，则分出公司不得向其他公司分保该业务。

A. 9. 5　除非在临时分保要约中另有约定，分入公司签发的临时分保的保单或责任应遵照合同的条件执行。然而，如果分出公司没有在保单生效后180天内将该临分件的再保险费支付给分入公司，分入公司将自始不承担任何分保责任。

A. 9. 6　分入公司临分件的临时分保要约是针对整张保单，包括其所有附加的保险责任。一旦某张保单提交给分入公司进行临分件核保，分出公司就不能将其自动分给分入公司。

A. 10　保单条件

对于本合同业务范围内的保单或责任，原保单条款、费率表、精算报告、核保手册、核保规则或投保规则、理赔规则或程序等分出公司提供的与分入公司所承担风险有关的所有信息和数据，均是本合同不可或缺的组成部分。分出公司必须提前____天书面告知分入公司上述文件的任何重大补充或修改，以便分入公司有足够的时间确定应适用的分保条件，分入公司将有权根据对以上文件的补充或修改要求调整分保条件，分保条件由双方协商确定。征得分入公司的书面同意后，按照修改后的分保条件才于补充或修改的生效日生效。重大补充或修改是指一个审慎且专业的保险管理团队理应知道的将导致分入公司责任增加或风险扩大的补充或修改。分入公司有权修改受以上进行的补充或修改影响的分保业务所适用的分保条件。

A. 11　再保险费

[共保方式]

A. 11. 1　本合同项下分保的保单或责任的再保险费以原保费方式计算，再保险费的计算方法及再保险费率参见特殊条款中的约定。

A. 11. 2　对于所有加费的保单，无论任何原因，分出公司应按比例向分入公司支付再保险加费。

A. 11. 3　对于原保单犹豫期内发生的退保，分入公司应将再保险费退还给分出公司。对于原保单犹豫期后发生的退保或保额减少，如分出公司根据原合同条款须退还保费，分入公司应按照特殊条款中约定的方法计算并支付分出公司相应比例的再保险费。

[风险保费方式]

A. 11. 4　本合同项下分保的保单或责任适用的再保险费的计算方法及再保险费率参见特殊条款中的约定。

A. 11. 5　对于标准体风险，再保险费按照特殊条款中约定的适用于保单年度开始时与被保险人年龄、性别或职业类别等因素对应的再保险费率乘以分入公司在该保单年度初所承担的再保风险保额进行计算。这一方法同样适用于趸交保费保单和完全缴清保单。

A. 11. 6　对于所有加费的保单，无论任何原因，分出公司应按比例向分入公司支付再保险加费。

A. 11. 7　除在特殊条款中另有约定外，本合同项下的再保险费应由分出公司在保单年度开始时按年支付。

A. 11. 8　对于原保单犹豫期内发生的退保，分入公司应将再保险费退还给分出公司。对于原保单犹豫期后发生的退保、失效或保额减少，如分出公司根据原合同条款须退还保费，分入公司应按特殊条款中约定的方法计算并退还分出公司相应比例的再保险费。

A. 12　再保手续费

A. 12. 1　分入公司应按照特殊条款的约定向分出公司支付再保手续费。

[共保方式]

A. 12. 2　对于原保单犹豫期内发生的退保，分出公司应将此再保险费对应的再保手续费返还给分入公司。

[风险保费方式]

A. 12. 3　对于原保单犹豫期内发生的退保，分出公司应将此再保险费对应的再保手续费返还给分入公司。对于原保单犹豫期后发生的退保、失效或转换，分出公司应返还相应比例的再保手续费。

A. 13　纯益手续费

对于特殊条款中约定的可参与纯益计算的业务，分入公司将按特殊条款中的约定计算并支付纯益手续费。

A. 14　理赔

A. 14. 1　分出公司与分入公司应遵循最大诚信原则，依据原保单条款的约定谨慎和专业地处理索赔给付。

A. 14. 2　分入公司应按照特殊条款中的约定，承担再保理赔金额。如果在索赔发生前分出公司未将该业务的分保安排提供给分入公司，分入公司有权拒绝赔偿。

A. 14. 3　当索赔金额超过特殊条款约定的理赔参与限额时，分入公司有权参与理赔，分出公司应与分入公司全面合作，将所有相关文件及所有理赔进展的完整信息在分出公司收到索赔申请之日起____个工作日内书面提供给分入公司，双方共同对此类索赔进行调查、评估、给付或拒赔。分出公司未事先征得分入公司书面同意所做的理赔决定，则该理赔决定对分入公司将不具有约束力，由此引发的争议参照仲裁条款约定处理。

A. 14. 4　当索赔金额超过特殊条款约定的理赔通知限额时，分出公司应在收到索赔申请之日起 5 个工作日内书面通知分入公司，并提供事故证明（死亡证明，疾病诊断证明等）、保险单等所有相关文件。

A. 14. 5　对于理赔参与限额以下的索赔，分出公司完全履行了本合同约定的在核保、理赔及再保险管理等方面应当履行的职责，在此基础上分入公司应遵循分出公司的理赔决定。

A. 14. 6　对于分出公司做出的通融赔付决定，只有事先得到分入公司的书面同意，分入公司才按照特殊条款中的约定，承担再保理赔金额。分入公司不承担因分出公司自身原因造成的合同约定以外的损失，比如惩罚性损失或补偿性损失。

A. 14. 7　除非事先得到分入公司的书面同意，否则分入公司不承担分出公司在调查和完成理赔中发生的日常业务费用。经分入公司事先书面确认，分入公司应当合理地分担分出公司就本合同项下的再保险风险的保单合同责任针对特定的索赔进行调查、调整、调解或辩护而发生的任何特别理赔费用。“特别理赔费用”包括私人调查员费用、法律费用和任何必要的诉讼费用。“特别理赔费用”不包括为获取医疗报告所支付的费用、分出公司的办公费用及其员工的薪资（包括任何理赔的外勤处理所发生的费用）。

A. 14. 8　如果分出公司的理赔给付金额低于保单约定的给付额度，分入公司的赔偿责任也将以相同比例降低。

A. 14. 9　分出公司在本合同赔付前或赔付后被豁免的及追回的赔付金额，均应按比例返还给分入公司。

A. 14. 10　若分出公司计划对本合同下保单的索赔进行抗辩或诉讼，应提前通知分入公司。由于对本合同下保单拒赔而导致的任何对分出公司的法律诉讼，分出公司也应及时书面通知分入公司。在上述两种情况下，分出公司均应使分入公司参与事件的发展，包括向其提供所有相关文件。

A. 14. 11　若分出公司计划对索赔进行抗辩或诉讼，分入公司有权选择向分出公司支付其在不进行抗辩情况下对该索赔应负的全部份额，之后分入公司对该索赔将不负任何责任。

A. 14. 12　关于退保金、满期金及生存金给付参见特殊条款的约定。

注：A. 14. 12 可选，适用于长期共保业务。

A. 15　保单变更与复效

A. 15. 1　如果本合同项下原保单变更成为保费缴清保单、或者部分退保、或者因为任何原因而减少保额，或本合同项下原保单因保单条款的约定而自动增加保额，分入公司继续承担责任，再保比例与参与份额保持不变。

A. 15. 2　如本合同项下的保单中的期限扩展条款生效，分入公司将按原始条件承担该保单的再保险责任。

A. 15. 3　当本合同业务范围内的失效或减少保额的保单复效时，再保比例与复效前相同。如果分出公司按照新的承保规则及流程决定保单复效并作为临时分保分给分入公司，其新的承保规则及流程必须事先征得分入公司的书面同意。如果本合同项下的保单或责任根据原保单条款的约定无需健康证明而复效，则其再保保额也自动复效，否则，分入公司应根据本合同自动与临时再保险条款的约定对保单复效重新进行风险评估，分出公司应向分入公司支付保单复效前所有未付的再保险费及利息。

A. 15. 4　对于根据保单条款无需额外体检的保额的自动递增部分，分入公司按照再保比例与接受份额的乘积接受再保险责任。即使增加后的保额超过自动接受条件的约定，分入公司仍将承担其按再保比例与接受份额的乘积承担相应的部分。对于任何超出保单条款约定的保额增加，分入公司应重新进行风险评估，若保额增加后的风险保额超过自动接受限额，则分出公司应按自动与临时再保险条款的约定，向分入公司进行临时分保。

A. 15. 5　除非在特殊条款中另有约定，分入公司不承担本合同项下原保单中约定的保单转换责任。

A. 16　业务报表

A. 16. 1　分出公司应按特殊条款中约定的账单期间定期向分入公司提供再保险业务报表及其他有关的必要资料。

A. 16. 2　分出公司应在每个账单期间结束后____天内向分入公司提供本合同的再保业务报表，其中应包括该账单期间发生的新单、续期、变更（含保全）、理赔等情况。有关业务报表的具体内容在特殊条款及附录中另行约定。

A. 16. 3　在每一会计年度结束后的____天内，分出公司应通知分入公司该会计年度的未决赔款准备金数额，同时，分出公司还应提供所有已报未决的赔案明细清单。

A. 16. 4　为使合同双方能够充分履行其风险管理责任，双方应严格遵守本款之约定。因此，如果一方严重违反本款约定的义务，另一方有权收取一定的费用，且不影响其根据本合同条款享有的其他权利和补偿。

A. 17　账单与结算

A. 17. 1　分出公司应在每个账单期间结束____后天内按照本合同特殊条款及附录中约定的格式向分入公司提交电子再保账单。

A. 17. 2　电子再保账单应分别按每一风险/保险的类型和/或每一类分保业务，按临分和合同业务分别列示账单期间内合同双方产生的本合同项下的所有科目的金额。账单的有关科目详见本合同特殊条款及附录中的约定。

A. 17. 3　分入公司应在收到业务报表和电子再保账单后的____天内进行核对并确认或提出异议。

分出公司应在接到分入公司对电子再保账单异议后的____个工作日内向分入公司提供反馈或修改。分出公司应在接到分入公司对电子再保账单确认的通知后的____个工作日内向分入公司寄送正式账单，如果正式账单余额为分出公司向分入公司支付，分出公司应在正式账单发出后____个工作日内就账单余额进行结付，如果正式账单余额为分入公司向分出公司支付，分入公司应在收到正式账单后的____个工作日内就账单余额进行结付。

注：A. 17. 3 可选。

A. 17. 4　如果在某份账单中出现差错或遗漏导致双方不能对账务完全核定，则双方应先就无争议的部分进行结付。有关的差异应在下一期账单中予以纠正。如果在较迟时候任何一方发现有任何账目不准确，该账目应该在发现后立即被纠正。

A. 17. 5　双方中的任何一方没有按期将账单余额支付给另一方超过一个月，账单余额将从账单期间的最后一天开始以的________利率的________%计息，利息支付以实际天数/365 计算。

A. 18 抵销

合同双方之间任何已清算或未清算、已到期应支付、未到期应支付的债权或债务，只要它们已经产生或已经发生，不论分出公司还是分入公司作为债权人或债务人，只要合同双方互为债权债务人，债权债务抵销后的余额将被认可并进行给付。

A. 19 费用

A. 19. 1 除非在本合同中另有约定，任何一方不承担对方在其经营过程中产生的任何费用或成本。

A. 19. 2 分入公司不承担依照任何法律规定向分出公司征收的任何税金、消费税、增值税、关税、代扣所得税、管理费、强制收费或类似义务。

A. 19. 3 在没有限制一般性的情况下，所有邮寄费用和其他类似费用都由寄送方承担。

A. 20 错误与遗漏

A. 20. 1 任何一方在本合同项下的权利或义务，不会因再保险业务管理中的任何非故意的遗漏或错误而受到影响，但前提是这种因疏忽而导致的遗漏或错误一经发现应当立即予以纠正。如果双方已恢复到犹如该等非故意的遗漏或错误从未发生的状况，则视为已做出纠正。

A. 20. 2 如果因任何遗漏或错误而使另一方构成实际经济损失，则另一方可向造成该等遗漏或错误的一方追讨赔偿。

A. 21 货币和汇率

A. 21. 1 除特殊条款另有约定外，本合同中所列财务项目均以保单的原始币种计价，并以保单的原始币种进行结付。若结算币种非原保单币种，则应按应付款项到期日的汇率进行转换，付款方应承担因延迟付款产生的汇率风险。

A. 21. 2 如果特殊条款约定的相关限额所使用的币种不同于本合同项下保单或责任的结算币种，则应按照特殊条款约定的汇率将该等限额转换成交易币种。应按照特殊条款的约定对上述汇率进行复核。

A. 21. 3 关于汇率具体参见特殊条款的约定。

A. 22 分入公司审查权

A. 22. 1 分出公司应保留所有承保文件，包括电子版和纸质版文件。分出公司停止将相关风险分给分入公司之后，上述文件的最短保存时间按本合同特殊条款中约定的时间执行。如果分出公司未能将上述承保文件保留至最短保存时间，分入公司有权追溯拒绝参与保单并且分出公司需返还任何数量的已付赔款，除非分出公司能够按照分入公司的要求重新获得所有有关的承保信息。

A. 22. 2 若分入公司提出审查要求，分入公司应提前 5 个工作日书面通知分出公司，分出公司应向分入公司提供所有与本合同项下再保险业务有关的资料。即使在紧急情况下分入公司也应至少提前48小时书面通知分出公司。在任何正常工作时间内，分入公司或其代表可检查任何与本合同项下再保险业务相关的文件，其费用由分入公司承担。

A. 22. 3 即使在本合同终止后，只要双方之间的责任与义务没有终止，分入公司仍有上述权利。

A. 23 数据保证

A. 23. 1 分出公司承认在本合同生效之前以任何形式提供给分入公司的信息，将影响分入公司决定是否签订该合同。分出公司也承认在本合同生效后此信息以及后续提供的信息，将影响分入公司决定是否以及在何种条件下继续参与本合同。

A. 23. 2 分出公司应当向分入公司保证其所提供的所有信息的真实性，完整性和准确性，同时保证分出公司没有对分入公司隐瞒任何重要事实或者情况。事实或者情况的重要性取决于是否影响分入公司提供再保险服务给分出公司的决定，以及在何种条件下提供或继续提供再保险服务，或者是否继续提供再保险服务。

A. 23. 3 若分出公司未履行本条第1款和第2款中约定的义务，无论提供任何补偿，分入公司均有权拒绝履行本合同的义务。

A. 24 最大诚信原则

本合同由双方本着最大诚信原则订立，合同双方承诺以最大诚信为原则处理与本合同有关的所有事宜。

A. 25 条款独立和弃权

A. 25. 1 如果本合同任何条款整体或部分在法律上无效或不可执行，剩余的其他条款将继续有效。在此情况下，应对无效或不可执行的本合同条款部分予以修订或补充，使其符合原合同目的。

A. 25. 2 任何一方未能或延迟行使本合同约定的任何权利，不应被视为放弃该权利。

A. 26 保密

A. 26. 1 未经另一方事先书面同意，本合同的任何一方不得复制或以任何形式公布或披露与本合同条款相关的任何信息给本合同之外的任何人。

A. 26. 2 本约定并不禁止将与本合同相关的信息披露给监管部门、法院、合同双方的专业顾问或分入公司的转分保接受人。此外，任何一方也应有权将与本合同相关的信息披露给其关联公司或专业顾问、咨询机构、第三方管理者、审计部门或机构，但上述信息的接受者也均必须遵守本条约定的保密义务。

A. 26. 3 本合同的保密义务不因本合同的终止而终止，而其保密义务将持续有效至合同终止日起____年为止。

A. 27 数据保护

为符合数据保护法律在个人数据处理方面的规定，双方承诺，保证遵守该等法律规定。尤其是，在不违背前述一般性规定的情况下，出于自身遵守法律和本合同的目的，在与分入公司从事临时分保业务时，分出公司保证其已经且承诺将继续从其保单客户处取得所有必要的许可。双方保证将根据适用的数据保护法律规定，在传输有关数据的过程中只使用（经双方一致同意的）安全的流程和系统。

注：上述条款可选。

A. 28 违约责任

A. 28. 1 若合同一方，无论是故意还是非故意的，未履行在本合同中第 2 条中约定的主要义务，除可按照本合同第 33 条第 3 款 c）中的约定可终止合同，合同另一方有获得补偿以及使相关保单免受未履行义务一方所造成的损失的权利。该项权利可对于因对方未履行义务而导致的任何索赔，费用或预期利润减少进行全面追溯。

A. 28. 2 该项补偿将会使得受损一方的财物状况达到假设该项义务被履行情况下的水平，在确定赔偿水平时，可考虑在违约行为未发生的情况下应适用的合理且适当的分保条件。对赔偿水平或任何行动存在争议的，应根据第 31 条的约定提请仲裁解决。本条不影响任何一方根据本合同条款享有的任何其他权利或救济。而且，如果分出公司故意隐瞒或不如实告知相关信息或数据，且可以证明一个审慎且专业的分入公司在获知真相后会拒绝为有关分出业务提供再保险保障，则分入公司有权自始撤销该分保业务。在此情况下，分出公司和分入公司之间就有关分保业务的所有已付款项须按中国人民银行公布的一年期存款年利率计息返还，且分入公司对该分保业务不承担任何责任。

A. 29 反洗钱和反商业贿赂

A. 29. 1 为遵守有关反洗钱的法律法规，双方承诺，为本合同的目的，确保己方已经制定并将一直保留所有必要的反洗钱制度和流程。

A. 29. 2 分出公司和分入公司承认并同意：

a）禁止一切商业贿赂行为；

b）已经实施并要求所有公司代表或雇员严格执行其组织内的相关规则。

如果分出公司或分入公司意识到与合同有关的活动已经或可能违反了适用的反商业贿赂法律或法规，在适用法律允许的范围内，应立即通知另一方。

A. 30 制裁责任除外

如果承保、支付该赔偿或提供该保险金将使分入公司面临任何联合国决议或适用于该分入公司的任何司法管辖区的贸易或经济制裁制度、法律法规项下的制裁、禁令或限制，则该分入公司不得被视为承保且该分入公司无承担该项下支付任何赔偿或提供任何保险金的责任。

A. 31　仲裁条款

A. 31. 1　凡因本合同引起的或与本合同有关的任何争议，应由双方协商解决。若双方不能达成一致，应提交中国国际经济贸易仲裁委员会（或中国国际经济贸易仲裁委员会________分会），按照申请仲裁时

该会现行有效的仲裁规则进行仲裁。仲裁语言为中文，仲裁地点为中国<某市>(可选)。A. 31. 2　仲裁裁决是终局的，对双方均有约束力。

A. 31. 3　双方同意将争议提交给仲裁进行裁决作为双方解决争议的唯一方法。

A. 32　法律适用条款

除非在特殊条款中另有约定，本合同适用于中华人民共和国法律。如在特殊条款中有规定的，可参照其规定。

A. 33　合同的修订和终止

A. 33. 1　双方同意的对本合同的任何修改都要适时地以书面补充协议的形式附加于本合同，且补充协议应由双方共同签署。该补充协议将成为合同的组成部分并且具有同等约束力。

A. 33. 2　合同双方均有权终止本合同之新签发保单业务，但须至少提前三个月书面通知对方。在通知期内，分入公司应根据本合同条款约定继续参与新签发保单业务的再保险。分入公司对于终止日期前本合同项下所有保单的再保险责任应当继续有效，直至［相关保单期满为止/相关保单下一续保日为止，而保单的续保日指保单周年日］。分入公司不再承担终止日期后本合同项下新签发保单的再保险责任。

A. 33. 3　关于结清终止约定如下，赎回费用的约定详见特殊条款的约定。

a）若分出公司未按本合同约定支付再保险费，分入公司有权提前____个月通知分出公司结清终止本合同。结清终止后分入公司不再承担任何责任。

b）对于再保险费率非保证的分保业务，分入公司有权提前三个月通知分出公司进行费率调整，调整后的再保险费率由双方协商确定。如____个月协商期内双方未能就再保险费率调整达成一致，分入公司有权要求于三个月通知期满日结清终止未达成一致意见的业务。结清终止后分入公司不再承担有关未达成一致意见业务的任何责任。

c）在下列情况下，合同任何一方均有权在通知对方后立即终止本合同：

1）由于法律环境变化或另一方出现经营状况严重恶化或出现保险监管部门监管规定中规定的偿付能力不足的情形，导致合同无法执行或合同目的不能实现；

2）合同另一方与其关联公司以外之其他公司合并或它的所有权或控制权转让至其关联公司以外之其他公司；

3）合同另一方损失了其全部或部分实收资本金；

4）合同另一方没有履行合同约定的责任或严重违反合同并且在收到无过错方有关通知____日内没能更正；

5）合同在法律上或事实上已经无法履行，合同的任何一方均有权立即终止本合同；或者

6）合同另一方破产清算或被吊销了保险或再保险本合同业务范围内业务经营执照或业务经营许可证。

如果本合同以本条所述的任何情况（包括合同一方所在国或总部之国家发生战争、军事行动、暴乱或武装叛乱）被终止，本合同项下的一切业务将停止分出，采用结清终止的方式。自本合同终止日起，对于分出公司的所有新承保业务及有效业务，分入公司均不承担任何责任。

d）满足其他在特殊条款中约定的合同终止条件时，本合同终止。

A. 33. 4　根据本合同要求发出的通知，应以书面形式（信函、传真、电子邮件等）发至对方在本合同中注明的地址。通知自送达对方时生效，除非有证据证明其已提前收到，否则：

a）在派专人交付的情况下，通知于送至双方指定的地址之时视为送达。

b）在通过邮资预付的挂号邮件邮寄的情况下，通知于邮寄后十个工作日视为送达。

c）通过快递的情况下，通知于接收快递人员签字确认之时视为送达。

d）在通过航空邮件邮寄的情况下，通知于邮寄后五个工作日视为送达。

e）在以传真发送的情况下，通知于发件人传真机记录传输确认时视为送达。

f）在以电子邮件发送的情况下，通知到达受送达人特定系统的日期为送达日期。

A. 34　陈述和保证

A. 34. 1　分出公司陈述和保证如下：

a）分出公司是一家依照法定住所地法律设立并正常存续的企业。

b）分出公司在适用法律的授权下，在公司章程范围内，有能力签订本协议并履行其所指的职责。

c）分出公司已完成所有约定的内部程序以准许其签订本合同并承担其所指的职责。

d）在其管理之下无人在其权限范围内违反任何当地用于监管保险的管理和服务的法律和法规。

e）分出公司已经取得所有政策法规的许可，从而可以分出本合同项下的保单，并且已提取这些分出业务项下各种准备金。

f）作为分入公司尽职调查过程的一部分，分出公司已向分入公司提供了某些数据。此数据是完整的，而且准确地描述了目前分出公司和符合本合同再保条件的保单的财务状况。

A. 34. 2　分入公司的陈述和保证如下：

a）分入公司是一家依照法定住所地法律设立并正常存续的企业。

b）分入公司依照中华人民共和国法律被准予经营再保险业务的营业执照，并完全合法。

c）分入公司在适用法律的授权下，在公司章程范围内，有能力签订本合同并履行其所指的职责。

d）分入公司已完成所有规定的内部程序以准许其签订本合同并履行其所指的职责。

A. 35　语言文字

本合同以双语（英文及中文）写成，具有同等法律效力。若英文合同与中文合同不一致的，则以中文合同为准，除非特殊条款中另有约定。

A. 36　术语定义

A. 36. 1　自动接受限额：是对于超出自留额部分分出公司可以根据本合同条款自动获得再保险保障的保险金额上限。

A. 36. 2　承保限额："每一被保险人"之最高总风险保额上限。在计算总风险保额以便确定是否超出"每一被保险人"承保限额时，分出公司应考虑同一被保险人所有有效保单（无论是否由分出公司承保）的总风险保额（无法计算风险保额的，以已承保保额为准）。对非由分出公司承保的保单，若分出公司要求被保险人提供相关信息，则根据被保人提供的信息来判断总风险保额是否超出承保限额即可。

A. 36. 3　核保标准：分入公司现行核保手册中规定的原则和建议，特殊条款约定的由双方约定的医学和财务核保要求，以及第____款所述（与前述核保手册和核保要求不矛盾的）核保惯例，在本款中统称为"核保标准"，构成对本合同范围内的保单或保障进行风险评估和厘定费率的基础。

A. 36. 4　合同周年日：针对每一日历年度，本合同生效日期之月日。

A. 36. 5　通融赔付："通融赔付"指根据法律法规规定或保险合同的约定，分出公司无需承担保险责任却主动支付款项。

A. 36. 6　新签发保单/新承保业务：某一特定日期起或其后签发的新保单。

A. 36. 7　结清终止：自终止日起本合同不再具有再保责任，即对于终止日后分出公司的所有新承保业务及终止日前所有已承保的业务，分入公司均不再承担任何责任。对于终止日前所有已承保的业务，计算在终止日已赚的再保险费、再保手续费、终止日之前发生但未决分保赔款和所有未付或在付的款项，进行双方结清。结清终止合同之情况下，双方有权根据合同的约定收取被撤销业务的赎回费用。

（签署页）

本合同一式______份，作为文件凭证，由双方各自法定代表人或授权代表人在下列时间和地点签署并且开始成立。

____________________人寿保险有限公司

法定代表人或授权代表人：

在　　　　于　　　　年　　月　　日

____________________再保险有限公司

法定代表人或授权代表人：

在　　　　于　　　　年　　月　　日

附录 B
（规范性附录）
人寿比例再保险合同范本（英文版）

人寿比例再保险合同范本英文版如下：

<Life Proportional Reinsurance Treaty>

Entered into between

<Company Name>, <City>, <Country>
(the Company)

and

<Reinsurer Name>, <City>, <Country>
(the Reinsurer)

Jointly signed.

General Conditions

B. 1 Basic Agreement

B. 1. 1 This Treaty (hereinafter referred to as "Treaty") is made and entered into by and between the Company of one part and the Reinsurer of the other party.

B. 1. 2 It is hereby declared and agreed that these General Conditions, the following Special Conditions (including the appendices listed in the Special Conditions) and the written amendment constitute the entire Treaty between the Parties. And related terms in the Special Conditions and attachments shall all attached to this Treaty in written and be a part of this Treaty.

B. 1. 3 In the event of any discrepancy between the General Conditions and the Special Conditions, the Special Conditions shall prevail.

B. 1. 4 The Company agrees to cede and the Reinsurer agrees to accept the policies or benefits falling within the scope of this Treaty upon the terms set out in these General Conditions and the Special Conditions.

B. 1. 5 This is a Treaty solely between the Company and the Reinsurer. The acceptance of reinsurance under this Treaty shall not create any right or legal relationship between the Reinsurer and the policy-holder, the insured, the beneficiary, or any other party to any policy of the Company which may be reinsured under this Treaty.

B. 1. 6 This Treaty is between sophisticated parties, each of which has reviewed this Treaty and is fully aware and informed about its terms and conditions and implications thereof. The parties therefore agree that this Treaty shall be construed without regard to the authorship of the language and without any presumption or rule of construction in favor of either party.

B. 1. 7 Save as expressly addressed elsewhere in this Treaty, it represents the entire Treaty between the Company and the Reinsurer and supersedes, with respects to its subject matter, any prior oral or written Treaty between the parties.

B. 2 Articles on Main Obligations

The main obligations of the parties under this Treaty are summarized as follows.

B. 2. 1 Main Obligations of the Reinsurer

The main obligations of the Reinsurer are as follows: Article 8 The Reinsurer's share, Article 9 Automatic and Facultative Reinsurance, Article 12 Reinsurance Commissions, Article 13 Statement of Profit Commission, Article 14 Claims, Article 16 Reporting, Article 17 Statement of Account and Settlement, Article26 Confidentiality.

B. 2. 2 Main Obligations of the Company

The main obligations of the Company are as follows: Article 7 Reinsurance Liability, Article 9 Automatic and Facultative Reinsurance, Article 11 Reinsurance Premium, Article 14

Claims, Article 16 Reporting, Article 17 Statement of Account and Settlement, Article 22 The Right of Inspection of the Reinsurer, Article 26 Confidentiality.

B. 3 Commencement and Duration

B. 3. 1 This Treaty shall take effect on the date when the Treaty is executed by both parties.

B. 3. 2 Unless specified in the Special Conditions, this Treaty shall remain effective for an indefinite period, but may be cancelled in accordance with the provisions set forth in Article 33 of this Treaty.

B. 4 Scope

B. 4. 1 This Treaty shall apply to the insurance policies, including supplementary benefits, underwritten by the Company set forth in the Special Conditions and any subsequent amendments to this Treaty.

B. 4. 2 Any policies acquired by the Company through reinsurance or the purchase of another company's policies or through merger with or acquisition of another company shall not be automatically included under the scope of this Treaty.

B. 4. 3 If the Company intends to transfer any Reinsured Policy, or if the Company under the Reinsured Policies is replaced by another company (in each case, the "Successor Company"), the Company shall (i) get written approval from the Reinsurer, (ii) ensure the Successor Company has obtained any necessary license to assume the rights and obligations hereunder, and (iii) ensure the Company's rights, interests and obligations under this Treaty shall be transferred to the Successor Company. Upon satisfaction of the three conditions in this sub-Article, the Successor Company shall replace the Company as a party of this Treaty, and shall assume the Company's rights and obligations under this Treaty.

B. 4. 4 Accepted automatically by the Reinsurer of a reinsurance premium in respect of business not falling within the scope of this Treaty or not falling within the underwriting limit as per section ______, unless accepted facultatively as per Article 9, will under no circumstances give rise to the Reinsurer having a liability in respect of that business (other than for a refund of the reinsurance premiums received) or commit the Company to reinsure such business under this Treaty.

B. 5 Reinsurance Basis

[Original Terms]

B. 5. 1 Unless otherwise specified in the Special Conditions, all risks shall be reinsured on an original sum assured basis. "Original Sum Assured" means the sum insured of the Reinsured Policies at the time the Reinsured Policies are issued.

[Risk premium]

B. 5. 2 Unless otherwise specified in the Special Conditions, all risks shall be reinsured on sum at risk basis. The sum at risk at any time shall be calculated as set out in the Special Conditions.

[Original Terms & Risk Premium]

B. 5. 3 The Treaty shall be covered in the form of original terms and risk premium, unless specified in the Special Conditions, such as in the form of original terms, the Company shall be separately covered by the original policy liability; In the case of risk basis, the Company shall cede on the base of the reinsurance premium, and calculate the sum at risk in accordance with the terms set out in the Special Conditions.

B. 6 Retention

Choose respectively one of the following three methods:

Original Terms & Risk Premium QS

B. 6. 1 The Company shall retain a proportionate share of the risk under each Reinsured Policy as set out in the Special Conditions (the "Retention Quota").

B. 6. 2 The Company has the right to change the Retention Quota with respect to new business by giving three (3) months' prior written notice to the Reinsurer before its effective date. The revised Retention Quota shall apply to new Reinsured Policies issued on or after the effective date of such revision. The Reinsurer reserves the right to revise the terms of the Treaty in light of sun alteration of the Company's Retention Quota.

B. 6. 3 Without the Reinsurer's written consent, the Company shall not reinsure any part of the risk it has retained under this Treaty on any basis without the Reinsurer's written consent, except for Catastrophe Excess of Loss Reinsurance based on retained risk.

Risk Premium Surplus

B. 6. 4 The Company shall decide the retention according to the product of retention proportion and sum at risk under each policy or benefits within the business scope of this Treaty. Amongst, proportion of the retention shall be decided as this policy or benefits included into this Treaty, the retention is equal to the sum gained from the original sum at risk divided by the original retention. In a future accounting period and within the period of the validity of the insurance policy, the policy or benefits of the [retention] or [the proportion of the retention] (Optional) remains the same, at any given time risk retention is equal to the point of the forehead and retention rate of the product. The original amount of retention is the amount of retention when the policy or liability is included in this Treaty, and the original risk shall be the risk of the policy or benefits being included in the time of the Treaty.

B. 6. 5 Retention at the beginning of the calculation of new policy or benefits, should be in the insurance policy or liability point into the Treaty on the basis of "per life", according to the retention amount and the insured under the same risk of all is to take effect at the time of retention policy jointly set, when calculating the original retention of the new policy or responsibility, The retention including the original retention under this policy or responsibility and all affect policy under the same kind of risk separated to the Reinsurer at the point should not surpass the limit of retention of the Company. If pieces of policies have been signed at the same time, the original retention shall be separated to the new signed policy according to the proportion of the original sum at risk. And the limits of retention for the Company shall be guaranteed in the Special Conditions.

B. 6. 6 Every Reinsured Policy in force with the Company on the same life shall be taken into account when determining the Company's retention in respect of that life, unless otherwise specified in the Special Conditions.

B. 6. 7 The Company holds the right to change its Retention Limit on the anniversary of this Treaty subject to giving not less than three (3) months' prior written notice. The revised Retention Limit shall only apply to new Reinsured Policies issued on or after the effective date of such alteration. The Reinsurer reserves the right to revise the terms of the Treaty in light of such alteration of the Company's Retention Limit. Unless otherwise specified in this Treaty, policy loans shall not be taken into account when calculating the sum at risk.

B. 6. 8 Without the Reinsurer's written consent, the Company shall not reinsure any part of the risk it has retained under this Treaty on any basis without the Reinsurer's written consent, except for Catastrophe Excess of Loss Reinsurance based on retained risk.

Note: [Retention] or [The proportion of the retention] is optional.

B. 7 Reinsurance Liability

B. 7. 1 The Company shall cede all policies or benefits within the scope of this Treaty.

B. 7. 2 The liabilities of the Company ceded under the Reinsured Policies shall be calculated subject to the ratio as set out in the Special Conditions.

B. 7. 3 The Ratio of Reinsurance shall be calculated as set out in the Special Conditions, and the Ratio of Reinsurance of the Company shall remain constant throughout the term of the Reinsured Policies.

B. 8 The Reinsurer's Share

B. 8. 1 The share of ceded policies or benefits the Reinsurer agrees to accept is set out in the Special Conditions.

B. 8. 2 The relationship of the Company and the Reinsurer is not related, and it means each Reinsurer is only responsible for its own share and not for other Reinsurer's share.

B. 8. 3 [Group Life Insurance Business] The responsibility of the Reinsurer under group life reinsurance to each event: unless otherwise Treaty in written for another group policy, the Reinsurer shall bear responsibilities limit to the reinsured ratio of the Reinsurance as a result of each event or a series of related events. The Reinsurer shall be liable for the loss of death and disability within 12 months after the accident. If a few events are caused by common reason or a complete event consists of a series events, still will be regarded as related events, even if such events themselves is independent both in time and place.

Note: According to the actual contract signed, choose to adopt B. 8. 1, B. 8. 2 or B. 8. 3.

B. 9 Automatic and Facultative Reinsurance

B. 9. 1 The Reinsurer agrees to accept reinsurance automatically of Reinsured Polices meeting the following conditions:

a) The risks totally retained by the Company on each life under all cessions reach the Retention Limit set forth in the Special Conditions; and

b) The amount of reinsurance ceded by the Company to the Reinsurer on each life under all cessions does not exceed the Automatic Binding Limit set forth in the Special Conditions; (including within the Limit of Automatic Binding and Reinsured); and

c) The application is underwritten in accordance with the Company's normal underwriting rules and procedures. and

In the case of that the sum at risk of a policy or guarantee surpass the limit of underwriting to "perreinsured" stipulated in the Special Conditions, the policy or guarantee is beyond the business scope under this Treaty. And

If the Company deviates seriously from the standard of underwriting, the Company shall not be liable for the affected policies, so as to ensure the prudent and professional regulation of the two parties. And "deviate seriously" is referred to as:

a) Underwriting business should be refused or postponed according to the underwriting standards;

b) Underwriting without evidence required by underwriting standards. If the Company can prove that this evidence will not lead to rejection or delay of coverage according to the underwriting standards, it will not be regarded as a serious deviation; or

c) Other major negligent behaviors in the process of underwriting, such as the exemption of liability for non-use of the underwriting standards. If the Company can prove that the cause of the claim has nothing to do with the liability exemption, it is not regarded as a serious deviation.

B. 9. 2 Any policy not meeting the conditions for automatic reinsurance shall be submitted to the Reinsurer for facultative underwriting. To obtain facultative reinsurance from the Reinsurer, the Company shall provide complete insurance papers (application form, reports by medical examiners etc.) relating to the policy and other additional information required by the Reinsurer. Getting all necessary materials, the Reinsurer shall examine the papers submitted and shall confirm whether to accept or decline the facultative reinsurance within ____ working day. To accept the Reinsurer's offer to reinsure a policy, the Company shall notify the Reinsurer of its acceptance in writing. Once the Company has accepted a facultative offer, reinsurance of the policy will be subject to any terms and conditions of the offer itself and to the terms and conditions of this Treaty.

B. 9. 3 The Reinsurer's liability begins at the same time as the Company if and only if the cession does not exceed the Automatic Binding Limit. If the cession exceeds the automatic acceptance limit, then the Company must refer to the Reinsurer facultatively. In the case of a successful facultative reinsurance arrangement, the Reinsurer's liability shall commence on the day the Company has accepted the Reinsurer's offer to reinsure the policy; the Reinsurer's liability shall commence at the same time as the Company if the Reinsurer has given its prior written consent to accept the cession.

B. 9. 4 The Company may reinsure it elsewhere or retain it if the Company does not accept the assessment made by the Reinsurer. However, if the Reinsurer makes evaluation advice of temporary reinsurance on standard conditions within ____ working days since receiving the documents agreed upon by both parties, without any constraints, the Company shall not reinsure to any other companies.

B. 9. 5 A policy or benefit accepted facultatively by the Reinsurer shall be subject to the conditions of this Treaty unless otherwise specified in the facultative assessment. The Reinsurer's liability, however, shall cease if the first premium due for that cession is not paid within 180 days of its due date.

B. 9. 6 A facultative assessment made by the Reinsurer shall apply to the entire policy, including all benefits attaching thereto. Once a policy has been submitted to the Reinsurer for facultative assessment, the Company may not bind the Reinsurer automatically under this Treaty.

B. 10 Policy Conditions

As to the policies or liabilities within the business scope of this Treaty, the original reinsurance terms, tariff, actuarial report, underwriting manuals, underwriting rules or insurance rules, claim rules or procedure provided by the Company and all information and data concerning taking risk consist of this Treaty as indispensible parts. The Company must notify the Reinsurer all important supplement or modification of the above-mentioned documents ______ days in advance at least so as for the Reinsurer to decide the applicable reinsurance conditions with sufficient time. The Reinsurer will have the right to adjust the reinsurance conditions according to the requirements of the above file change, reinsurance conditions to be negotiated by both parties. After retaining the written consent of the Reinsurer, the change shall take effect on the effective date of the change. A significant change is a deliberate and professional insurance management team that is supposed to know about changes that lead to increased liability or increase risk. The Reinsurer shall have the right to modify the sub-insurance conditions applicable to the reinsurance business affected by the change.

B. 11 Reinsurance Premium

[Coinsurance basis]

B. 11. 1 For the policy or benefits reinsured under this Treaty, the reinsurance premium shall be calculated based on original terms basis. The calculation basis of reinsurance premium and premium rate are as set out in the Special Conditions.

B. 11. 2 In respect of any policy where there is an additional premium payable to the Company for any reason whatsoever, extra reinsurance premium shall be payable by the Company to the Reinsurer proportionately.

B. 11. 3 If a policy is surrendered during the cooling-off period under the original policy, the Reinsurer will reimburse the Company the corresponding reinsurance premium. For a policy which is surrendered or with a reduction in sum insured after the cooling-off period under the original policy, if the Company is required to refund the premium under the original policy conditions, the Reinsurer shall refund the corresponding reinsurance premium to the Company proportionally in accordance with the calculation basis set out in the Special conditions.

[Risk premium basis]

B. 11. 4 The calculation basis of reinsurance premium and the premium rate applicable to the policy or benefits reinsured under this Treaty are as set out in the Special Conditions.

B. 11. 5 For standard risks, reinsurance premium shall be calculated by multiplying the premium rate as specified in the Special Conditions according to factors such as age, sex and occupational class of the insured at the beginning of the policy year by the Reinsurer's share of the insured's sum at risk for that policy year. For single payment policy or paid ⌊up policy, the calculation basis of reinsurance premium shall follow the same approach abovementioned.

B. 11. 6 In respect of any policy where there is an additional premium payable to the Company for any reason whatsoever, extra reinsurance premium shall be payable by the Company to the Reinsurer proportionately.

B. 11. 7 Unless otherwise specified in the Special Conditions, the reinsurance premium payable under this Treaty shall be payable by the Company annually from the beginning of that policy year.

B. 11. 8 If a policy is surrendered during the cooling-off period under the original policy, the Reinsurer will reimburse the Company the corresponding reinsurance premium. For a policy which is surrendered, terminated or with a reduction in sum insured after the cooling-off period under the original policy, if the Company is required to refund the premium under the original policy conditions, the Reinsurer shall refund the corresponding reinsurance premium to the Company proportionally in accordance with the calculation basis set out in the Special Conditions.

B. 12 Reinsurance Commission

B. 12. 1 The Reinsurer shall pay reinsurance commission to the Company in accordance with the terms specified in the Special Conditions.

[Coinsurance basis]

B. 12. 2 If a policy is surrendered during the cooling-off period under the original policy, the Company shall reimburse the Reinsurer the corresponding reinsurance commission.

[Risk premium basis]

B. 12. 3 If a policy is surrendered during the cooling-off period under the original policy, the Company shall reimburse the Reinsurer the corresponding reinsurance commission. For a policy which is surrendered, terminated or converted after the cooling-off period under the original policy, the Company shall refund the corresponding reinsurance commission to the Reinsurer proportionally.

B. 13 Profit Commission

For the business which is eligible for profit sharing as specified in the Special Conditions, the Reinsurer shall pay profit commission as calculated according to the terms in the Special Conditions.

B. 14 Claims

B. 14. 1 Both the Company and the Reinsurer shall follow the principle of utmost good faith and claims shall be handled in a prudent and professional manner in accordance with the policy conditions.

B. 14. 2 [Life Insurance] The Reinsurer shall be liable for the claim amount reinsured in accordance with the terms specified in the Special Conditions. If the cession has not been sent to the Reinsurer before the claim is incurred, the Reinsurer shall have the right to deny a claim.

B. 14. 3 For claims exceeding the Claim Authority Limit as specified in the Special Conditions, the Reinsurer shall have the right to participate in the claims assessment. The company shall cooperate fully with the Reinsurer. All relevant documents and full information related to the claim development shall be submitted to the Reinsurerin writing within ______ working days upon receipt of the claim application by the Company. Both parties shall jointly investigate, assess, settle or decline such claims. Any claim decision made by the Company without prior mutual Treaty by the Reinsurer shall not be binding on the Reinsurer and any dispute arising from such claim shall be handled according to the Article on Arbitration.

B. 14. 4 Proofs of death and other documents reasonably required by the Reinsurer relevant to the claim shall be furnished to the Reinsurer in 5 working days after the Company receives all such documents from the claimant (or within such time is reasonably practicable for the Company to furnish such information to the Reinsurer), if the claim exceeds the Notification Claim Limit specified in the Special Conditions.

B. 14. 5 For claims within the Claim Authority Limit, the Reinsurer shall follow the settlement of the Company provided that the Company complies with all its obligations under Treaty including underwriting, claims and reinsurance administration.

B. 14. 6 Any claim payment made by the Company on an ex-gratia basis shall be shared by the Reinsurer in accordance with the Special Conditions only if there is prior written consent by the Reinsurer. The Reinsurer shall not be liable for any extra-contractual damages that are levied against the Company (such as punitive or compensatory damages).

B. 14. 7 Unless there is any prior written consent by the Reinsurer. the Reinsurer shall not be liable for any ordinary expenses arising from investigation and handling of claims which are incurred by the Company. Provided that the Reinsurer agreed in writing in advance, the Reinsurer will share any extra-ordinary claims expenses in relation to the investigation, adjustment, settlement or contest of a specific claim under a policy which is reinsured under this Treaty in a reasonable manner. "Extra-ordinary claims expenses" include private investigator fees, legal expenses and any litigation fee that is necessary. "Extra-ordinary claims expenses" do not include any expenses incurred for obtaining medical report nor any office expense or salaries of the employees of the Company (including any expenses incurred due to field work done in claims handling process).

B. 14. 8 If a claim is settled by the Company is at a lesser amount than the benefit amount as required under the policy conditions, the claim amount payable by the Reinsurer shall be reduced proportionally.

B. 14. 9 Relief and recoveries, whether recovered or received by the Company prior or subsequent to claim settlement under this Treaty shall be shared proportionately with the Reinsurer.

B. 14. 10 The Company shall notify the Reinsurer in advance of its intention to contest or litigate a claim involving a policy reinsured hereunder. The Company shall also provide the Reinsurer with prompt notice of any legal proceedings initiated against the Company in response to any denial of a claim on such a policy. For both cases aforementioned, the Company shall keep the Reinsurer involved in developments in both such instances, including furnishing all relevant documents.

B. 14. 11 If the Company proposes to contest or litigate a claim, the Reinsurer, at its discretion, may pay the Company its full share as if the claim were not contested, in full discharge of its obligation to the company for that claim.

B. 14. 12 The surrender cash, expiration cash and claim payment of maturity benefit are set out in the

Special Conditions.

Note: B. 14. 12 is optional, applicable to long term coinsurancc business.

B. 15 Policy Changes and Reinstatement

B. 15. 1 If a policy reinsured under this Treaty has become a paid-up policy, is partially surrendered, or if the sum insured is reduced for any reason, or if there is any automatic increase in its sum insured according to the original policy conditions, the Reinsurer shall continue to be liable for such policy while the ratio of reinsurance and participation share shall remain unchanged.

B. 15. 2 If a policy reinsured under this Treaty is maintained in force by extended term provisions, the Reinsurer shall be liable to reinsure such policy in accordance with the original policy conditions of such policy.

B. 15. 3 For a policy reinsured under this Treaty which has previously been surrendered or with its sum insured reduced, if such policy is reinstated, the ratio of reinsurance shall remain the same as that prior to the reinstatement. If a policy is reinstated in accordance with the new underwriting requirements and process of the Company and such policy is submitted to the Reinsurer for facultative assessment, the new underwriting requirements and process shall be agreed in advance by the Reinsurer. If a policy or benefit reinsured under this Treaty is reinstated without evidence of health in accordance with the policy conditions, the amount reinsured shall be reinstated automatically. Otherwise, the reinstatement of such policy is subject to the underwriting assessment by the Reinsurer in accordance with the provisions on automatic and facultative reinsurance under this Treaty. The Company shall pay to the Reinsurer all unpaid reinsurance premium and interests prior to the policy reinstatement.

B. 15. 4 If the sum insured of a policy or benefit reinsured under this Treaty is increased without evidence of health in accordance with the policy conditions, the Reinsurer shall be liable for such policy in accordance with the ratio of reinsurance and participation share. Any non-contractual increase shall be subject to underwriting assessment by the Reinsurer. If the sum insured after such increase exceeds the automatic acceptance limit, the Company shall submit the case to the Reinsurer for facultative assessment in accordance with the provisions on automatic and facultative reinsurance under this Treaty.

B. 15. 5 Unless otherwise specified in the Special Conditions, the Reinsurer shall not be liable for any policy conversion under the original policy conditions for policies covered under this Treaty.

B. 16 Reporting

B. 16. 1 The Company shall provide the Reinsurer with the bordereaux for the reinsurance and other necessary information on a regular basis in accordance with the accounting period as set out in the Special Conditions.

B. 16. 2 Within ______ days after each accounting period, the Company shall submit to the Reinsurer the bordereaux for this Treaty. The bordereaux should include details regarding any new policy, renewal, policy changes (including preservation) and claims for the respective accounting period. The detailed bordereaux requirements are specified in the Special Conditions and Appendix.

B. 16. 3 Within days after each accounting year, the Company shall notify the Reinsurer on the amount of claim reserves for that accounting year. Meanwhile, the Company shall provide a bordereaux list of all outstanding claims.

B. 16. 4 It is noted that strict adherence to the provisions of this section is required in order for the parties to perform their risk management duties adequately and to publish accurate financial results. Therefore, in the event of a material failure by one party to fulfill its obligations as per this section, the other party shall have the right to levy a fee, without prejudice to such other rights and remedies as may be available to it under the terms of this Treaty.

B. 17 Statement of Account and Settlement

B. 17. 1 The Company shall, within ______ days of each accounting period, submit the statement of account in electronic format in accordance with the format as specified in the Special Conditions and Appendix.

B. 17. 2 The statement of account shall provide details on the amount for each risk/ insurance type and/ or each type of reinsurance business, separately for facultative business and other reinsurance business under this Treaty for that accounting period. Detailed requirements for the relevant items in the statement of account are specified in the Special Conditions and Appendix.

B. 17. 3 The Reinsurer shall review and confirm or raise any objections on the bordereaux and statement of account within ______ days of receipt.

The Company shall provide feedback or adjustment on the statement of account within working ______ days of receiving such objections on the statement of account from the Reinsurer. The Company shall provide the official statement of account within ______ working days upon receipt of the confirmation from the Reinsurer on the statement of account. If the balance shown in the statement of account shall be payable by the Company to the Reinsurer, the Company shall settle the balance within ______ working days upon its submission of the official statement of account. If balance shown in the statement of account shall be payable by the Reinsurer to the Company, the Reinsurer shall settle the balance within ______ working days upon receipt of the official statement of account.

Note: B. 17. 3 is optional.

B. 17. 4 Should there be any items incorrect in or missing from a statement of account and thus the account cannot be confirmed in full, settlement shall first be made between the parties in respect of those undisputed balances. Such errors or omissions shall be corrected in the next statement of account. If there is any error in the statement of account which has been discovered by either party later on, such account shall be corrected immediately upon discovery.

B. 17. 5 If either party fails to pay the account balance to the other party for more than one month, the account balance will be calculated from the last day of the billing period at ______ of ______ interest rate of the debt currency in the default period, interest payments shall be calculated on the pro rata basis of actual number of days divided by 365.

B. 18 Offsetting

For any claim or liability that is due or not due and payable to the other party, regardless of whether the Company or the Reinsurer is the debtor or creditor and whether the party is liquidated or not, the claim or liability could be set off against each other and the net balance shall be settled between the parties, provided that such claim or liability has incurred and both parties are the creditor and debtors to each other for such claim or liability.

B. 19 Expenses

B. 19. 1 Unless otherwise agreed elsewhere in this Treaty, either party shall not be liable for any expenses or costs incurred by the other party in its operations.

B. 19. 2 The Reinsurer shall not be liable for any tax, consumption tax, value [added tax, customs duty, withholding income tax, management fee, compulsory charge or any other similar obligations that are imposed on the Company according to any applicable laws.

B. 19. 3 In the absence of a general limitation, all mailing costs and other similar charges are borne by the sending party.

B. 20 Errors and Omissions

B. 20. 1 The rights or liabilities of either party under this Treaty shall not be prejudiced in any way by any inadvertent omission or error which may arise in the administration of reinsurance business, provided that rectification is made by the party who is responsible for the inadvertent omission or error immediately upon discovery. Such inadvertent omission or error is considered as rectified if the parties are reverted to the position as if such omission or error had not occurred.

B. 20. 2 If there is any actual economic loss incurred by the other party due to any omission or error, the other party has the right to claim remedies from the party causing such omission or error.

B. 21 Currency and Exchange Rate

B. 21. 1 Unless otherwise specified in the Special Conditions, the financial items specified in this Treaty are stated in the original currency of the policy and settlement shall be made in the original currency of the policy. If payments are payable in a currency other than the original currency of the policy, they shall be converted at the rate of exchange ruling on the date of the payments is due, nothing that the debtor shall bear the currency risk for any late payment.

B. 21. 2 If the policies or benefits included under the scope of this Treaty are denominated in a currency other than the one in which the monetary limits are set out in the Special Conditions, the monetary limits shall be converted to this other currency using the exchange rates specified in the Special Conditions. Such exchange rates shall be reviewed as specified in the Special Conditions.

B. 21. 3 Specific terms relating to the rate shall be specified in the Special Conditions.

B. 22 The Right of Inspection of the Reinsurer

B. 22. 1 The Company shall reserve all the paper about reinsurance both in electronic and in written. After the Company ceases to distribute the relevant risks to the Company, the shortest saving time of the above documents shall be executed according to the time specified in the Special Conditions. If the Company fails to reserve the above mentioned documents to the minimum period, the Reinsurer has the right to refuse to participate in the policy to the starting point and the Company shall reimburse paid indemnity in spite of the amount, unless the Company can regain all related reinsurance information in accordance to the Reinsurer.

B. 22. 2 The Reinsurer shall give the Company a written notice 5 working days in advance, if it intends to inspect, the Company shall provide all relevant documentation in respect of any policies or benefits hereunder this Treaty. The Reinsurer shall give the Company a written notice48 hours in advance even in emergency case. The Reinsurer or its representative have a right to inspect all relevant documentation in respect of any policies or benefits hereunder this Treaty within normal working hour, and the Reinsurer shall undertake fees.

B. 22. 3 The Reinsurer shall have such a right of inspection so long as the benefits and liabilities between both parties are in force even after the termination of this Treaty.

B. 23 Data Warranty

B. 23. 1 The Company acknowledges that the information which it provided in whatever form to the Reinsurer prior to the commencement of this Treaty constituted the basis for the Reinsurer's decision to enter into this Treaty. The Company also acknowledges that the Reinsurer continues to rely on this information and further information provided after the commencement of this Treaty in deciding whether and under what terms to continue to participate in this Treaty.

B. 23. 2 The Company represents and warrants to the Reinsurer as a continuing representation and warranty that all information supplied to the Reinsurer in connection with this Treaty is true, complete and accurate and that the Company is not aware of any material fact or circumstance which has not been disclosed to the Reinsurer. A fact or circumstance shall be considered material if knowledge of it would influence the judgement of the Reinsurer in determining whether or not to provide the reinsurance cover to the Company, on what terms to provide or continue such cover, or whether or not to continue to provide such cover.

B. 23. 3 In the event that the Company fails to fulfil the obligation according to paragraphs 1 and 2 of this Article, the Reinsurer shall have the right to decline participation in the claims payment (s) concerned irrespective of any other remedy provided for in this Treaty.

B. 24 Utmost Good Faith

The parties to this Treaty made and entered into in the principle of utmost good faith and undertake to use utmost good faith in all matters relating hereto.

B. 25 Severability and Waiver

B. 25. 1 If any provision of the Treaty shall be found invalid or unenforceable according to the applicable jurisdiction, the other terms shall remain effective. Under such circumstance, these terms which are invalid or unenforceable shall be modified or supplied so as to confirm to the purpose of the original Treaty.

B. 25. 2 No failure or delay by either party in exercising any right under this Treaty shall be deemed to be a waiver thereof.

B. 26 Confidentiality

B. 26. 1 Without written consent of another party, either party of this Treaty shall not copy, publish in any forms or disclose any information about terms in this Treaty (including but not limited to the information accumulation and industry risk analysis in normal business) to any other person except for parties under this Treaty.

B. 26. 2 This provision does not prohibit disclosure of information to the regulatory authorities, the courts, the professional advisers of the parties to the Treaty or the retrocessionaire of the Reinsurer to the company. In addition, either party shall have the right to disclosure the information to its affiliated companies, consulting agencies, third party administrators, financial auditors, but these information receivers mentioned here in above shall also be bound by the confidentiality obligation.

B. 26. 3 The confidentiality obligation of this Treaty shall not be terminated by the termination of this Treaty, and its confidentiality obligation shall continue to be valid until the expiration of X years from the date of termination of the Treaty.

B. 27 Data Protection

For the purpose of compliance with data protection laws regulating the processing of personal data, each party undertakes to ensure its compliance with the provisions of relevant laws. In particular, without prejudice to the foregoing general provisions, to fulfill its legal and contractual obligations, the Company confirms that it has obtained and undertakes that it will obtain on a continuing basis all requisite consents for any facultative business with the Reinsurer. The parties confirm that each will only use secured processes and systems (as mutually agreed) for the transfer of such data in accordance with the provisions of the applicable data protection act.

Note: The above terms are optional.

B. 28 Remedies for Breaches

B. 28. 1 If either party of this Treaty, whether intentional or unintentional, fails to perform obligations set out in article 2 of the Treaty, unless the Treaty is terminated according to section c) in the third paragraph of article 33 in this Treaty, the other party has the right to be compensated and to protect its relevant policies from the losses caused by the default party fulfill its obligations. This right may be fully retroactive to any claim, cost, or expected profit reduction resulting from the failure of the other party to perform its obligations.

B. 28. 2 The indemnity shall compensate the Party - in - loss to the level as if the obligation has been fulfilled by the default Party. The level of the indemnity may be determined by taking into consideration the reinsurance terms which would have reasonably and properly followed with full retrospective effect if the default had not occurred. Disagreements over the level of the indemnity or any action shall be submitted to arbitration as per Article 31. Nothing in this Article shall affect any other rights or remedies enjoyed by the other party under the Treaty. Furthermore, if the Company has intentionally concealed or misrepresented relevant information or data, and it can be demonstrated that a prudent and professional reinsurer, in possession of the true facts, would have declined to provide reinsurance protection for such business, then the Reinsurer shall have the right to cancel such reinsurance business with retrospective effect. In this case, all payments between the Company and the Reinsurer on this reinsurance arrangement shall be refunded at the interest rate specified in section13. 3 and no liability shall remain with the Reinsurer for this reinsurance business.

B. 29 Anti [Money Laundering and Anti [Commercial Bribery

B. 29. 1 By virtue to relevant anti [money laundering regulations, each party undertakes to ensure that, for the purpose of the Treaty, its own anti–money laundering systems and procedures have been established and maintained.

B. 29. 2 The Company and the Reinsurer admit and agree:

a) All commercial bribery shall be prohibited;

b) All company representatives, employees are required to strictly enforce the rules in their organization.

If the Company or the Reinsurer discovered any activities in relation to this Treaty have already been or may be in violation of the applicable commercial bribery laws or regulations, a prompt notification shall be sent to the other party to the extend permit by applicable law.

B. 30 Sanctions Resolutions

No reinsurer shall be deemed to provide cover and no reinsurer shall be liable to pay any claim or provide any benefit hereunder to the extent that the provision of such cover, payment of such claim or provision of such benefit would expose that reinsurer to any sanction, prohibition or restriction under United Nations resolutions or the trade or economic sanctions, laws or regulations of any jurisdiction applicable to the Reinsurer.

B. 31 Articles on Arbitration

B. 31. 1 Both parties shall try to settle any disputes arising out of or in connection with this Treaty by negotiation. If both parties fail to reach to the Treaty, they shall submit the case to China International Economic and Trade Arbitration Commission (CIETAC) (or China International Economic and Trade Arhitration Commission ______ Branch) for arbitration which shall be conducted in accordance with the CIETAC's arbitration rules in effect at the time of applying for arbitration. The language of arbitration is Chinese, and the place of arbitration is China <city> (optional).

B. 31. 2 The arbitral award is final and binding upon both parties.

B. 31. 3 Both parties agree that arbitration shall be the exclusive method to settle the dispute.

B. 32 Governing Law

Unless otherwise agreed in the Special Conditions, this Treaty shall be governed by the law of the People's Republic of China.

B. 33 Alterations and Termination of the Treaty

B. 33. 1 All amendments to this Treaty agreed by both parties shall be duly attached to this Treaty in the form of a written supplementary Treaty, and the supplementary Treaty shall be signed by both parties. This supplementary Treaty shall be part of the Treaty and shall be equally binding.

B. 33. 2 Either party has the right to terminate reinsurance business linked to new issued policies by giving in advance at least three months' written notice to the other party. During such notice period, the Reinsurer shall continue to be liable for new cessions established under the terms of this Treaty. Reinsurer's liability to all policies under the Treaty remains valid until the termination date. Upon termination in accordance with this paragraph, reinsurance of a policy ceded before the date of termination shall remain in force until the related policy's expiry or subject to the terms and conditions for this Treaty. After expiry of this Treaty, the Reinsurer is not liable for any new businesses.

B. 33. 3 The terms on retroactive cancellation shall be specified in the Special Conditions.

a) If the Company fails to pay the reinsurance premium as promised in the Treaty, the Reinsurer shall have the right to claim the settlement and request the termination of the Treaty with month's prior to the notice. The Reinsurer's liability under the Treaty is released upon termination.

b) Under the case where reinsurance premium rates are non [guaranteed, the Reinsurer has the right to notify the Company about adjustment on the rates three months in advance and the reinsurance premium rates after adjustment shall be determined by both parties through negotiation. If both parties fail to reach an Treaty about the adjustment during months negotiation period, the Reinsurer has the right to terminate the business which has not agreed upon the expiration of the three months'notice. After the termination of the settlement, the Company will no longer bear any responsibility for the business not reaching a consensus.

c) In following circumstances, either party of this Treaty has the right to notify the other to terminate this Treaty with immediate effect:

1) The Treaty cannot be performed or the purpose of the Treaty cannot be achieved due to the changes in the legal environment or that the other Party's operation is seriously deteriorating or becomes insolvent in accordance to the regulations of the insurance regulatory authorities;

2) The other party is merged with companies other than its affiliated company or its ownership or control transferred to a company other than its affiliated company;

3) The other Party loses the whole or part of its paid-up share capital;

4) The other party fails to perform the responsibility obliged by the Treaty or seriously violates the Treaty and has failed to take remedial measures within ______ days upon receipt of the no-fault party's notice;

5) The performance of this Treaty is rendered impossible de jure or de facto for reasons not attributable to the Party giving notice;

6) The other party of the Treaty went to bankruptcy or has its business license or business operation permission that the Treaty or the insurance contracts attached to revoked. If this Treaty is terminated in any circumstances mentioned in this article, (including the country of one Party involved in armed hostilities with the country in which the other Party has its domicile or head office) , all cession under the Treaty shall be ceased as if the Treaty is terminated. Since the termination of this Treaty, reinsurer shall not be liable to any new business or in-force business.

d) This Treaty shall be terminated when other termination conditions listed in the Special Conditions are satisfied.

B. 33. 4 The notice under this Treaty shall be issued in writing (letter, fax, e-mail etc.) to the address indicated in this Treaty. The notice shall enter into force upon delivery, unless there is evidence that it has been received in advance, The notice is deemed to be served:

a) In the case of delivery by hand, the notice shall be deemed to be served upon delivery to the address designated by the parties;

b) In the case of pre-paid registered mail, the notice shall be deemed to be served within 10 working days after the post is mailed;

c) In the case of express delivery, the notice shall be deemed to be served when the Courier is signed and confirmed by the Courier;

d) In the case of mail by air mail, the notice shall be deemed to be served five working days after the post;

e) In the case of delivery by fax, the notification shall be deemed to be served when the sender's fax machine records transmission confirmation;

f) In the case of delivery by e-mail, the notification shall be deemed to be served when addressing the specific system of the receiver.

B. 34 Representations and Warranties

B. 34. 1 The Company represents and warrants as follows:

a) It is duly organized and validly existing under the laws of its domicile country; and

b) It is empowered under applicable laws and by its charter and bylaws to enter into and perform the duties contemplated in this Treaty; and

c) It has taken all requisite corporate proceedings to authorize it to enter into and perform the duties contemplated in this Treaty; and

d) No person under its management and authorization has violated any local laws and regulations governing insurance; and

e) It has obtained any and all regulatory approvals as may be required for the Company to cede the policies covered hereunder and to assure whatever reserve credits it may wish to take for such cession; and

f) As part of the process of due diligence, the company has provided some data to the reinsurer. This data completely and accurately describes the financial status of the company and of the policies subject to the reinsurance Treaty.

B. 34. 2 The Reinsurer represents and warrants as follows:

a) It is duly organized and validly existing under the laws of its domicile country; and

b) It has been granted a license to operate a reinsurance business under the laws of the People's Republic of China and is in good standing under those laws; and

c) It is empowered under those laws and by its charter and bylaws to enter into and perform the duties contemplated in this Treaty; and

d) It has taken all requisite corporate proceedings to authorize it to enter into and perform the duties contemplated in this Treaty.

B. 35 Language

This Treaty is written bilingually (in English and Chinese) and has equal legal effect. Where the English version is inconsistent with the Chinese version, the Chinese version shall prevail unless otherwise agreed in the schedule.

B. 36 Term Definition

B. 36. 1 Automatic Acceptance Limit: Refers to the sum insured up to which the Company is automatically covered in accordance with the provisions of this Treaty for any amount in excess of its retention.

B. 36. 2 Issue Limit: The maximum sum at risk "per life". In calculating the total sum at risk to be compared with the "per life" issue limit, the Company shall take into account all sums at risk (or sums insured when the relevant sum at risk is not available) for every in force policy on the same life, whether written by the Company or not. With respect to policies not written by the Company, it shall be sufficient to rely on the information given by the insured, provided that the Company requests such information, to determine whether the issue limits have been exceeded.

B. 36. 3 Underwriting Standards: The principles and recommendations set out in the Reinsurer's current underwriting manuals, the medical and financial underwriting requirements mutually agreed upon and documented in the Special Conditions as well as the underwriting practices referred to in Article ______ (provided they do not conflict with the manuals and requirements just mentioned) , together referred to as the "Underwriting Standards", form the basis for the assessment and rating of the policies or benefits covered by this Treaty.

B. 36. 4 Treaty Anniversary Date: In respect of each calendar year, the corresponding month and date of the effective date of this Treaty.

B. 36. 5 Ex-gratia payment: "Ex-gratia payment" refers to any payment which the Company made on its discretion but such payment is not required to be made according to the requirements under the applicable law or its policy conditions.

B. 36. 6 New Policy/ New Business: the definition refers to any new policy issued on or after a specific date.

B. 36. 7 Recapture: Upon the cancellation date, there shall be no reinsurance liability under this Treaty. That is, the Reinsurer shall not be liable for any new business and enforce business written prior to the cancellation date. In respect of any enforce business written prior to the cancellation date, any reinsurance premium or reinsurance commission earned prior to the cancellation date: claims incurred prior to the cancellation date and amount outstanding or in payment, shall be calculated. Upon recapture, the parties shall be entitled to charge a recapture fee as per the provisions under this Treaty.

(Signature Page)

In Witness whereof, the Parties hereto by their respective duly authorized representatives have executed this Treaty in ________ copies on the date written and places indicated as follows:

For and on behalf of ______ LIFE INSURANCE COMI>ANY

Legal representative or authorized representative

In ,

This day of (year)

For and on behalf of ______ REINSURANCE COMPANY

Legal representative or authorized representative

In ,

This day of (year)

五、人寿巨灾超赔再保险合同规范

1 范围

本标准规定了人寿巨灾超赔再保险合同基本要求和合同构成。

本标准适用于人寿巨灾超赔再保险业务的开展与管理。

2 规范性引用文件

下列文件对于本文件的应用是必不可少的。凡是注日期的引用文件，仅注日期的版本适用于本文件。凡是不注日期的引用文件，其最新版本（包括所有的修改单）适用于本文件。

JR/T 0032—2015 保险术语

3 术语和定义

JR/T 0032—2015 界定的术语和定义适用于本文件。

4 基本要求

4.1 人寿巨灾再保险合同的订立、生效、履行、变更和转让、权利义务终止和违约责任等，应严格遵守《中华人民共和国民法典》的规定，并应遵循合同内容所涉及的我国其他有关法律、法规、规章等规范性法律文件；

4.2 人寿再保险合同的订立和履行应遵循平等、自愿、公平、诚实信用、协商一致的原则，尊重社会公德，维护经济秩序，保护社会公共利益；

4.3 人寿再保险合同应采用书面形式，以合同书的形式订立。

5 合同构成

5.1 基本构成

人寿巨灾超赔再保险合同包括约首部分、主文部分、约尾部分。

人寿巨灾超赔再保险合同范本见附录 A、附录 B。

注：本标准仅给出一般条款的，本，特殊条款根据实际业务进行约定。

5.2 约首部分

约首部分应明确、完整地列出以下信息：

（1）合同名称；

（2）合同所有签订方名称。

5.3 主文部分

5.3.1 基本约定

确定合同主体、合同法律关系、合同框架。

5.3.2 主要义务条款

分别对分入公司和分出公司的主要义务进行约定，其中：

（1）分入公司主要义务包括参与份额、理赔、账单与结算、保密；

（2）分出公司主要义务包括分出责任、再保险费、理赔、账单与结算、分入公司审查权、保密。

5.3.3 合同生效和期限

确定合同的生效日期及终止条件。

5.3.4 合同适用的业务范围

确定合同仅适用于分出公司在特殊条款中约定直接承保的保单责任，分出公司通过与其他公司合并、再保或购买保单等行为而获得的任何保单或责任，都不能自动适用于合同条款。

5.3.5 巨灾定义

确定合同项下保单的“巨灾”范围。

注：“巨灾定义”部分为合同可选要素。

5.3.6 除外责任

确定合同项下保单的除外责任的范围。

5.3.7 分出责任

确定分出公司在合同业务范围内应分出的所有保单或责任。

5.3.8 分入责任

确定分入公司在合同业务范围内应承担的所有赔付责任。

5.3.9 参与份额

确定分入公司在合同下接受分出公司分出的责任。

注：“参与份额”部分为合同可选要素。

5.3.10 再保险费

确定再保险费的计算方式。

5.3.11 再保险手续费

确定再保险手续费的计算方式。

5.3.12 理赔

确定分出公司和分入公司再保险理赔的操作方式。

5.3.13 账单报表及结算

确定分出公司应按合同约定定期向分入公司提供再保险业务账单和报表，并约定了再保账单的处理流程。

5.3.14 抵销

确定分出公司和分入公司债权债务抵销的情形。

5.3.15 费用

确定分出公司和分入公司在合同下所产生费用及成本的分担。

5.3.16 错误与遗漏

确定分出公司和分入公司在合同下的权利或义务，在约定条件下不会因再保险业务管理中的任何非故意的遗漏或错误而受到影响。

5.3.17 货币和汇率

确定合同下的计价币种及适用汇率。

5.3.18　分入公司审查权

确定分入公司对合同下再保险业务有关资料进行审查的权利。

5.3.19　数据保证

分出公司应向分入公司保证其所提供的所有信息的真实性，完整性和准确性，同时保证分出公司没有对分入公司隐瞒任何重要事实或者情况。

5.3.20　最大诚信原则

合同双方承诺以最大诚信为原则处理与合同有关的所有事宜。

5.3.21　条款独立和弃权

当合同任何条款整体或部分在法律上无效或不可执行时，剩余的其他条款将继续有效。任何一方未能或延迟行使合同约定的任何权利，不应被视为放弃该权利。

5.3.22　保密

确定分出公司和分入公司的保密义务。

5.3.23　数据保护

确定分出公司和分入公司对个人数据保护的业务。

注："数据保护"部分为合同可选要素。

5.3.24　违约责任

确定合同一方未履行合同主要义务时，合同另一方有获得补偿以及使相关保单免受未履行义务一方所造成的损失的权利。

5.3.25　反洗钱和反商业贿赂

确定分出公司和分入公司反洗钱和反商业贿赂的义务。

5.3.26　制裁责任除外

确定涉及国际、国内制裁时分入公司的责任免除。

5.3.27　仲裁条款

确定合同的争议适用仲裁解决，确定了仲裁机构及仲裁地。

5.3.28　法律适用条款

确定了合同适用中华人民共和国法律。

5.3.29　合同的修订和终止

确定合同的修订和终止条件。

5.3.30　陈述和保证

确定分出公司和分入公司陈述和保证的义务。

5.3.31　语言文字

合同使用的语言为中文和英文。若英文合同与中文合同不一致的，则以中文合同为准，除非特殊条款中另有约定。

5.3.32　术语定义

对合同下部分术语进行了解释。

5.4　约尾部分

合同约尾部分应：

（1）明确约定合同成立时间；

（2）包含合同各签订方授权代表签字及公章；

（3）明示合同份数、签订日期和地点。

附录 A
（规范性附录）
人寿巨灾超赔再保险合同范本

人寿巨灾超赔再保险合同范本如下：

<________________人寿巨灾超赔再保险合同>

本合同由

<公司名称>，<城市>，<国家>
（以下简称“分出公司”）

与

<公司名称>，<城市>，<国家>
（以下简称“分入公司”）

共同签订。

一般条款

A.1 基本约定

A.1.1 本合同（以下简称“合同”）由分出公司为一方与分入公司为另一方共同签订。

A.1.2 本合同由一般条款、特殊条款（包括特殊条款中列明的附录）、书面补充协议共同构成，代表了分出公司和分入公司之间在本合同下的再保业务的全部约定。其中，本合同相关的特殊条款和附件都以书面形式附于本合同并构成本合同的组成部分。

A.1.3 如果本合同中的一般条款与特殊条款有不一致之处，则特殊条款将优先于一般条款。

A.1.4 所有纳入本合同业务范围内的保单责任，分出公司和分入公司均应严格按照一般条款和特殊条款所列明的条件进行分出和分入。

A.1.5 本合同的法律关系仅限于分出公司和分入公司之间。分入公司依据本合同所接受的分入业务，并不构成它与分出保单的被保险人、受益人或者其他任何第三方有任何法律关系。

A.1.6 本合同的缔约双方具有丰富的专业经验，均已审阅过本合同并充分了解其条款及含义。因此双方同意，本合同的解释将不考虑合同的起草方，且不含有对任何一方有利的推断或解释规则。

A.1.7 除在本合同中另有明确说明外，本合同代表分出公司与分入公司之间的完整协议，并取代双方之前就本合同事宜达成的任何口头或书面协议。除本合同以外，双方之间没有任何可能影响本合同内容的口头约定或理解。

A.2 主要义务条款

本合同双方应履行的主要义务概括如下。

A.2.1 分入公司的主要义务

分入公司的主要义务如下：第9条参与份额、第12条理赔、第13条账单与结算。

A.2.2 分出公司的主要义务

分出公司的主要义务如下：第7条分出责任、第10条再保险费、第12条理赔、第13条账单与结算、第18条分入公司审查权。

A.3 合同生效和期限

A.3.1 本合同自特殊条款中注明的日期起生效。

A.3.2 除非特殊条款另有约定，本合同终止日期不定，本合同将一直有效，但是可以因合同中第29条所描述的情况而终止。

A.4 合同适用的业务范围

A.4.1 本合同仅适用于分出公司在特殊条款中约定直接承保的保单责任。该业务必须是经分出公司同意接受的、在特殊条款中列明的责任范围内的直接承保业务。

A. 4. 2　分出公司通过与其他公司合并、再保或购买保单等行为而获得的任何保单或责任，都不能自动适用于本合同条款。但是，若经双方事前书面同意，这些保单或责任则可以纳入本合同的业务范围。

A. 4. 3　分入公司承担由特殊条款中列明的巨灾事件所造成的分出公司的损失（分入公司对应的部分）。

A. 4. 4　本合同只保障分出公司自留业务的最终净损失，分入公司仅就特殊条款列明的“分出公司自留额”部分内的损失承担赔付责任。

A. 4. 5　本合同不包括业务见特殊条款。

A. 5　巨灾定义

A. 5. 1　本合同项下的“巨灾”是指由同一“巨灾事件”所引起的、外来的、突发的、非本意的、非疾病的、造成被保险人死亡和伤残，且死亡和伤残人数不少于“N”的客观事件。数字“N”在特殊条款中列明。在确定是否达到“最少死亡和伤残人数”之计算时，只有在同一巨灾事件中引起的死亡和伤残被保险人才被计算在内，且如死亡和伤残被保险人应根据第 6 条除外责任排除在外，则该被保险人不被计算在内。

A. 5. 2　所谓同一“巨灾事件”所导致的损失是指由一次自然灾害（如暴风、飓风、龙卷风、台风、旋风、地震、海啸、潮汐、火山爆发等）、食物中毒（需由国家省级以上卫生检疫部门认定）等意外事故在以______千米为半径的范围内、连续______小时内发生的直接损失。

A. 5. 3　巨灾事件发生后，分出公司有权选择所规定的巨灾事件______小时的起始时间，但起始时间不得早于应由分出公司承担责任的巨灾事件所造成的第一次损失的发生时间，且不同的损失计算期间不能重叠。分出公司有权选择所规定的巨灾事件______千米半径所适用的区域，且不同的损失计算区域不能重叠。

A. 5. 4　如果本合同终止时，一个巨灾事件正在发生，则分入公司应承担责任，将整个巨灾事件视作在合同终止之前发生的。分入公司承担责任的先决条件是该巨灾事件造成的损失不会依据续保合同提出索赔。

A. 5. 5　分入公司承担自巨灾事件发生之日起______天内、由该巨灾事件直接导致的意外死亡和意外伤残责任。该巨灾事件必须发生在本合同有效期内，且分出公司需在自巨灾事件发生之日起的______年内将由此巨灾事件直接导致的损失通知分入公司。

A. 5. 6　本合同所谓“意外死亡责任”是指因遭受外来的、突发的、非本意的、非疾病的，使身体受到伤害的客观事件所造成的死亡给付。

A. 5. 7　本合同所谓“意外伤残责任”是指因遭受外来的、突发的、非本意的、非疾病的，使身体受到伤害的客观事件所造成的、符合中国保险监督管理委员会发布的《人身保险伤残评定标准及代码》中规定的残疾状况。

A. 5. 8　本合同所谓“损失”是指“最终净损失”，即所有应由分出公司承担的并扣减法定最低责任准备金/保险监督机构认可的精算假设计算和方法的责任准备金以后的赔付。（可选）任何从其他再保险人或第三方摊回的赔款或从政府部门获得的补贴同样应予以扣除。法定最低责任准备金/保险监督机构认可的精算假设和方法计算的责任准备金应由分出公司根据保险监督机构认可的精算假设和方法计算的责任准备金，并在损失报告中予以扣减。对于任何涉及定期支付的伤残索赔，会按原保险单条件以分期付款的方式进行支付。对于任何涉及此类定期支付的残疾索赔，分入公司应按原保险单条件按比例分摊定期支付。

A. 5. 9　对于分出公司做出的通融赔付决定，只有事先得到分入公司的书面认可，分入公司才承担责任。分入公司不承担因分出公司自身原因造成的合同规定以外的损失，比如惩罚性损失、不良诚信造成的损失或补偿性损失。

注：上述条款可选。

A. 6　除外责任

本合同的除外责任，包括原保单的除外责任及特殊条款约定的除外责任。

A. 7　分出责任

在每一巨灾事件中，分出公司应根据特殊条款中的约定承担“最终净损失”中“每一事件免赔额”。

A. 8　分入责任

A. 8. 1　在每一巨灾事件中，分入公司应根据特殊条款中的约定，对分出公司选择的损失（即“最终净损失”）中超出分出公司“每一事件免赔额”的损失部分承担赔付责任，且分入公司承担的赔付责任以“每一事件责任限额”为限，且不得超过“每年责任限额”。

A. 8. 2　合同年度开始时，“每一事件责任限额”和“每年责任限额”分别等于特殊条款中所列明的“每一事件最大责任限额”和“每年最大责任限额”。如发生巨灾事件，自巨灾事件发生时起，“每一事件责任限额”和“每年责任限额”将按该事件赔付的金额分别自动扣减。如果在合同期间内发生多次巨灾事件，每次巨灾事件均按上述约定处理。

A. 8. 3　参加本合同的分出公司和分入公司之间的关系是分别的，而非连带的，即每一个参加本合同的分入公司只对其自己的参与份额负责，而不对其他分入公司的参与份额负责。

A. 8. 4　每一被保险人之最大责任。

注：A. 8. 4 可选。

A. 9　参与份额

分出公司同意按本合同特殊条款中约定的份额向分入公司分出所有本合同适用范围内的保单。

注：上述条款可选。

A. 10 再保险费

A. 10. 1 分出公司应按本合同特殊条款中的约定向分入公司支付再保险费，再保险费按照特殊条款中列明的方法计算。

A. 10. 2 分出公司应在每一合同年度初向分入公司支付特殊条款中规定的年初预付再保险费。

A. 10. 3 每一合同年度的再保险费不低于特殊条款中约定的年度最低净再保费。

A. 10. 4 如该合同年度最终的再保险费高于年初预付再保险费，其差额应在该合同年度结束时进行调整。

A. 11 责任恢复

A. 11. 1 ［模式 1］如发生巨灾事件，分出公司自动恢复每一事件责任限额，但分入公司的累计责任不能超过特殊条款中列明的“每年最大责任限额”。本合同允许的“自动责任恢复次数”在特殊条款中约定。

A. 11. 2 ［模式 2］如发生巨灾事件，分出公司可以选择时点免费恢复每一事件责任限额，但分入公司的累计责任不能超过特殊条款中列明的“每年最大责任限额”。本合同允许的“免费责任恢复次数”在特殊条款中约定。

A. 11. 3 分出公司可以按特殊条款约定的方法自动付费恢复每一事件责任限额，但分入公司的累计责任不能超过特殊条款中列明的“每年最大责任限额”。本合同允许的“付费责任恢复次数”和“付费责任恢复再保费计算方法”在特殊条款中约定。

注：采用以上模式之一。

A. 12 理赔

A. 12. 1 巨灾事件发生后，分出公司应及时书面通知分入公司，并告知巨灾事件所造成损失程度。分出公司应向分入公司提供与赔付有关的全部资料。

A. 12. 2 分出公司在职责范围内应尽可能地避免或减少损失。

A. 12. 3 对于处理理赔案中所发生的诉讼、仲裁或特殊调查费用，分出公司应事先通知分入公司。分入公司有权决定是否参与上述诉讼、仲裁或特殊调查。除非事先得到分入公司的书面同意，否则分入公司不承担分出公司在调查和完成理赔中发生的日常业务费用。经分入公司事先书面确认，分入公司应当合理地分担分出公司就本合同项下的再保险风险的保单合同责任针对特定的索赔进行调查、调整、调解或辩护而发生的任何特别理赔费用。“特别理赔费用”包括私人调查员费用、法律费用和任何必要的诉讼费用。“特别理赔费用”不包括为获取医疗报告所支付的费用、分出公司的办公费用及其员工的薪资（包括任何理赔的外勤处理所发生的费用）。

注：A. 12. 3 可选。

A. 12. 4 合同规定以外的赔偿金：分入公司不承担在合同约定以外应由分出公司支付的各种赔偿金，例如罚金、欺诈赔偿金或补偿金。但在某些情况下，分入公司可以分担分出公司在合同约定以外的赔偿金。这些情况一般是指分入公司积极参与，并指示、同意或批准了最终导致赔偿金的行为、疏漏或做法。当前述情况发生时，分入公司应合理分摊有关赔偿金。

A. 12. 5　根据分出公司的要求，分入公司应在与分出公司确认赔付金额后的天内将其应负责的理赔金额支付给分出公司。

A. 12. 6　分入公司有权保留要求审核理赔个案并且定明分出公司需提供准确和全面的理赔文件。如分出公司违反此义务，分入公司有权拒赔。

A. 13　账单报表及结算

A. 13. 1　在合同结束后______天内，分出公司应向分入公司提供再保账单和报表。

巨灾再保报表中应包括以下信息：

1）本合同项下业务的年初和年末自留风险保额；

2）本合同项下业务的自留原始保费；

3）本合同项下业务总的被保险人数；

4）再保险费金额；

5）再保险理赔保单的明细信息。

具体账单信息的格式及内容参见附录。

A. 13. 2　分入公司应根据报表信息核对账单信息并于天内确认或提出异议，并在双方账单确认后的天内完成结付。

A. 13. 3　如分入公司对再保账单提出异议，分出公司应在个工作日内反馈。对账单中不存在异议的余额部分，分出公司应立即支付给分入公司。一旦异议部分被澄清，应付款方应立即将差额支付给应收款方。

A. 13. 4　如本合同的任何一方未能在合同年度结束后天内付清所有款项之余额，另一方有权根据特殊条款中的规定收取利息。利息的计算期间自合同年度结束后天后开始，至款项最后结清时止。

A. 13. 5　对于因任何原因终止本合同下的新业务及已生效业务，分出公司应该准备一份包括由双方在本合同下产生的所有账单项目的最终账单（详见合同特殊条款的约定）。本合同中关于币种、汇率、账单确认、账单余额支付的约定也同样适用于最终账单。

A. 14　抵销

合同双方之间任何已清算或未清算、已到期及或法律允许范围内的未到期的应支付的债权或债务，只要它们已经产生或已经发生，不论分出公司还是分入公司作为债权人或债务人，只要合同双方互为债权债务人，债权债务抵销后余额将被认可并进行给付。

A. 15　费用

A. 15. 1　除非在本合同中其他地方另有说明，任何一方不承担对方在其经营过程中产生的任何费用或成本。

A. 15. 2　分入公司不承担依照任何法律规定向分出公司征收的任何税金、消费税、增值税、关税、代扣所得税、管理费、强制收费或类似义务。

A. 15. 3　在没有限制一般性的情况下，所有邮寄费用和其他类似费用都由寄送方承担。

A. 16　错误与遗漏

A. 16. 1　任何一方在本合同项下的权利或义务，不会因再保险业务管理中的任何非故意的遗漏或错误而受到影响，但前提是这种因疏忽而导致的遗漏或错误一经发现应当立即予以纠正。如果双方已恢复到犹如该等非故意的遗漏或错误从未发生的状况，则视为已做出纠正。

A. 16. 2　如果因任何遗漏或错误而使另一方构成实际经济损失，则另一方可向造成该等遗漏或错误的一方追讨赔偿。

A. 17　货币和汇率

A. 17. 1　除特殊条款另有约定外，本合同中所列财务项目均以保单的原始币种计价，并以保单的原始币种进行结付。若结算币种非原保单币种，则应按应付款项到期日的汇率进行转换，付款方应承担因延迟付款产生的汇率风险。

A. 17. 2　如果特殊条款约定的相关限额所使用的币种不同于本合同项下保单或责任的结算币种，则应按照特殊条款约定的汇率将该等限额转换成交易币种。应按照特殊条款的约定对上述汇率进行复核。

A. 17. 3　关于汇率具体参见特殊条款的约定。

A. 18　分入公司审查权

A. 18. 1　分出公司应保留所有承保文件，包括电子版和纸质版文件。分出公司停止将相关风险分给分入公司之后，上述文件的最短保存时间按本合同特殊条款中约定的时间执行。如果分出公司未能将上述承保文件保留至最短保存时间，分入公司有权追溯拒绝参与保单并且分出公司需返还任何数量的已付赔款，除非分出公司能够按照分入公司的要求重新获得所有有关的承保信息。

A. 18. 2　若分入公司提出审查要求，分入公司应提前 5 个工作日书面通知分出公司，分出公司应向分入公司提供所有与本合同项下再保险业务有关的资料。即使在紧急情况下分入公司也应至少提前 48 小时书面通知分出公司。在任何正常工作时间内，分入公司或其代表可检查任何与本合同项下再保险业务相关的文件，其费用由分入公司承担。

A. 18. 3　即使在本合同终止后，只要双方之间的责任与义务没有终止，分入公司仍有上述权利。

A. 19　数据保证

A. 19. 1　分出公司承认在本合同生效之前以任何形式提供给分入公司的信息，将影响分入公司决定是否签订该合同。分出公司也承认在本合同生效后此信息以及后续提供的信息，将影响分入公司决定是否以及在何种条件下继续参与本合同。

A. 19. 2　分出公司应当向分入公司保证其所提供的所有信息的真实性，完整性和准确性，同时保证分出公司没有对分入公司隐瞒任何重要事实或者情况。事实或者情况的重要性取决于是否影响分入公司提供再保险服务给分出公司的决定，以及在何种条件下提供或继续提供再保险服务，或者是否继续提供再保险服务。

A. 19. 3　若分出公司未履行本条第 1 款和第 2 款中约定的义务，无论提供任何补偿，分入公司均有权拒绝履行本合同的义务。

A. 20　最大诚信原则

本合同由双方本着最大诚信原则订立，合同双方承诺以最大诚信为原则处理与本合同有关的所有事宜。

A. 21　条款独立和弃权

A. 21. 1　如果本合同任何条款整体或部分在法律上无效或不可执行，剩余的其他条款将继续有效。在此情况下，应对无效或不可执行的本合同条款部分予以修订或补充，使其符合原合同目的。

A. 21. 2　任何一方未能或延迟行使本合同约定的任何权利，不应被视为放弃该权利。

A. 22　保密

A. 22. 1　未经另一方事先书面同意，本合同的任何一方不得复制或以任何形式公布或披露与本合同条款相关的任何信息给本合同之外的任何人。

A. 22. 2　本约定并不禁止将与本合同相关的信息披露给监管部门、法院、合同双方的专业顾问或分入公司的转分保接受人。此外，任何一方也应有权将与本合同相关的信息披露给其关联公司或专业顾问、咨询机构、第三方管理者、审计部门或机构，但上述信息的接受者也均必须遵守本条约定的保密义务。

A. 22. 3　本合同的保密义务不因本合同的终止而终止，而其保密义务将持续有效至合同终止日起______年为止。

A. 23　数据保护

为符合数据保护法律在个人数据处理方面的规定，双方承诺，保证遵守该等法律规定。尤其是，在不违背前述一般性规定的情况下，出于自身遵守法律和本合同的目的，在与分入公司从事临时分保业务时，分出公司保证其已经且承诺将继续从其保单客户处取得所有必要的许可。双方保证将根据适用的数据保护法律规定，在传输有关数据的过程中只使用（经双方一致同意的）安全的流程和系统。

注：上述条款可选。

A. 24　违约责任

A. 24. 1　若合同一方，无论是故意还是非故意的，未履行在本合同中第 2 条中约定的主要义务，除可按照本合同第 29 条第 2 款中的约定终止合同，合同另一方有获得补偿以及使相关保单免受未履行义务一方所造成的损失的权利。该项权利可对于因对方未履行义务而导致的任何索赔，费用或预期利润减少进行全面追溯。

A. 24. 2　该项补偿将会使得受损一方的财物状况达到假设该项义务被履行情况下的水平，在确定赔偿水平时，可考虑在违约行为未发生的情况下应适用的合理且适当的分保条件。对赔偿水平或任何行动存在争议的，应根据第 27 条的约定提请仲裁解决。本条不影响任何一方根据本合同条款享有的任何其他权利或救济。而且，如果分出公司故意隐瞒或不如实告知相关信息或数据，且可以证明一个审慎且专业的分入公司在获知真相后会拒绝为有关分出业务提供再保险保障，则分入公司有权自始撤销该分保业务。在此情况下，分出公司和分入公司之间就有关分保业务的所有已付款项须按中国人民银行公布的一年期存款年利率计息返还，且分入公司对该分保业务不承担任何责任。

A. 25　反洗钱和反商业贿赂

A. 25. 1　为遵守有关反洗钱的法律法规，双方承诺，为本合同的目的，确保已方已经制定并将一直保留所有必要的反洗钱制度和流程。

A. 25. 2　分出公司和分入公司承认并同意：

1）禁止一切商业贿赂行为；

2）已经实施并要求所有公司代表或雇员严格执行其组织内的相关规则。

如果分出公司或分入公司意识到与合同有关的活动已经或可能违反了适用的反商业贿赂法律或法规，在适用法律允许的范围内，应立即通知另一方。

A. 26　制裁责任除外

如果承保、支付该赔偿或提供该保险金将使分入公司面临任何联合国决议或适用于该分入公司的任何司法管辖区的贸易或经济制裁制度、法律法规项下的制裁、禁令或限制，则该分入公司不得被视为承保且该分入公司无承担该项下支付任何赔偿或提供任何保险金的责任。

A. 27　仲裁条款

A. 27. 1　凡因本合同引起的或与本合同有关的任何争议，应由双方协商解决。若双方不能达成一致，应提交中国国际经济贸易仲裁委员会（或中国国际经济贸易仲裁委员会______分会），按照申请仲裁时该

会现行有效的仲裁规则进行仲裁。仲裁语言为中文，仲裁地点为中国<某市>（可选）。

A. 27. 2　仲裁裁决是终局的，对双方均有约束力。

A. 27. 3　双方同意将争议提交给仲裁进行裁决作为双方解决争议的唯一方法。

A. 28　法律适用条款

除非在特殊条款中另有约定，本合同适用于中华人民共和国法律。

A. 29 合同的修订和终止

A. 29. 1 双方同意的对本合同的任何修改都要适时地以书面补充协议的形式附加于本合同，且补充协议应由双方共同签署。该补充协议将成为合同的组成部分并且具有同等约束力。

A. 29. 2 合同双方均有权终止本合同之新签发保单业务，但须至少提前三个月书面通知对方。在通知期内，分入公司应根据本合同条款约定继续参与新签发保单业务的再保险。分入公司对于终止日期前本合同项下所有保单的再保险责任应当继续有效，直至［相关保单期满为止/相关保单下一续保日为止，而保单的续保日指保单周年日］。分入公司不再承担终止日期后本合同项下新签发保单的再保险责任。

A. 29. 3 关于结清终止约定如下，赎回费用的约定详见特殊条款的约定。

a）若分出公司未按本合同约定支付再保险费，分入公司有权提前个______月通知分出公司结清终止本合同。结清终止后分入公司不再承担任何责任。

b）对于再保险费率非保证的分保业务，分入公司有权提前三个月通知分出公司进行费率调整，调整后的再保险费率由双方协商确定。如______个月协商期内双方未能就再保险费率调整达成一致，分入公司有权要求于三个月通知期满日结清终止未达成一致意见的业务。结清终止后分入公司不再承担有关未达成一致意见业务的任何责任。

c）在下列情况下，合同任何一方均有权在通知对方后立即终止本合同：

1）由于法律环境变化或另一方出现经营状况严重恶化或出现保监会监管规定中规定的偿付能力不足的情形，导致合同无法执行或合同目的不能实现；

2）合同另一方与其关联公司以外之其他公司合并或它的所有权或控制权转让至其关联公司以外之其他公司；

3）合同另一方损失了其全部或部分实收资本金；

4）合同另一方没有履行合同约定的责任或严重违反合同并且在收到无过错方有关通知______日内没能更正；

5）合同在法律上或事实上已经无法履行，合同的任何一方均有权立即终止本合同；或者

6）合同另一方破产清算或被吊销了保险或再保险本合同业务范围内业务经营执照或业务经营许可证。

如果本合同以本条所述的任何情况（包括合同一方所在国或总部之国家发生战争、军事行动、暴乱或武装叛乱）被终止，本合同项下的一切业务将停止分出，采用结清终止的方式。自本合同终止日起，对于分出公司的所有新承保业务及有效业务，分入公司均不承担任何责任。

d）满足其他在特殊条款中约定的合同终止条件时，本合同终止。

A. 29. 4 根据本合同要求发出的通知，应以书面形式（信函、传真、电子邮件等）发至对方在本合同中注明的地址。通知自送达对方时生效，除非有证据证明其已提前收到，否则：

1）在派专人交付的情况下，通知于送至双方指定的地址之时视为送达；

2）在通过邮资预付的挂号邮件邮寄的情况下，通知于邮寄后十个工作日视为送达；

3）通过快递的情况下，通知于接收快递人员签字确认之时视为送达；

4）在通过航空邮件邮寄的情况下，通知于邮寄后五个工作日视为送达；

5）在以传真发送的情况下，通知于发件人传真机记录传输确认时视为送达。

6）在以电子邮件发送的情况下，通知到达受送达人特定系统的日期为送达日期。

A. 30 陈述和保证

A. 30. 1 分出公司陈述和保证如下：

1）分出公司是一家依照法定住所地法律设立并正常存续的企业；以及

2）分出公司在适用法律的授权下，在公司章程范围内，有能力签订本协议并履行其所指的职责；以及

3）分出公司已完成所有约定的内部程序以准许其签订本合同并承担其所指的职责；以及

4）在其管理之下无人在其权限范围内违反任何当地用于监管保险的管理和服务的法律和法规；以及

5）分出公司已经取得所有政策法规的许可，从而可以分出本合同项下的保单，并且已提取这些分出业务项下各种准备金；以及

6）作为分入公司尽职调查过程的一部分，分出公司已向分入公司提供了某些数据。此数据是完

整的，而且准确地描述了目前分出公司和符合本合同再保条件的保单的财务状况。

A. 30. 2 分入公司的陈述和保证如下：

1）分入公司是一家依照法定住所地法律设立并正常存续的企业；以及

2）分入公司依照中华人民共和国法律被准予经营再保险业务的营业执照，并完全合法；以及

3）分入公司在适用法律的授权下，在公司章程范围内，有能力签订本合同并履行其所指的职责；以及

4）分入公司已完成所有规定的内部程序以准许其签订本合同并履行其所指的职责。

A. 31 语言文字

本合同以双语（英文及中文）写成，具有同等法律效力。若英文合同与中文合同不一致的，则以中文合同为准，除非特殊条款中另有约定。

A. 32 术语定义

最终净损失：是指在巨灾损失中所有应由分出公司承担的在扣除其他再保摊回之后的净风险保额的累积额。风险保额是指保险金额或其现值（如果发生保险事故时保险金不是立即全额付讫）与保单下该责任精算准备金或现金价值（按照中国保险监督管理委员会的规定计算）之间的差额。上述现值的计算须遵循分出公司相应的精算计算标准。

（签署页）

本合同一式______份，作为文件凭证，由双方各自法定代表人或授权代表人在下列时间和地点签署并且开始成立。

____________________人寿保险有限公司

法定代表人或授权代表人：

在　　　于　　　年　　月　　日

______再保险有限公司

法定代表人或授权代表人：

在　　　于　　　年　　月　　日

附录B
（规范性附录）
人寿巨灾超赔再保险合同范本（英文版）

人寿巨灾超赔再保险合同英文版范本如下：

<Life Catastrophe Excess of Loss Reinsurance Treaty>

Entered into between

<Company Name>, <City>, <Country>
(the Company)

and

<Reinsurer Name>, <City>, <Country>
(the Reinsurer)

Jointly signed.

General Conditions

B. 1 Basic Agreement

B. 1. 1 This Treaty (hereinafter referred to as "Treaty") is made and entered into by and between the Company of one part and the Reinsurer of the other party.

B. 1. 2 It is hereby declared and agreed that these General Conditions, the following Special Conditions (including the appendices listed in the Special Conditions) and the written amendment constitute the entire Treaty between the Parties. And related termsin the Special Conditions and attachments shall all attached to this Treaty in written and be a part of this Treaty.

B. 1. 3 In the event of any discrepancy between the General Conditions and the Special Conditions, the Special Conditions shall prevail.

B. 1. 4 The Company agrees to cede and the Reinsurer agrees to accept the policies or benefits falling within the scope of this Treaty upon the terms set out in these General Conditions and the Special Conditions.

B. 1. 5 This is a Treaty solely between the Company and the Reinsurer. The acceptance of reinsurance under this Treaty shall not create any right or legal relationship between the Reinsurer and the policy-holder, the insured, the beneficiary, or any other party to any policy of the Company which may be reinsured under this Treaty.

B. 1. 6 This Treaty is between sophisticated parties, each of which has reviewed this Treaty and is fully aware and informed about its terms and conditions and implications thereof. The parties therefore agree that this Treaty shall be construed without regard to the authorship of the language and without any presumption or rule of construction in favor of either party.

B. 1. 7 Save as expressly addressed elsewhere in this Treaty, it represents the entire Treaty between the Company and the Reinsurer and supersedes, with respects to its subject matter, any prior oral or written Treaty between the parties.

B. 2 Articles on Main Obligations

The main obligations of the parties under this Treaty are summarized as follows.

B. 2. 1 Main Obligations of the Reinsurer

The main obligations of the Reinsurer are as follows: Article 9 Participation Sum, Article 10 Reinsurance Premium, Article 12 Claims Handling, Article 13 Statement of Account, Bordereaux and Settlements.

B. 2. 2 Main Obligations of the Company

The main obligations of the Company are as follows: Article 7 Liability for the Company, Article 10 Reinsurance Premium, Article 12 Claims, Article 13 Statement of Account, Bordereaux and Settlements, Article 18 The Right of Inspection of the Reinsurer.

B. 3 Commencement and Duration

B. 3. 1 This Treaty shall take effect on the date when the Treaty is executed by both parties.

B. 3. 2 Unless specified in the Special Conditions, this Treaty shall remain effective for an indefinite period, but may be cancelled in accordance with the provisions set forth in Article 29 of this Treaty.

B. 4 Scope

B. 4. 1 This Treaty is applicable to the insurance business which the Company covers directly specified in the Special Conditions. The business shall be a direct underwriting business within the scope of responsibility specified in the Special Conditions by the consent of the Company.

B. 4. 2 Any policies acquired by the Company through reinsurance or the purchase of another company's policies or through merger with or acquisition of another company shall not be automatically included under the scope of this Treaty.

B. 4. 3 The Reinsurance shall be liable for the loss of the Company caused by the catastrophe listed in the Special Conditions (the corresponding parts of the Reinsurance).

B. 4. 4 The Treaty shall only ensure the final net loss of the Company's own business, and the Reinsurance shall be liable for the losses incurred in the part of the Company's self-retention amount specified in the Special Conditions.

B. 4. 5 Business which has not covered in this Treaty can be specified in Special Conditions.

B. 5 The Definition of Catastrophe

B. 5. 1 "Catastrophe" under this Treaty means caused by the same "catastrophe event", exotic, sudden, not original intention, not the disease, caused the death and the insured, and death and the residual number of not less than the objective events of "N". Number of "N" shall be specified in the Special Conditions. In determining whether to "all the death, or at least the number of the residual" calculation, only in the same catastrophe event caused death and disability all insured people counted, and such as death and bodily injury (ies) all insurant should be excluded out of responsibility, in accordance with clause ______, the insurant is not counted.

B. 5. 2 The loss caused by the same "catastrophe event" is referred to that causes by a natural disaster (such as storms, tornados, typhoon, storm, earthquake, tsunami, tidal, volcanic eruptions, etc.), food poisoning (need determined by the state of health and quarantine departments at or above the provincial level) such as an accident within the scope of the radius is ______ km, continuous direct losses occurred within ______ hours.

B. 5. 3 After catastrophe event happened, the Company have the right to choose the starting time of ______ hours of the catastrophe event, but the starting time shall not be earlier than the time of the first loss occurred which is caused by the catastrophe event and belong to the responsibilities of the Company, and the different loss calculation period shall not be overlapped. The Company has the right to choose the area where ______ kilometers radius is applicable for the specified catastrophe event and calculation area of different loss shall not overlap.

B. 5. 4 If a catastrophe event happened on time of the expiration of this Treaty, the Company shall be liable and regard the whole catastrophe event as it is happened before the Treaty ended. The precondition for the Reinsurance to take responsibility refers to the loss caused by this catastrophe event will not be claimed according to the renewal Treaty.

B. 5. 5 The Reinsurance shall be liable for accidental death and disability responsibility directly caused by this catastrophe which is also happened within ______ days since the date of the catastrophe event. This catastrophe event shall happened in the scope of the valid period of the Treaty and the Company need to notify the Reinsurance about the loss directly caused by this catastrophe event in X years since the catastrophe event happened.

B. 5. 6 "Accidental death responsibility" in this Treaty is defined as a death payment caused by an objective event leads to bodily injury which is external, sudden, unintentional, non-disease.

B. 5. 7 "Accidental disability responsibility" under this Treaty is defined as disability stipulated in <Assessment Criteria and Codes for Injuries and Disability In Personal Insurance> issued by the China Insurance Regulatory Commission and as a result of bodily injury caused by extra, sudden, involuntary, non-disease incidents.

B. 5. 8 The "Loss" in this Treaty means "ULTIMATF NET LOSS" which is the payment to be rendered by the Company for its own account less the attributable actuarial reserves, including extra expenses, such as lawsuit, arbitration and special investigation expenses, occurring in course of claim settlement other than overhead expenses and human resource expenses of the Company. (Optional) Payments from other reinsurers or third parties or any reduction resulting from subsidies granted to the Company by governmental authorities are also to be deducted. Actuarial reserves are to be calculated according to the accounting and actuarial standards applied by the Company when drawing up the financial statements.

B. 5. 9 The Reinsurer is solely liable for the Company's decision on ex-gratia which has retained the written approval of the Reinsurer in advance. The Reinsurer shall not be liable for the loss caused by the Company, such as penalty loss, loss of bad faith, or compensatory loss.

Note: The above term is optional.

B. 6 Exclusion

The exclusions of this Treaty is be defined in the Special Conditions.

B. 7 The Company's Liability

In every catastrophe event, the Company shall take responsibility of "deductible sum of every event" in the "final net loss" in accordance of the stipulation in the Special Conditions.

B. 8 The Reinsurer's Liability

B. 8. 1 For each Catastrophe Event, the Company should cover the Ultimate Net Loss in excess of the Priority Per Event as specified in the Special Conditions. The liability of the Reinsurer limits to the Maximum Indemnity Per Event and Maximum Indemnity Per Contract Year.

B. 8. 2 The liability of the Reinsurer per event and per contract year should equal to, respectively, the Maximum Indemnity Per Event and Maximum Indemnity Per Contract Year as specified in the Special Conditions at the contract year start. If Catastrophe Event happens, the liability of the Reinsurer per event and per contract year will deduct automatically according to the Catastrophe Event's payment a- mounts. If several Catastrophe Events happen during the contract, each one shall be subject to the aforesaid provisions.

B. 8. 3 The relationship of the Company and the Reinsurer is not related, and it means each Reinsurer is only responsible for its own share and not for other Reinsurer's share.

B. 8. 4 Maximum liability of per the Reinsurer.

Note: B. 8. 4 is optional.

B. 9 Participation Sum

The Company agreed to subdivide all policies within the scope of the Treaty in accordance with the shares agreed in the appendix to this Treaty.

Note: The above term is optional.

B. 10 Reinsurance Premium

B. 10. 1 The Company shall pay the reinsurance premium to the Reinsurer in accordance with the stipulations specified in the Special Conditions of this Treaty, and calculated by the method specified in the Special Conditions.

B. 10. 2 The Company shall prepay the reinsurance premium specified in the Special Conditions to the Reinsurer at the beginning of every Treaty year.

B. 10. 3 The reinsurance premium of each Treaty year shall not lower than the yearly net reinsurance premium minimum specified in the Special Conditions.

B. 10. 4 If the final reinsurance premium exceeds the reinsurance premium prepaid at the beginning of the year of this Treaty, the balance shall be adjusted at the end of this Treaty year.

B. 11 Reinstatements

B. 11. 1 [Mode 1] If a catastrophe event has occurred, the Company could automatically reinstate the Liability Per Event, provided that the accumulated liability of the Reinsurer shall not exceed the "Maximum Liability Per Year" as specified in the Special Conditions. The "Number of Automatic Re-instatements" allowed under this Treaty is specified in the Special Conditions.

B. 11. 2 [Mode 2] If a catastrophe event has occurred, the Company could reinstate the Liability Per Event for free at a selected time point, provided that the accumulated liability of the Reinsurer shall not exceed the "Maximum Liability Per Year" as specified in the Special Conditions. The "Number of Free Reinstatements" allowed under this Treaty is specified in the Special Conditions.

B. 11. 3 The Company could reinstate the Liability Per Event for free or by payment of a reinsurance premium. However, the accumulated liability of the Reinsurer shall not exceed the "Maximum Liability Per Year" as specified in the Special Conditions. The "Number of Free Reinstatements" and the "Calculation Basis of Reinsurance Premium for Reinstatements" are specified in the Special Conditions.

Note: choose one of the modes above.

B. 12 Claims

B. 12. 1 The Company must notify the Reinsurer in writing as soon as possible after an catastrophic event has occurred, and notify the Reinsurer the extent of loss arising from the catastrophic event. The Company must provide the Reinsurer with all information in relation to the claims.

B. 12. 2 The Company undertakes to do everything within its obligations to avoid or reduce losses.

B. 12. 3 The Company shall notify the Reinsurer in advance for any extra-ordinary claims expenses arising from litigation, arbitration or special investigation in the claims handling process. The Reinsurer has the right to decide whether to participate in any litigation, arbitration or special investigation. Unless there is any prior written agreement by the Reinsurer, the Reinsurer shall not be liable for any ordinary claims expenses incurred by the Company in the investigation or claims handling process. Provided that the Reinsurer agreed in writing in advance, the Reinsurer will share any extra- ordinary claims expenses in relation to the investigation, adjustment, settlement or contest of a specific claim under a policy which is reinsured under this Treaty in a reasonable manner. "Extra-ordinary claims expenses" include private investigator fees, legal expenses and any litigation fee that is necessary. "Extra-ordinary claims expenses" do not include any expenses incurred for obtaining medical report nor any office expense or salaries of the employees of the Company (including any expenses incurred due to field work done in claims handling process).

Note: B. 12. 3 is optional.

B. 12. 4 Extra-contractual damages: The Reinsurer is not liable for extra-contractual damages, such as punitive, bad faith or compensatory damages, which are levied against the Company. However, the Reinsurer recognizes that circumstances may arise under which it should contribute to the Company's liability for extra-contractual damages. Such circumstances are those situations in which the Reinsurer was an active party and directed, consented to or ratified the act, omission or course of conduct which ultimately resulted in the assessment of damages. In such situations, the Reinsurer shall contribute equitably to such damages.

B. 12. 5 Upon request of the Company, the Reinsurer shall pay claims which it is liable to the Company within X days after its confirmation with the Company on the claim amount.

B. 12. 6 The Reinsurer retains the right to review each claim and require the Company to provide claims documents accurately and in full. If the Company fails to comply with such obligation, the Re- insurer has the right to deny a claim.

B. 13 Statement of Account, Bordereaux and Settlement

B. 13. 1 Within ______ days after the end of the contract period, the Company shall provide the statement of account and bordereaux to the Reinsurer.

The bordereaux for the catastrophic reinsurance should include the following information:

1) The total retained net sum at risk covered by this Treaty for the Company's own account both at the beginning of the contract year and at the end of the contract year;

2) The total gross net premium covered by this Treaty;

3) The total number of insured covered by this Treaty;

4) Amount of reinsurance premium;

5) Detailed information on claims covered.

Detailed format and requirements on statement of account and bordereau are specified in the Appendix.

B. 13. 2 The Reinsurer should check the statement of account according to the bordereaux information and confirm or raise objections within ______ days. Any balance due to the other party shall be paid to the other party within ______ days after confirmation of the statement of account by both parties.

B. 13. 3 Should the Reinsurer raise any objection to the statement of account, the Company should provide feedback within ______ working days. For any undisputed balance in the statement of account, the Company shall pay the balance to the Reinsurer immediately. As soon as the objections have been clarified, any difference in the balance due shall be paid immediately by the debtor.

B. 13. 4 If either party fails to settle any balance due within ______ days after the end of a contract year, the other party has the right to charge an interest according to the terms set out in the Special Conditions. Interest shall be charged from ______ days after the end of the contract period until the balance is fully paid.

B. 13. 5 Upon termination of this Treaty for new business and enforce business for whatever reasons, the Company shall submit a final statement of account regarding any accounting items arising from the Treaty between the parties (Detailed requirements refer to the Special Conditions). The provisions regarding currency, exchange rate, account confirmation and settlement of balance shall apply to the final statement of account in the same manner.

B. 14 Offsetting

For any claim or liability that is due or not due and payable to the other party, regardless of whether the Company or the Reinsurer is the debtor or creditor and whether the party is liquidated or not, the claim or liability could be set off against each other and the net balance shall be settled between the parties, provided that such claim or liability has incurred and both parties are the creditor and debtors to each other for such claim or liability.

B. 15 Expenses

B. 15. 1 Unless otherwise agreed elsewhere in this Treaty, either party shall not be liable for any expenses or costs incurred by the other party in its operations.

B. 15. 2 The Reinsurer shall not be liable for any tax, consumption tax, value-added tax, customs duty, withholding income tax, management fee, compulsory charge or any other similar obligations that are imposed on the Company according to any applicable laws.

B. 15. 3 In the absence of a general limitation, all mailing costs and other similar charges are borne by the sending party.

B. 16 Errors and Omissions

B. 16. 1 The rights or liabilities of either party under this Treaty shall not be prejudiced in any way by any inadvertent omission or error which may arise in the administration of reinsurance business, provided that rectification is made by the party who is responsible for the inadvertent omission or error immediately upon discovery. Such inadvertent omission or error is considered as rectified if the parties are reverted to the position as if such omission or error had not occurred.

B. 16. 2 If there is any actual economic loss incurred by the other party due to any omission or error, the other party has the right to claim remedies from the party causing such omission or error.

B. 17 Currency and Exchange Rate

B. 17. 1 Unless otherwise specified in the Special Conditions, the financial items specified in this Treaty are stated in the original currency of the policy and settlement shall be made in the original currency of the policy. If payments are payable in a currency other than the original currency of the policy, they shall be converted at the rate of exchange ruling on the date of the payments is due, nothing that the debtor shall bear the currency risk for any late payment.

B. 17. 2 If the policies or benefits included under the scope of this Treaty are denominated in a currency other than the one in which the monetary limits are set out in the Special Conditions, the monetary limits shall be converted to this other currency using the exchange rates specified in the Special Conditions. Such exchange rates shall be reviewed as specified in the Special Conditions.

B. 17. 3 Specific terms relating to the rate shall be specified in the Special Conditions.

B. 18 The Right of Inspection of the Reinsurer

B. 18. 1 The Company shall reserve all the paper about reinsurance both in electronic and in written. After the Company ceases to distribute the relevant risks to the Company, the shortest saving time of the above documents shall be executed according to the time specified in the Special Conditions. If the Company fails to reserve the above mentioned documents to the minimum period, the Reinsurer has the right to refuse to participate in the policy to the starting point and the Company shall reimburse paid indemnity in spite of the amount, unless the Company can regain all related reinsurance information in accordance to the Reinsurer.

B. 18. 2 The Reinsurer shall give the Company a written notice 5 working days in advance, if it intends to inspect, the Company shall provide all relevant documentation in respect of any policies or benefits hereunder this Treaty. The Reinsurer shall give the Company a written notice 48 hours in advance even in emergency case. The Reinsurer or its representative have a right to inspect all relevant documentation in respect of any policies or benefits hereunder this Treaty within normal working hour, and the Reinsurer shall undertake fees.

B. 18. 3 The Reinsurer shall have such a right of inspection so long as the benefits and liabilities be- tween both parties are in force even after the termination of this Treaty.

B. 19 Data Warranty

B. 19. 1 The Company acknowledges that the information which it provided in whatever form to the Reinsurer prior to the commencement of this Treaty constituted the basis for the Reinsurer's decision to enter into this Treaty. The Company also acknowledges that the Reinsurer continues to rely on this information and further information provided after the commencement of this Treaty in deciding whether and under what terms to continue to participate in this Treaty.

B. 19. 2 The Company represents and warrants to the Reinsurer as a continuing representation and warranty that all information supplied to the Reinsurer in connection with this Treaty is true, complete and accurate and that the Company is not aware of any material fact or circumstance which has not been disclosed to the Reinsurer. A fact or circumstance shall be considered material if knowledge of it would influence the judgement of the Reinsurer in determining whether or not to provide the reinsurance cover to the Company, on what terms to provide or continue such cover, or whether or not to continue to provide such cover.

B. 19. 3 In the event that the Company fails to fulfil the obligation according to paragraphs 1 and 2 of this Article, the Reinsurer shall have the right to decline participation in the claims payment (s) concerned irrespective of any other remedy provided for in this Treaty.

B. 20 Utmost Good Faith

The parties to this Treaty made and entered into in the principle of utmost good faith and undertake to use utmost good faith in all matters relating hereto.

B. 21 Severability and Waiver

B. 21. 1 If any provision of the Treaty shall be found invalid or unenforceable according to the applicable jurisdiction, the other terms shall remain effective. Under such circumstance, these terms which are invalid or unenforceable shall be modified or supplied so as to confirm to the purpose of the original Treaty.

B. 21. 2 No failure or delay by either party in exercising any right under this Treaty shall be deemed to be a waiver thereof.

B. 22 Confidentiality

B. 22. 1 Without written consent of another party, either party of this Treaty shall not copy, publish in any forms or disclose any information about terms in this Treaty (including but not limited to the information accumulation and industry risk analysis in normal business) to any other person except for parties under this Treaty.

B. 22. 2 This provision does not prohibit disclosure of information to the regulatory authorities, the courts, the professional advisers of the parties to the Treaty or the retrocession ire of the Reinsurer to the company. In addition, either party shall have the right to disclosure the information to its affiliated companies, consulting agencies, third party administrators, financial auditors, but these information receivers mentioned hereinabove shall also be bound by the confidentiality obligation.

B. 22. 3 The confidentiality obligation of this Treaty shall not be terminated by the termination of this Treaty, and its confidentiality obligation shall continue to be valid until the expiration of X years from the date of termination of the Treaty.

B. 23 Data Protection

For the purpose of compliance with data protection laws regulating the processing of personal data, each party undertakes to ensure its compliance with the provisions of relevant laws.

In particular, without prejudice to the foregoing general provisions, to fulfill its legal and contractual obligations, the Company confirms that it has obtained and undertakes that it will obtain on a continuing basis all requisite consents for any facultative business with the Reinsurer. The parties confirm that each will only use secured processes and systems (as mutually agreed) for the transfer of such data in accordance with the provisions of the applicable data protection act.

Note: The above term is optional.

B. 24 Remedies for Breaches

B. 24. 1 If either party of this Treaty, whether intentional or unintentional, fails to perform obligations set out in article 2 of the Treaty, unless the Treaty is terminated according to section 2) in the second paragraph of article 29 in this Treaty, the other party has the right to be compensated and to protect its relevant policies from the losses caused by the default party fulfill its obligations. This right may be fully retroactive to any claim, cost, or expected profit reduction resulting from the failure of the other party to perform its obligations.

B. 24. 2 The indemnity shall compensate the Party - in - loss to the level as if the obligation has been fulfilled by the default Party. The level of the indemnity may be determined by taking into consideration the reinsurance terms which would have reasonably and properly followed with full retrospective effect if the default had not occurred. Disagreements over the level of the indemnity or any action shall be submitted to arbitration as per Article 27. Nothing in this Article shall affect any other rights or remedies enjoyed by the other party under the Treaty. Furthermore, if the Company has intentionally concealed or misrepresented relevant information or data, and it can be demonstrated that a prudent and professional reinsurer, in possession of the true facts, would have declined to provide reinsurance protection for such business, then the Reinsurer shall have the right to cancel such reinsurance business with retrospective effect. In this case, all payments between the Company and the Reinsurer on this reinsurance arrangement shall be refunded at the interest rate specified in section 13. 3 and no liability shall remain with the Reinsurer for this reinsurance business.

B. 25 Anti-Money Laundering and Anti-Commercial Bribery

B. 25. 1 By virtue to relevant anti-money laundering regulations, each party undertakes to ensure that, for the purpose of the Treaty, its own anti-money laundering systems and procedures have been established and maintained.

B. 25. 2 The Company and the Reinsurer admit and agree:

1) All commercial bribery shall be prohibited;

2) All company representatives, employees are required to strictly enforce the rules in their organization.

If the Company or the Reinsurer discovered any activities in relation to this Treaty have already been or may be in violation of the applicable commercial bribery laws or regulations, a prompt notification shall be sent to the other party to the extend permit by applicable law.

B. 26 Sanctions Resolutions

No reinsurer shall be deemed to provide cover and no reinsurer shall be liable to pay any claim or provide any benefit hereunder to the extent that the provision of such cover, payment of such claim or provision of such benefit would expose that reinsurer to any sanction, prohibition or restriction under United Nations resolutions or the trade or economic sanctions, laws or regulations of any jurisdiction applicable to the Reinsurer.

B. 27 Articles on Arbitration

B. 27. 1 Both parties shall try to settle any disputes arising out of or in connection with this Treaty by negotiation. If both parties fail to reach to the Treaty, they shall submit the case to China International Economic and Trade Arbitration Commission (CIETAC) (or China International Economic and Trade Arbitration Commission Branch) for arbitration which shall be conducted in accordance with the CIETAC's arbitration rules in effect at the time of applying for arbitration. The language of arbitration is Chinese, and the place of arbitration is China <city> (optional).

B. 27. 2 The arbitral award is final and binding upon both parties.

B. 27. 3 Both parties agree that arbitration shall be the exclusive method to settle the dispute.

B. 28 Governing Law

Unless otherwise agreed in the Special Conditions, this Treaty shall be governed by the law of the People's Republic of China.

B. 29 Alterations and Termination of the Treaty

B. 29. 1 All amendments to this Treaty agreed by both parties shall be duly attached to this Treaty in the form of a written supplementary Treaty, and the supplementary Treaty shall be signed by both parties. This supplementary Treaty shall be part of the Treaty and shall be equally binding.

B. 29. 2 Either party has the right to terminate reinsurance business linked to new issued policies by giving in advance at least three months' written notice to the other party. During such notice period, the Reinsurer shall continue to be liable for new cessions established under the terms of this Treaty. Reinsurer's liability to all policies under the Treaty remains valid until the termination date. Upon termination in accordance with this paragraph, reinsurance of a policy ceded before the date of termination shall remain in force until the related policy's expiry or subject to the terms and conditions for this Treaty. After expiry of this Treaty, the Reinsurer is not liable for any new businesses.

B. 29. 3 The terms on retroactive cancellation shall be specified in the Special Conditions.

a) If the Company fails to pay the reinsurance premium as promised in the Treaty, the Reinsurer shall have the right to claim the settlement and request the termination of the Treaty with month's prior to the notice. The Reinsurer's liability under the Treaty is released upon termination.

b) Under the case where reinsurance premium rates are non-guaranteed, the Reinsurer has the right to notify the Company about adjustment on the rates three months in advance and the reinsurance premium rates after adjustment shall be determined by both parties through negotiation. sIf both parties fail to reach an Treaty about the adjustment during months negotiation period, the Reinsurer has the right to terminate the business which has not agreed upon the expiration of the three months' notice. After the termination of the settlement, the Company will no longer bear any responsibility for the business not reaching a consensus.

c) In following circumstances, either party of this Treaty has the right to notify the other to terminate this Treaty with immediate effect:

1) The Treaty cannot be performed or the purpose of the Treaty cannot be achieved due to the changes in the legal environment or that the other Party's operation is seriously deteriorating or be- comes insolvent in accordance to the regulations of the insurance regulatory authorities;

2) The other party is merged with companies other than its affiliated company or its ownership or control transferred to a company other than its affiliated company;

3) The other Party looses the whole or part of its paid-up share capital;

4) The other party fails to perform the responsibility obliged by the Treaty or seriously violates the Treaty and has failed to take remedial measures within ______ days upon receipt of the no-fault party's notice;

5) The performance of this Treaty is rendered impossible de jure or de facto for reasons not attributable to the Party giving notice,

6) The other party of the Treaty went to bankruptcy or has its business license or business operation

permission that the Treaty or the insurance contracts attached to revoked;

If this Treaty is terminated in any circumstances mentioned in this article, (including the country of one Party involved in armed hostilities with the country in which the other Party has its domicile or head office), all cession under the Treaty shall be ceased as if the Treaty is terminated. Since the termination of this Treaty, reinsurer shall not be liable to any new business or in-force business.

d) This Treaty shall be terminated when other termination conditions listed in the Special Conditions are satisfied.

B. 29. 4 The notice under this Treaty shall be issued in writing (letter, fax, e-mail etc.) to the address indicated in this Treaty. The notice shall enter into force upon delivery, unless there is evidence that it has been received in advance, The notice is deemed to be served:

1) In the case of delivery by hand, the notice shall be deemed to be served upon delivery to the ad- dress designated by the parties;

2) In the case of pre-paid registered mail, the notice shall be deemed to be served within 10 working days after the post is mailed;

3) In the case of express delivery, the notice shall be deemed to be served when the Courier is signed and confirmed by the Courier;

4) In the case of mail by air mail, the notice shall be deemed to be served five working days after the post;

5) In the case of delivery by fax, the notification shall be deemed to be served when the sender's fax machine records transmission confirmation;

6) In the case of delivery by e-mail, the notification shall be deemed to be served when addressing the specific system of the receiver.

B. 30 Representations and Warranties

B. 30. 1 The Company represents and warrants as follows:

1) It is duly organized and validly existing under the laws of its domicile country;

2) It is empowered under applicable laws and by its charter and bylaws to enter into and perform the duties contemplated in this Treaty; and

3) It has taken all requisite corporate proceedings to authorize it to enter into and perform the duties contemplated in this Treaty; and

4) No person under its management and authorization has violated any local laws and regulations governing insurance; and

5) It has obtained any and all regulatory approvals as may be required for the Company to cede the policies covered hereunder and to assure whatever reserve credits it may wish to take for such cession; and

6) As part of the process of due diligence, the company has provided some data to the reinsurer. This data completely and accurately describes the financial status of the company and of the policies subject to the reinsurance Treaty.

B. 30. 2 The Reinsurer represents and warrants as follows:

1) It is duly organized and validly existing under the laws of its domicile country; and

2) It has been granted a license to operate a reinsurance business under the laws of the People's Republic of China and is in good standing under those laws; and

3) It is empowered under those laws and by its charter and bylaws to enterinto and perform the du- ties contemplated in this Treaty; and

4) It has taken all requisite corporate proceedings to authorize it to enterinto and perform

the duties contemplated in this Treaty.

B. 31 Language

This Treaty is written bilingually (in English and Chinese) and has equal legal effect. Where the English version is inconsistent with the Chinese version, the Chinese version shall prevail unless otherwise agreed in the schedule.

B. 32 Term Definition

Ultimate Net Loss: refers to the total amount of sum at risk in the event of catastrophe e-vent that should be borne by the Company after deducting all other reinsurances. The "sum at risk" refers to the difference between the sum insured or its present value (if the benefit paya-ble upon the insured e- vent is paid by periodic payments) and the actuarial reserve or cash value under the policy (as calculated in accordance with the requirements provided by the Chi-na Insurance Regulatory Commission). The present value abovementioned shall be calculated in accordance with the Company's actuarial standards for such calculation.

(Signature Page)

In Witness whereof, the Parties hereto by their respective duly authorized representatives have executed this Treaty in ________ copies on the date written and places indicated as follows:

For and on behalf of ________ LIFE INSURANCE COMIPANY

Legal representative or authorized representative

In ,

This day of (year)

For and on behalf of ______________ RFINSURANCE COMPANY

Legal representative or authorized representative

In ,

This day of (year)